岩 波 文 庫

31-012-18

渋 沢 栄 一 伝

幸田露伴作

JN053955

岩 波 書 店

目次

渋沢栄一伝……5
人名解説……（山田俊治編）……295
渋沢栄一　略年譜……333
解　説――神話化に抗して……（山田俊治）……341

渋沢栄一伝

本文で、主な人名の初出に＊を付した。＊のある人名は、巻末の「人名解説」で簡略な解説を施した。

仁孝《にんこう》天皇＊の御代の第二十四年、徳川家慶《いえよし》＊が将軍職を任ぜられての第四年、天保十一年二月十三日を以て、渋沢栄一は武蔵国榛沢《はんざわ》郡血洗島《ちあらいじま》村に生れた。歳は我が紀元二千五百年、西暦千八百四十年に当る。

一個人の上を伝うるのに、ものものしくかくの如くに取出でて言うのは、その人が如何にも時代の人であるからである。人は誰でも時代の人である、時代に属せぬ人というものが有ることは無いが、その人おのずからにして前時代人のような風格を有して、そして時代に後《おく》れ、時代に埋没《まいぼつ》して終る人もあり、また単に時代に浮泛漂蕩《ふへんひょうとう》して、その人は有れどもほとんど無きに同じく、所謂《いわゆる》時代の塵埃《じんあい》となって終るものも有り、また稀には時代に超越して時代の人と云おうよりはその人却《かえ》って時代を包有せるが如きものも有る。才能の大小や、性質の美悪や、そういうこととは別に、人の風格はさまざまであって、そして各自の一生をその時代に印《いん》するのである。ただ栄一に至っては、実にその時代に生れて、その時代の風の中に育ち、その時代の水によって養われ、その時代の食物と灝気《こうき》とを摂取して、そして自己の軀幹《くかん》を造り、自己の精神をおし立て、時代の要求するところのものを自己の要求とし、時代の作為せんとする事を自己の作為とし、求むるとも求めらるるとも無く自然に時代の意気と希望とを自己の意気と希望として、長い歳月を克《よ》く勤め克く労したのである。故に栄一は渋沢氏の家の一児として生れたのは事実ではあるが、それよりはむしろ時代の児として生れたと云った方が宜《よ》いかとも思われる。時代に係《か》けて誕生を語るのは蓋《けだ》ししかるべきことであろう、実に栄一は時代に造り出されたものであるからである。以下委細に記するところは、都《す》べて皆これを証するものである。

栄一の初の名は市三郎といった。市はその家の通り名であって、第三子として生れたからその名を得たのである。兄二人はいずれも早世したので、何の伝わることも無い。父は市郎右衛門*といい、母は栄*といった。栄をあるいはえいに作ったものが存しているというが、それは多分土地の音の訛《なま》りを、通じ易きを主としてたまたま不用意に書かれたに過ぎぬことであろう。血洗島村というのは、今は大里《おおさと》郡八基《やつもと》村となっている。中山道深谷《ふかや》駅を北に距《さ》ること一里ばかりで、利根川の流の南に当る地であり、岡部侯安部《あべ》氏の領邑《りょうゆう》であった。

相伝《そうでん》の説には、天正年間に、渋沢隼人というものが血洗島の草萊《そうらい》を拓《ひら》いて農桑《のうそう》に従事し、そこに居を占めた。それが渋沢家の祖であるということである。しかし隼人の出自《すいじ》は明らかでない。足利氏の支流であるという説があるが確徴も無い。あるいは甲斐源氏の逸見《へんみ》の族に渋沢を称するものがあったその後であろうというが、それも根拠ある推想に止《とど》まる。蓋し隼人の名が士流の出たることは分明である。おもうに当時上野《こうずけ》・武蔵の地は、武田氏と北条氏との相争った地で、天正十年武田氏が甲斐に亡びたのだから、疑うらくは武田氏の士が、弓箭《きゅうせん》の道を棄てて耒耜《らいし》の生活に入ったのでもあろうか、戦乱の世には例《ためし》のあることである。といってもこれもまた臆測に過ぎない。ただし足利氏支流に出づるとするも、逸見氏一族に出づるとするも、足利氏の本拠であった下野《しもつけ》の国は利根川を隔つるのみの接壌の地であり、武田氏の蟠居《ばんきょ》した甲斐の国も秩父嶺を越ゆるのみの隣境の地であれば、程近きところから未だ開けぬあたりに移り来たであろうことは知るべく、また足利氏にしても逸見氏にしても、いずれにしても武家であれば、武家だったろうことは信ずべきである。血洗島草創の時は、家ただ五戸であったと云伝えているが、後漸《ようや》く繁息して一ト里を成し、渋沢氏を称するもののみにても、十余戸の多きに至った。その中で市郎右衛門の家は、その地で中の家と云われていた。中の家とは末の家で無い意義だ。栄一は実に渋沢氏の中の家の児として生れたのだ。

中の家はもとより農を以て立っていたのだが、何時《いつ》の頃からか、藍を製することと、蚕《かいこ》を養うこととを兼ねて営んでいた。栄一の祖父の市郎右衛門*の世に当って、副業が賑わないで却ってその累《るい》を受け、家道大《おおい》に衰えて、ほとんど産を失わんとするに至った。製藍や養蚕は商業がかったことで、利益も厚いが、時に損失することの有ることも免《まぬか》れなかったものであったからである。そこで栄一の祖父の市郎右衛門は、家を嗣《つ》がすべき男の子が無く、女のお栄のみであったので、支族の渋沢宗助*の第三子元助*を迎えてお栄の婿とし、中の家の通り名である市郎右衛門を譲り、自分は隠居して敬林と号した。栄一の父の市郎右衛門は即ちこの元助であって、母は家つきの娘、父は養子なのであった。

宗家支家の関係は古《いにしえ》の敦厚《とんこう》な我が邦俗によってははなはだ大切にされていたものであり、たとい宗家が衰えて支家が盛んになっても、宗家はなおその権威を保ちて君長の如く、支家は隷属的地位に立って藩屏《はんぺい》の如くなるの観を存したものであり、実情は然《さ》無くとも、少くともそれが当時の社会道徳であった。だから支家の元助が宗家に入って市郎右衛門となったのは、元助に取っては名誉でもあり、またその蠱《こ》を幹《かん》するの場合に立ったことは道徳的にも自ら怡《よろこ》ぶの意が有ったことであろう。敬林に取っては才力も有り財力もある宗助の子にして、しかも人物の宜い元助を吾家《わがや》の後嗣《あとつぎ》としたことは、家を保つ上においても、女《むすめ》を託する上においても、大満足のことで有ったろう。才幹の有った宗助が吾《わが》子《こ》元助をして宗家を承《う》けしめたのは、もとより当時の社会道徳に随順しての事でもあろうが、蓋しまた宗家の運命を挽回することが可能であると見透《みとお》しをつけての上、かつは元助の身の上に光輝を与えようとの処世的賢明さにも出たことであろう。

元助は市郎右衛門となった。果して善《よ》く働き克く勤めた。その初は勿論《もちろん》実家の力を藉《か》りたであろうが、漸くにして衰運挽回の功を立て得た。父宗助から譲られた聡明さも有ったし、勤勉の習慣も身について居たしするからの故も有ったろうが、復興を図《はか》ろうというような場合に最も必要な倹約の徳を能《よ》く守ったことが、家運転廻の機を為したに疑《うたがい》無い。すべて地方の旧家大家というものは年代を経る間に、自分からしても外囲からしても自然とその家の格《かく》というものが成立って終《しま》うもので、その格に準じて世を渡って行く中に、無事であれば出入相平らかでいるが、一朝《いっちょう》何等かの一寸《ちょっと》した事があれば入るものは同じであって出づるものは多くなり、それから次第に平穏の状態より衰耗の運勢へ移って行くものである。ところでその転機は実に微にして見難いほどの瑣細なことであるが、勤労に裏貼《うらば》りするに倹約の徳を以てして、少しでも出づるを省き入るを増《はぶ》して、如何に微細でも入るものが出るものより多くなる形勢を致し得るようになれば、そこで運命の機は転じて、復興の功は挙がるものである。市郎右衛門は確乎として身を持し業に励んだ。しかも当時の必要染料たる藍の製造は、その材料たる生藍の品質を鑑別し得て、能く中《あた》ると中らざるとに、その結果の利不利が岐《わか》れるのである。ところが市郎右衛門はその鑑別がはなはだ精詳で、近郷皆及ぶべからずと讃称したほどであった。敬林が因《よ》って以て失ったところを、市郎右衛門は因って以て得たのである。そして更に余力を以て荒物商をはじめた。荒物商というのは、云うまでも無く質朴なる村落の百貨店であった。堅実なる努力は、触るるところに輝《かがやき》を生じた。一年二年、五年六年と、何年かを経て、見る見る家道殷賑《いんしん》、財饒《おお》く屋潤《うるお》いて、実父宗助の家に次ぐの富《とみ》を成すに至った。

ここにおいて市郎右衛門は領主安部侯御用達《ごようたつ》となって数々《しばしば》その命を承《う》けて金穀を融通し、勿論苗氏帯刀《たいとう》を許され、村役人に擢《ぬきん》でられ、組頭《くみがしら》から進んで名主見習《なぬしみならい》とされた。当時の制度で名主・組頭は代官・郡奉行《こおりぶぎょう》の下に属する公吏で、百姓代と共に地方三役人の称が有った。名主は村邑の長で、組頭は名主の補佐である。その任は郷内の治安を図り、農工商業を督視し、貢税を徴収し、小物成《こものなり》を運上し、用水・堤防・橋梁・井堰《いせき》等の事に至るまで、凡《す》べて公事を管掌して、上下の間に立ち、能く民情を通じ里政を斉《ととの》うるに在った。されば名主たるものはおおむねその家が資産有り、その人が徳望有るものを選任したものである。市郎右衛門は既にその家を中興し、またこの地に新選せられて、郷村の為に力を致すの地位に立つに至った。その才その徳、まことに想うべきであった。この時に当って、栄一は生育したのである。栄一は実に天の恵福を享《う》けたるも多しというべきであったのである。

市郎右衛門はその上に略《ほぼ》文事に通じ、武技をも能くした。詩を賦《ふ》し誹諧を詠ずるというが如きは、その腐心するところでは無かったが、文雅の性の自然に出でて、筆札の如きも遥《はるか》に地平線をぬき出て居た。撃刺の術などは何も必要が有って学んだ訳では無いが、関東の気風が勇武を尚《たっと》んで、余力のあるものは好んで剣を学ぶのを習俗としていたので、市郎右衛門も夙《つと》にこれを学んで、神道無念流の剣法に達したと云われている。つまり地方の長者たるの資格において欠くるなき教養有る好個人で、加うるに民に臨むに愛を以てし、誘導啓発して殖産興業に力《つと》めしめたのであるから、郷党の間に重んぜられたのも道理であった。

敬林の女《むすめ》、市郎右衛門の妻の栄もまた善良の人であった。家つきの女というものは兎《と》角《かく》に傲慢になりたがるもので、伊能忠敬に台所で食事をさせたというその妻の譚さえ伝えられているほどであるが、栄は少しも傲慢でなく、自ら持することは謹厳であって、人に接することは恭謙であった。それのみならず慈仁の情が深くて、人の貧困病患等のことを視聴すると、暗然として涙を含み、即ち起ってこれを救わんとするに至り、あるいは時として市郎右衛門をしてその仁恵に過ぐるのに顰蹙《ひんしゅく》せしむるに及んだことさえあったということである。

この父この母の間に生れた栄一はその境涯が幸福であったのみならず、その性質において蓋し天の寵恵を得たものであったろう。六歳になった時、父から読書を授かった。それは『古状揃《こじょうそろえ》』・『消息往来』の類であった。いずれも当時の寺子屋、即ち小学校で用いられた教科書であって、無論暗誦的に呫嗶《ちょうひつ》するのであった。習字もまた父から受けた。市郎右衛門の自書の『消息往来』がなお存しているが、当時の普通の俗体よりは正しい方へ立優《たちまさ》った好い字体である。八歳頃より『論語』の素読《そどく》をやはり父に受けた。二人の子を失った後に得た栄一に読書・習字等をみずから授けた市郎右衛門は、如何に楽しくもまた優しく愛に満ちて教えたことであろう。教育というものは言語・文学・算数等の知識を授けるのみではない、人の心の発達開展を正しく美しい方へ傾向づけることであるから、その初頭において自他に浸徹し貫通融合するところの愛を以て教えられ導かることは、絶大な幸慶であって、注入だの開発だのという形式の議論を超越した最大効果的のものであり、然様《そう》いう教育から進み出したものは、他日乾燥した精深な学問を辿り、あるいは複雑苛辣《からつ》な人世の実際から砥礪《しれい》を受ける場合にも、能くこれを安易円満に歪曲《わいきょく》無く摂取して、そして自己を玉成するに至るの勢《いきおい》を有《も》つものである。栄一が父から授かった教育は無論当時の風の注入的外圧的のものであったろうが、所謂《いわゆる》その頃の教育の専門家たる寺子屋の御師匠様に託されなかったことは、確《たしか》にこれもまた一幸慶であったに疑無い。

栄一の学は年と共に進んだ。学んで『論語』の里仁篇《りじんへん》に至った頃には、父は栄一の為に供給する多くの時間を得難くなったので、尾高新五郎*という青年を以て自分に代って栄一を教えしめた。自然に生じた事ではあったが、これがまた栄一に対して大きな影響を与えて、遂に栄一をして一村一郷の人たらしめないで、広大な世界の中へ躍り出すに至らしめたのである。機縁は実に不可思議であった。

後年尾高藍香、即ち新五郎の伝が塚原蓼洲《りょうしゅう》＊の手によって撰せられた時、栄一はそれに序を書いた。その中に記して曰く、余の翁と、生るるに郷貫《きょうかん》を同じくし、繋《か》くるに戚族を以てし、而《しか》して齢において余の兄たり、学において余の師たり、余の学を修め人と成るに至るもの、実に翁の薫陶によらずんばあらず、ここを以て余深く翁を敬愛し、終始悖《もと》らずして、管鮑《かんぽう》の交《まじわり》を全うしたるもの、固《もと》より偶然にあらざるなりと。栄一のこの言は実にその通りであるが、またただに学問記誦の上のみではなくて、栄一が郷を出で世に立つに至れるその発軔《はつじん》のところにおいて、新五郎の力が加わったことははなはだ大なることは、以下の記するところでおのずから分明する。

新五郎は天保元年を以て同じ武蔵国榛沢郡の手計《てばか》村に生れた。父は尾高勝五郎＊、母は渋沢氏やへ＊であった。やへは前出の渋沢宗助の女《むすめ》で、当時の俗として市郎右衛門の家は代々市郎右衛門、宗助の家は代々宗助で、その家の当主は所謂《いわゆる》通り名を襲《つ》ぐのであるから、後から談《かた》るとははなはだ混乱して分り難くなるが、隠居して宗休となった宗助の子に、後に誠室といった宗助＊・長兵衛＊・やへ・元助・きい＊の五子があった。やへは栄一の父市郎右衛門即ち前名元助の姉であったから、その子の新五郎と栄一とは従兄弟《いとこ》同士であった。

新五郎の家は手計村の名主であったし、新五郎は身心共に優秀な児であったから、自然と村の群児の雄として育った。四書の素読は村夫子《そんぷうし》に、習字は叔父に受けた後、やや進んでは村へ游歴して来た菊池菊城《きくじょう》*という人に漢学を授かり、剣道は夙《はや》く十歳から川越侯の師範役大川平兵衛*に就《つ》いて学んだ。天賦の豊なものは多くは自己に賦課された教科以外に、自己の嗜好傾向からして自ら教うるものであり、そしてそれによって愈《いよいよ》自己を発達させるものであるが、新五郎もまた実に能く自ら教うるの少年であった。野史雑書等は新五郎の読耽《よみふ》けるところのものであり、当時の権力分有者たる人々の身分や禄高《ろくたか》を列記した武鑑は新五郎の常々《つねづね》の玩物であり、また如何なる人物からもその談話中より知識を吸収するのであり、感情を開発するのであった。透明な頭脳を有したこの好児の眼睛には時代の一切の光は鮮明に映《うつ》り入ったのである。それで天明以来外国の船が我邦に来始めて、文政・天保と露西亜《ロシア》・英吉利《イギリス》のもの等が我が安眠を驚かすに及び、水戸の景山公*が、天保十二年水戸城外の千波《せんば》が原で追鳥狩《おいとりがり》の名を以て擬戦演武の挙を行うに際して、祖父に伴われて見物した時は僅に十二歳の童稚であったにかかわらず、大《おおい》に感激して、一生これを銘記して忘れなかったというほどの新五郎は、十四、十五という頃には既に凡ならぬものとなって居た。十五歳からは家業に従った。米穀・塩・油・藍靛《らんじょう》等を扱うのであった。この時分に前後して伯父の誠室宗助が『養蚕手引草』という書を著わすに当ってはその助手となり、また叔父の市郎右衛門に就いては製藍の法を研究した。俊敏の才、漸くその鋒鋩《ほうぼう》を露《あら》わし出したのである。が、それにも増して新五郎をして人生の磨礱《まろう》に遭ってその籾を破りて穀となるの痛い境界《きょうがい》に立たせたものはその翌年十六歳の時からの家庭の紛紜《ふんうん》であった。

新五郎の母の父たる宗助(宗休)は近郷屈指の富豪で、領主の御金御用を勤め、即ちその経済にも立入る職責を有するまでに至り、識見もあり材幹もあって、宗家の衰に際して吾子元助を入れてこれを立直したほどの器量である。しかるに新五郎の父の勝五郎の父母の磯五郎夫婦は、所謂《いわゆる》名主様気質《かたぎ》で権威ばって世を経て来たが、その頃漸く家事不如意になって来た。これは二宮尊徳が道破した如く、出入相平らぐ生活をしていては歳月を経る間に必ずその家は窮運に傾くものであるからで、何様《どう》という際立《きわだ》った事が無くても都鄙《とひ》に限らず旧家などの遭遇する定命《ていめい》である。そこで勝五郎へ吾が女《むすめ》を与えた宗助は、その家の内幕の分るような事実に出逢う度々には自分の精到厳正な批判眼から黙って同情のみはしていられぬ経済上の心切な助言を試みたのである。ところがこれは磯五郎に取っては、取りようによってははなはだ面白くないことであったに相違無かった。特《こと》に土地の気風は川一つ隔てた上州に似通《にかよ》って負嫌《まけぎら》いの気嵩《きがさ》な性質なのであったから、却って無理をしても外を飾って内の苦を増すようなことをした。それで勝五郎夫婦は愈窘《くる》しみ、宗助はまた愈苦々敷《にがにがしく》思って助言した。その助言は勿論何等かの因縁によって致されたものであろうが、老婆心切に根ざしたものでも、ある場合には堪え難い干渉とも取做《とりな》される。そこで磯五郎夫婦からは、宗助の女《むすめ》のやへは憎いものになって終《しま》い、やへは夫の父、実の父、双方の間に介《はさ》まれて立つ瀬の無い身になった。家は窮すること極まるに及んで、やへは呵責《かしゃく》さるることも極まるに至った。詳しい事情は知れぬが、ある時において差逼《さしせま》ったやへは、新五郎*・長七郎*・千代*・平九郎四人の子まであるのに、遂に実家へ逃還《にげかえ》った。かくの如きことは世間に往々有ることで、透視的に言えば蓋しその間には他人の耳には入らせたくない金銭問題が潜んでいたことであろう。三島中洲*の藍香尾高翁頌徳碑に、冒頭に先ず記して、西武に君子人有り、尾高翁と曰《い》う、翁《おきな》少時人倫の変に遭う、慈母と祖父と相協《あいかな》わず、去りて帰らざるもの数年なり、とあるものは、実にこの事を指したものである。新五郎はこの不幸に直面したのである。父に図《はか》って母を復帰せしめんことを請《こ》えば、父はその両親を憚《はばか》りて黙然として言《ことば》無く、祖父母に哀願せんとすれば祖父母は怒容近づくべからず、弟妹は悲み泣いて、新五郎に母を将《ひき》い来らんことを求める。新五郎ももとより母を思うの孝情切至、かつはまた父の暗然として日を消するを見て、酸苦胸を塡《うず》めた。しかもまた母が去った事情の無理ならぬをも解し得る年頃であったのであるから、かれを思いこれを思って、この少年の柔らかな心は何程の血涙を潸々《さんさん》と流したことであろう。正にこれ年も未だゆかぬのに、日々に涙眼を以て世相を活写せる無字の書を読んだのである。遂に新五郎は父に命ぜられたでも母に招かれたでもなく、祖父母の許しを得たのでも無く、自分は自分独りで為すべきを為そうと、健《けな》気《げ》にも手計の我村から血洗島の母の家へと通《かよ》って、母に帰らんことを乞うた。母ももとよりよくよくの事で生家へ還ったのだったから、中々新五郎の言には応じかねた。しかし新五郎は幾往来して誠を尽して已《や》まなかった。満眼の涙、一腔の熱、あるいは哀請し、あるいは幾諫《きかん》して、終《つい》に母をして、その孝心に動かされて、人倫の正しきに復《かえ》るの道を取らざるを得ざらしめた。一方の磯五郎、他の一方の宗助も、その人は前と同じ人であっても、新五郎の為し得たところを再び破るには至り得なかったろう。かくて尾高の家に春は回《めぐ》ってくるし、新五郎は日増しに家業の役にも立つようになって来た。手計と血洗島は指呼の間の村である、近村の人達は両家の間のこの事情を解し得ぬ筈は無いから、男女老幼、皆新五郎を敬愛の目をもって見た。

新五郎はかくの如き児であった上に家業にも勤め、稽古事も怠らず、しかも自ら教うることを息《や》めぬのであったから、発達盛りの年とは云え驚くばかりの好青年となって日に日に伸び立った。これを観て大《おおい》に喜び大に愛し、かつこれを援《たす》けたのは栄一の父の市郎右衛門であった。そして吾が子の栄一をして就いて学ばせた。従兄弟《いとこ》同士の親しみはあり、栄一もまた凡常児ではなかったから、十歳《とお》ちがいの師弟は、相互に取って良師であり良弟子であった。

すべて少年は自分と余り年齢の距《へだ》たらぬ者の感化を強く受くるものである。栄一が新五郎に就いたのは幸運であった。ただに句読訓詁を受けたというのみでは無く、その爽利な学問の方法と、能く自ら教うる習慣とをも知らず識らずの間に受取ったのである。新五郎・栄一は幾年の間にずんずん発達した。新五郎の栄一に授けた学問の方法は、一処に固滞《こたい》して膠著《こうちゃく》するよりは、進み進んで、そしてその得たるあるところを拡めてゆくという方であった。で、栄一は十二、三歳に及んでは伯父宗助の子の新三郎*の手から『通俗三国誌』などを借りて読得るに至り、新五郎もこれを否認せぬのみか、読書力を養うに利あるものははなはだしく猥雑の書ならぬ限りは何でも読むがよいとの言に従って、関東のことを記すること多き『里見八犬伝』などは科外の愛読書とし、その他雑書をも次第に読破するに至った。一方新五郎の許で『日本外史』・『十八史略』などをも読めるようにして貰った栄一は、唐宋八家や『文選《もんぜん》』をも味わうとするに至った。勿論その間に游歴儒者の菊池菊城には『論語』の講義を聴き、尾張の中野謙斎には『史記』・『文選』を聞き、後また藤森天山*、これは当時の有名な学者であったがその江戸より血洗島へ来るに及びては『孟子』を問うというように、油断なく勉《つと》めたから、信濃の木内芳軒*、太田玄齢*、椋木花邨《むくのきかそん》*、薩摩の鮫島雲城*なんという人々にも接し、あるいは経義・史記を問い、あるいは詩文を評論するに至り、二十歳前にして既に一かど教養ある青年となり得た。

　武術は川越の大川平兵衛の門人で従兄であった新三郎に無念流を受けた。書は父から学んだ後に、中村仏庵*門人だった伯父の誠室宗助から学び、また二十歳前後には天山の影響をも受け、晩年は趙松雪《ちょうしょうせつ》*を学んだが、当時の所謂《いわゆる》文武二道を修めたのみではない、栄一もまた新五郎同様に、家の業たる農業商業を大切にせねばならぬという父市郎右衛門の教に従って、あるいは鍬鋤を田圃に取り、あるいは算盤《そろばん》を店商《みせあきな》いに弄し、藍の葉の良否に眼を光らすということをも怠らなかった。

嘉永の六年、栄一十四歳の時であった。父市郎右衛門は例の藍玉《あいだま》商業のために、信州・上州地方へ旅行した。その出立に臨んで父敬林に附近村々の藍葉買入を託して行った。敬林は栄一を伴なって出ようとすると、栄一は祖父の老軀を労するを欲しないで、自分一人でも出来ることである、と云張って、遂に自らその事に当った。横瀬・新野・宮戸・大塚島・内ヶ島等の村々、それは年々の取引《とりひき》があった地とは云え、まだ前髪立《まえがみだち》の少年で、鑑定の易からぬ藍葉を売人の言に圧《お》さるることも無く、その良否に応じて買集めて帰った。父の市郎右衛門が帰家して見ると、栄一の買入評価は皆当《とう》を得ていたので、大にこれを賞した。で、その年より毎々信州・上州・武州・秩父方面の商売に栄一という股肱《ここう》が出来たので、製藍の業は手が拡がって、家道は栄を増したのであった。

栄一十九歳の安政五年、新五郎は二十九歳、二人相携えて信州へ藍の商売の為に出向いた。今は藍の栽培製造共に廃《すた》れて終《しま》ったから、今人には解し得がたいことになったが、当時の染料の中で最重要物たる藍は、他の染料同様に植物性のものであって、即ち農家より藍葉を買入れてそれに製造工程を加え、藍玉というものに造り上げてこれを各地の染物業者に売るもので、その耕種の初より製造の終に至るまで、随分精密な注意が必要とせらるるだけに、その価額もまたはなはだ低からず、中々大きな商売だったものであった。二人は家業で旅に出たのであるが、二人とも胸中に文字あるもの、藍香の筆に見える如く、一嚢単刀《いっさいたんとう》、数巻の書を携えた、半《なかば》は諸生風の旅姿であった。論文賦詩は日頃の楽みであった。そこで二人は業余に途中の吟詠を集めて、『巡信記詩』一巻を得た。それが今なお存しているので、当時の二人の風丰《ふうぼう》を想うべきものとなっているが、藍香の漢文のその序、同じく既に青淵という号を家の後方の沼のある地名を淵上と呼んでいたのに本《もと》づいて文人らしくも自ら命じていた栄一の跋《ばつ》等は、如何にも如実に生活と思想との実際を語っている。通った路は商売上の都合からでもあろうが、上州の藤岡から、下仁田《しもにた》を歴《へ》て内山越《うちやまごえ》をして信州の南佐久《みなみさく》へ出で、上田まで行っているのである。出立の時の藍香の口占《こうせん》に、「一双行李西風に向ふ、腰剣肩書意気雄なり」とあるが、これでは宛然《えんぜん》学生か浪士の漫遊に出たような体《てい》であるから、二人の父が、詩文にかまけて家業を疎《おろそか》にしてはならぬぞと警《いまし》めたのも無理はない。ところで新五郎は父の教を受けたことを序文に記して、宜しく服膺《ふくよう》して忘れざるべきなり、と素直に承《う》けているところははなはだ好《よ》い。栄一も勿論同じ調子であったろう。さて二人の詩の巧拙等は談ずる限《かぎり》でないが、内山峡は荒船山等に連《つら》なる山脈を西へ切る険径で、行路も難儀であるだけに景色もよいところがある。そこで二人は長編古詩を賦しているが、藍香の詩意は一寸《ちょっと》面白い。

険を攀《よ》じて山の高いところに上って見ると、雲外に出頭して実に好い心持である、不図《ふと》見ると西南に方士の窟《いわや》がある、気を呑み丹を煉って石室に坐した古の方士の境界も嗚呼《ああ》また好もしい、我輩紅塵裏に営々汲々として銅銭を争うのもおもしろくないことではないか、というと同行の青淵が大笑して、従来兄が我を誘導してくれたのは孔子の教ではないか、子と為《な》り臣と為っては忠孝を存する、その他のことは一も勉《つと》むるところは無い筈だという、そこで豁然《かつぜん》として神僊《しんせん》の道などに心の惹かれたのを取《とり》かえし、如何にもその通りである、生死窮達は問うにも足らぬ、楠公父子をこそ友とすべけれ、藤房卿の僊を学びたもうた如きをば願うまい、「節義の尽処即ち是れ天、洞見して是《ここ》に到れば万事軽し、乃《すなわ》ち児戯を以て修仙を見る、此時昂然《こうぜん》として躬《み》甚だ健なり、覚えず行過す万尋の巓」と詠じ終っているのである。青淵の詩もまた大意これと同じく、遁世求道《ぐどう》の徒をも是認せず、名利一点張りの俗客をも否認し、「識らずや中間《ちゅうげん》に大道存するを」と喝破して、五倫の道のほかに道無きことを主張し、「篇成って長吟すれば澗谷《かんこくこた》応え、風は落葉を捲《ま》いて満山鳴る」と結んでいる。青嶂《せいしょう》白雲、世ばなれた美しい地に仙縦《せんしょう》を見て、その高韻を羨《うらや》みおもうのは詩情の常である。しかるにそれを翻倒して、現世好化の意気に燃えているのが、この二青年の真情であった。それはまことに立派なものであった。しかしこれを二青年の偉なる所以《ゆえん》のみに帰してはすこし足らぬ。かかる思想は学問ある当時の青年の一般の傾向であったと解した方が宜しい。我邦の歴史が大転回を為さんとするに先だって、何処《どこ》の地方でも何様《どう》いう階級にも、苟《いやしく》も私情に捉われないで時代の空気を吸っていた者は、皆こういう英気に満ちた思想とも感情とも云うべきものを懐《いだ》いていたのである。これは徳川氏の政治が靡爛《びらん》期に入って、武威鎮圧の形式的太平が長く続いた間に、社会の文明が次第に進み、中層階級から目覚めだして来たところへ、外国の刺激なども有った為め、教養ある者一体に奮い起って、何とかすべきであるという気合が朧《おぼろ》気《げ》ながら一世に澎湃《ほうはい》していたのであり、そしてそれらの中の優れた者は、所謂《いわゆる》先頭魚となってある方向を取って徐々《そろそろ》それぞれに動き出そうとし、その他の次々の者も鮮明な意識的にでは無いが、何となくただ太平に酔生夢死しては居られぬような感じ、即ち潮動かざるの極に至りて漸くまさに動かんとする時、衆魚の情おのずからに吾が鰭《き》翅《し》有るを知って静かなる能わざらんとするの勢《いきおい》を為したのである。その頃の人々の詩を取って読んで、安永・天明頃の詩と比《くら》べれば、明らかにこの事を看取し得る。藍香・青淵は時代の潮に伴なっていたのである。況《いわ》んや新五郎は別に師承するところが無いまでも、土地は近いし、自然と交友もまた有ったろうし、水戸の学風を悦《よろこ》んで、藤田東湖*・会沢正志*等の書に親んでいたというのだから、従って栄一もその影響を蒙っていたろうし、時代の先頭魚ではないまでも無論末尾魚では無かったのであることをこの詩の如きは語っていると云ってよい。

かくの如きの時勢、村名主の子息に過ぎぬ者が、藤房卿をあきたらずとしたり、巌穴の道人を嘲笑したりするような世に在っても、一方にはなお旧時代の形骸の中に鼾睡《かんすい》して、そしてその地位の威を以て新しい風の中に呼吸している者を圧している者もあったのである。それ等の徒はたまたま以て他の者に悪刺激を与えて自己の側《がわ》から遠ざからしめるに過ぎないものであり、愈《いよいよ》次の時代へ進ましめるのであった。当時の世上一般は太平に慣れて奢侈に傾いたと云おうよりは、前にも述べた如く、社会の上流の者は都《す》べて格式の定型に囚《とら》われて、千石取の者は千石取の格式で生活し、万石取の者は万石取の格式で生活していた。この出入平均の生活をするということは差支《さしつかえ》無いことの如く考えられるが、はなはだ危険の生活法で、歳月を経る間には必ずその入ることが少き時もあり、出づることの多くなる時もあるものである。一旦然様《そう》いう場合があると、均衡は破れて負債が形成するし、負債は数理上に経済の健全を蠹蝕《としょく》する。そこで所謂《いわゆる》勝手元不如意を生じ、それが何十年もしくは百年以上も無変動の社会状態の続く間には、増長し増長して、自然と恐しい経済難が鉄鎖木桎の如くに家々にからみついた。徳川末期は江戸の旗本も、各藩の藩士も、大小の諸侯も、大抵は何ともし難い困窮に陥《おちい》っていた。余程英明の主人でない以上は、身分の好い者は好いだけの借財に喘《あえ》いでいたのである。それでいて内空しきものは外飾るという語の如く、旧格を逐《お》うて生活しているのだから、何処《どこ》かに無理が生ぜずには居ない。徳川期の諸侯の中で明君と云われて名の残っている者は、皆この無理のはなはだしくなろうと云う時に当って、経済を合理的に建直したというに止《とど》まるのである。しかも明君は寥々晨星《りょうりょうしんせい》の如くで、十人が十人までは無理に無理を重ねて日を送り、その臣下達も無理を上手に押通すのを忠誠ででもあるように心得ていたのである。無理とは何だと云えば、武威政治の世であるから、領内の富有の者から御用金と称するものを強要するのである。即ちそれは太平未だ成らざりし戦乱時代の強力政治を太平時代に持出すのであった。人民は無論困苦して怨嗟《えんさ》憤懣《ふんまん》せずには居られなかった。一般のかくの如き事情は、既に徳川氏の太平が長くは存し得ないことを如実に物語っていたのである。まして太平が長期に亙《わた》った結果、下民も既に乱時の民の如くに無智無力では無くなっているのだから、そこに形式的に武威で圧せられている薄紙の如きもののその下には、扼腕《やくわん》怒目《どもく》の状無しではいなかったのである。藍香の詩の句に、「営々紛々銅銭を争ふ」と嘆じているのも、青淵の詩の句に、「朝奔暮走浮栄を趁《お》ふ」とあるのも、一ト皮めくって見る時は、然様《そう》いう労苦をしても何の甲斐も無く強奪されてしまう世態ゆえ、それを下らぬことに思うような感が潜んでいるのである。これ等の詩の成った時より前、栄一の十七の時、領主の安部摂津守の岡部の陣屋から父市郎右衛門等に呼出がかかった。栄一は父に代理として出されたのでその陣屋へ行くと、役人の若森某という者から御用金上納を命ぜられたのだった。分家の宗助は身代がよいので千両引受けさせられた。仕方が無いので宗助は承知した。栄一には五百両引受けろというのだった。今までに既に御用金調達は二千両余にもなっていた。五百両は当時は大金である。で、栄一は当主でも無し、即諾を肯《がえ》んじなかった。すると代官は、父に申聞《もうしき》けてから挨拶をするなどという其様《そん》な手緩《てぬる》なことがあるか、十七にもなっていて、訳の分らぬことをいう、と押被《おしかぶ》せて嘲弄し揶揄して即諾を迫った。それでも栄一は承知致しましたと云わずに帰ったが、年齢は若《わか》し、事情は事情なり、帰路の感慨は推測《おしはか》るべきである。何もかくの如き一事から謀反気《むほんぎ》が起って来たというのでは無いが、当時の一般の代官などというものの斯様《かよう》な態度や言動が、すこしでも英気のある者を現在社会の反対側へ押遣ったということは、到るところにあった事実である。そしてその極に至って世間は変じ、武家政治は亡びたので、武家政治を亡ぼしたものは、勤皇家には相違無かろうが、実はかくの如き徒輩が力《つと》めて自家の礎下の土を抉《けっ》し去ってその崩壊を致したのである。泣く児と地頭には勝たれぬ、という諺を拈出《ねんしゅつ》して、市郎右衛門は栄一を諭してその事は済んだというが、栄一は時代のかくの如き一現象には若い心を可なり強く動かされたことであろう。これより前に栄一は江戸へ出た時、書物箱と硯箱を購《あがな》って帰ったが、父はその過美なる故を以て栄一を叱ったというほど、質素倹約な合理的生活を重んじていた家庭に育った栄一である。不合理的強要の承諾を余儀無くさるる時代の弊風に対して、何で何等の批評が胸中に鬱蓄されずにあろう。

新五郎・栄一の二人が藍香・青淵と詩人めいた号を以て『巡信記詩』を作っていたその不在の頃から歟《か》、渋沢家・尾高家では婚儀の相談が起っていた。無論当人同士に不服の気《け》ぶりは無かったろうが、当時の事だから尊族合意で成立ったものだろう。十月末に二人が帰る、十二月初には栄一の妻として、尾高勝五郎の三女の千代は迎えられた。勝五郎の妻やへは栄一の父の姉であったから、当人同士は従妹従兄同士であった。栄一は数え年で十九歳、千代は十八歳、今日から見れば人はその早婚に過ぐるを以てあるいはこれを異とするものも有ろうが、その頃の習俗からは相当の生活をしている家の者の早婚は何の不思議も無いことで、かつまた従兄妹同士の結婚の如きも一般に好い事としていたのであり、縁家の間の嫁取婿取は重縁と云って歓《よろこ》んだものであるから、何等の異議を容《い》るべきところは無いのであった。

栄一は既に産有り妻有り、春風堂に満ち、日々是《これ》好日、これで村里の一富翁となって無事平穏に一生を終っても宜いのであった。しかし時勢の動蕩《どうとう》と気象の崢嶸《そうこう》とは、彼をして無事の裏《うち》に安在せしめなかった。新五郎は学もほとんど成り、一個の見識も立ち、而立《じりつ》の歳に達して、実社会に接触することも多く、従って時代について解釈もすれば批評もするようになった。千代と新五郎との間の長七郎、これがまた栄一に長ずること二歳で、人と為《な》り魁偉《かいい》で、膂力《りょりょく》有りて剣を善くし、成童の頃夙《はや》く群を抜くの技有り、兄新五郎に勧められて江戸に出で、文を海保漁村《かいほぎょそん》*に、剣を伊庭《いば》軍兵衛*に学びて、既に卓爾《たくじ》たる一好漢となり、広く交を志士に訂して往来周遊し、郷に帰りては血洗島と手計との間の鹿島神祠《しんし》の傍なる道場において人に剣術を授けた。栄一の父市郎右衛門の兄長兵衛、後に文左衛門となって、渋沢宗助の家の別家として立ったその子の喜作*、これもまた蘆蔭などと隠者臭く号しながら胆略有って覇気満々たる人であった。かかる人々の間に在ってその思想や感情を受取り、また当時に澎湃《ほうはい》せる尊皇攘夷の声と、幕政に飽足らぬ一般社会の悶々の気とに刺激されては、如何にも耒耜《らいし》を執って農桑をのみ守っては居られなかったことだろう。栄一は結婚しても家庭の一善人たらんよりは天下の一志士たらん心に燃えていた。江戸へ出て文武の道を治め、天下の形勢をも知りたい念は火のようだった。

しかし父市郎右衛門は老成篤実、飽《あく》までも分を守り、身を保ち、安康平和の生涯を了せんとしていたから、青年の意気に逸《はや》る栄一を折に触れては訓戒し牽制した。これもまた無理ならぬ事で、世運が大変転せんとする際には、何時《いつ》も青年が遠心的発揮的に働き、老者が求心的沈著《ちんちゃく》的に止《とど》まるのが常で、独り市郎右衛門のみではない、当時の善良にしてかつ聡明な人士は、心の底に時代の形勢に就いては疑《うたがい》を抱きながらも、なお新時代の出現を欲する側には立つことを敢てしないでおとなしく委順の道を取ったものであり、また実は社会の半面にかくの如き人々が有ってこそ時運の推移も微妙に行われるのである。栄一は父のこの意向の為に、已むを得ないで家業を勤めて数年を送ったが、かかる際に自分の一存に任せて左右に斟酌せず、無理に家を飛出すなどということをするのは多くの青年の取りたがる道であるが、然様《そう》しないで堪えていたところは栄一の性質の重厚の美処であって、後年社会に立って世と相応酬するに際してもこの調子の重厚さが何程栄一を支持しているかもしれない。

ただしこの二、三年の間に世態は加速動に動いた。諸外国との条約は一世の悦《よろこ》ばざるに関らず締結された。将軍家定は薨じ、その後嗣は水戸の出たるべく、紀伊の出たるべきの論ありて、遂に十三歳の紀伊慶福《よしとみ》入りて家茂《いえもち》と改め、将軍となった。水戸の斉昭《なりあき》は幽された。井伊直弼《なおすけ》は威を振《ふる》った。やがて水戸浪士に斬られた。また浪士等はややもすれば外国人を斬ったり斬ろうとしたりした。特《こと》に地理的精神的に水戸に近かった人達は幾度衝動を受けたことだったろう。喜作は長七郎同様に江戸へ出て海保漁村に就き、千葉栄次郎*に就いて学んだ。新五郎は名主になって外面は恭しく水滸伝の托塔天王《たくとうてんのう》の如くに家を守っているが、長七郎・喜作は時代の空気を十分に呼吸して、今まさに天空の健《けん》鶻《こつ》たらんとしている。栄一も堪えられなくなって、請うて江戸へ遊学せんとした。父もここに至って抑えきれなくなった。家業の閑暇ある春季においてという箇条附きで家を出でたのは文久元年の春だった。栄一その時二十二歳、雄心勃々たる時だ。海保の塾に入り、千葉道三郎*の門に入り、型《かた》の如く文武両道を受けたが、その受けたものはこれ等の先生の学問技術よりも、むしろその先生の周囲に群れていた時代青年等の雄偉峻烈なる意気の方が大きなものであった。

　今までの栄一は、たとえば小池の中にあって、他から流れ込む細流が齎《もたら》す活気を静かに承《う》けていたに過ぎなかった。しかるに文久元年江戸などというものは、恐らく日本有って以来の混乱の情状を呈していたものであろう。先ず諸外国から逼《せま》り流れ込んで来る流の為に我国内に起っている渦、国体観念が伏流涌出的に武家政治の底から起した渦、関ヶ原の一戦で雌伏を余儀なくされた西国大名等の復讎《ふくしゅう》的逆流が起した渦、職官の世襲的制度によって圧伏歪曲された社会組織に対する反抗の潜める渦、朝廷は朝廷、幕府は幕府、大名は大名で、各々の内部に、主張争、権力争、利慾争、党派争等の、あるいは真面目《まじめ》にもまた頑固な、あるいは歴史的にもまた行懸《ゆきがか》り的な、あるいは感情の連鎖的に加わる突発的な、あるいは醜くもまた刻毒的権変《けんぺん》的な雑多な流が起している渦、それらの小渦大渦が錯雑混淆して漩洄激沸《せんかいげきふつ》しているその盤渦《ばんか》の中心が、東では江戸、西では京都なのであった。その江戸へ溌剌たる青年が出たのである。聾瞽《ろうこ》で無い限りは誰か心を動かし魂を躍らさずに有り得よう。まして耳目聡明の一丈夫であるをや。親しく巨渦に触れ大洄に入った魚は、鬣《たてがみ》を鼓し尾を掉《ふる》わんとするの衝動に駆られずして終ろう情理は無かったのである。長七郎や喜作は既に時勢に感じて胸中に爆発薬を有するものとなっていた。栄一もまた危険のものを漸く多く心裏に懐《いだ》くに至って帰った。

当時の紛乱の世態を明白に条理立てて叙述することは困難である。徳川氏倒れて後に出来た史伝は皆徳川氏を攻撃するに力《つと》め、取って代った新政権団を称讃するに力めているのである。それで幕府の倒潰《とうかい》はあたかもその罪悪の清算のように見えるに至っているが、それが尽《ことごと》く実相では無いのである。勿論幕府の成立と存在と施為《しい》とが不善であったからこそ倒潰したのであるが、また倒潰したから悪いものにされて終《しま》ったのでもある。幕府を滅ぼした薩摩人自身等が明治において騒乱を起した際、勝てば官軍、負ければ賊よ、と唱道したことは誰しも知っていることだが、これは実に幕府時代に反幕府の運動をしたものの心理の自白であり確証である。ただし倒幕の功成ってから、薩摩が政権を取ったでも無く、長州が天下を取ったでも無く、皇徳普及し、良弼《りょうひつ》補佐し奉《たてまつ》って、国運隆昌《りゅうしょう》になったので、誰も余燼《よじん》残灰を撥《はっ》し来って幕府の為に雪冤《せつえん》的弁駁の閑事業をすることが、国家の為に有益な事でも何でも無いと為したし、また当時の反幕府側の運動が随分陰謀権略に渉《わた》ったにしても、それを事後に摘発したからとて害はあるとも何の効も無いことだと為したので、ほとんど異論も無く、大体において幕府側は悪であり愚であり拙であったことになり、反幕府側は善であり賢であり巧であったことに定まって了《しま》っている。しかし事実は然様《さよう》に簡単明白なものでは無く、錯綜混雑を極めたものなのである。尊皇の旗は一であるが、その下に群がれる者には純な者もあり、不純なものも有ったのであって、はなはだしいのに至っては名を尊皇に仮《か》りて押借《おしかり》強盗に類したことを敢てしたものもあったのであるが、それ等の者さえも時勢の一部分を形づくって、そして幕府を倒す動力の微分子となったのである。ただしこれは何時《いつ》も歴史が大転換を為す時に当っては必ず生ずるところの現象であって、人間世界というものが元来純粋で有り得ることはほとんど無いものであるから、一々正不正道理不道理を論じても是非は無い。ただ当時の勢《いきおい》というものが然様《そう》いう混乱のものであったと見做《みな》せばそれまでで宜いのである。そして当時の人々が蠢愚《しゅんぐ》のもので無い以上は、各々何等かの因縁機会によって衝動されて、そして各《おのおの》何方へか向って進出奔突せずには居られないほどのものであったということを理解すれば、それが即ち当時の人の心状や行為を解釈し得たものだと云って宜いのである。個々の当人に取っては、勿論生命をさえ投出して為《し》たことだから、一々理由の炳《あきらか》たるものが有ったには疑無いが、弁護士のようにそれを一々論弁せずとも、大体的に客観して、むしろそれに善悪賢愚の直段《ねだん》づけなどを敢てせぬ方が公平に近かろう。

栄一に対して一日の長を有した長七郎は武技・文学共に優れていた俊士であった。時勢に感じていたことも既に久しかった。何で何時《いつ》まで動き出さずに居られうや。安政の大獄は反幕府側を激し、桜田の変事は幕府側の威を挫《くじ》いた。文久元年には浪士英館を襲うが如き、対外直接行動さえ起った。井伊直弼死してもその遺意を継げる安藤信正*が事を用いているので、これを除こうとする企《くわだて》は水戸や長州の過激派の中に燃立った。そういう世であった。長七郎は多賀谷《たがたに》勇*と共に謀《はか》って、輪王寺宮公現親王*を奉じて兵を日光山に挙げんと欲した。浪人共が何等の密勅秘旨を得たというのでも無く、突然に自分等の意によって事を外国使臣との間に構えんとしたのも、政治の任に当っている者には迷惑千万な非違の行為で、長七郎のこの企もまた随分突飛なことであった。輪王寺宮は江戸上野に在らせられた法親王で、活達勇武におわせられたにしても、本より世外の御身、また御齢も僅に十五でおわした。上野には覚王院*の如き豪僧も居たことだから、長七郎のこの企を為すについては、何かの筋道も有ったことだろうが、何にせよ宮を擁して兵を挙げ、幕府を要して尊皇攘夷に導こうとは、奇抜過ぎたることであった。二人は水戸に原市之進*を訪《と》いてその策を進めた。市之進は水戸藩中の明敏の士であった。もとより応じなかった。菊池教中*を宇都宮に訪うた。菊池は宇都宮藩士で、これは応じたけれども、教中の先輩でかつ自分の姉婿《しせい》たる大橋順蔵*が固く制して動かしめなかったし、順蔵は勿論応じなかった。それで長七郎等の計画は形を成さずして已んだ。考うるにこの企は必ずしも長七郎が首唱したのでは無く、多賀谷勇と長七郎とが両毛遊歴の後に案出したことで、菊池教中、順蔵の門人の中野方蔵*、児島強介*、得能《とくのう》淡雲*等の賛成は、十一月八日の夜、小梅村の大橋宅で得たが、順蔵等の不賛成で事は已んだのである。日光山に拠ろうとするのが、抑《そもそも》宇都宮藩士等の考に投じそうなことであったが、この夜の参集は他の問題、即ち安藤閣老襲撃の方へ傾いてしまったのであった。

大橋順蔵は攘夷尊皇の巨擘《きょはく》で、純な人であった。機略などの有る人では無かった。学問も有り、宇都宮藩に聘《へい》せられ、訥庵《とつあん》先生として志士の間に尊崇せられていた。この十一月八日の夜の会は、多賀谷等によって催されたにしても、その結果は水戸藩士平山兵助*、下野の人河野顕三*、その他後に坂下門外において安藤閣老を要撃した人々の主張の方が多数を占めて、順蔵はその斬奸《ざんかん》主意書を添削して与え、これを是認することになったので、長七郎は却ってその挙に参加させらるるような勢《いきおい》になって、暁に至りて辞去した。渋沢喜作もまたその夜参会していたという。この夜の事では無いらしいが、順蔵の門人宇都宮藩士岡田慎吾*、松本某*等は、一橋《ひとつばし》慶喜を擁して兵を日光に挙ぐるの策を立ててその助力を請うたという。それ等の事が有り、かつはかねてから京都の搢紳《しんしん》と気脈相通じて居る順蔵の挙動を黙過出来なくなったのであろう、閣老要撃も日光挙兵も何も発せぬ間に幕吏は文久二年正月十二日順蔵を捕縛してこれを鞠問《きくもん》することにした。そしてその門に出入せるものをも逮捕することに力《つと》めた。同十五日安藤襲撃が井伊襲撃の如くに手際よく行かなかったのも、一つは訥庵召捕《めしとり》によって志士側の周章して急に起った為であったろう。

長七郎は江戸から帰って安藤襲撃の挙について兄新五郎義弟栄一と相談した。新五郎も栄一も襲撃参加などは是認しなかった。それではというので長七郎は参加せぬことにしたが、密議に参した身だから、跡を潜めて上州佐位郡の国領村《こくりょう》に匿《かく》れた。坂下門外の事は起ったが、長七郎は既に僻村に潜んでいたから、その累を被《こうむ》るには至らなかったのみならず、決行の事さえ知らなかった。

しかし長七郎は何も分らぬ僻村に蟄居《ちっきょ》して日を経たので、正月十二日順蔵召捕られの事も、十五日閣老襲撃の挙行の事も夢にも知らず、再び江戸へ出て同士等と為す有らんとして国領村を出た。血洗島や手計村では江戸の騒動を知っていたが、丁度この時において長七郎が出府せんとしたことを渋沢家の姻戚の福田滋之進*から聞いて、それは危険だ、火に入るようなものだ、と驚いたのは新五郎・栄一であった。栄一は滋之進の言を聞くと、夜半ではあったが直に身支度して追跡した。路は一筋である、霜白き暁天に熊谷《くまがい》駅の小松屋という旅宿から今立出でんとする長七郎を栄一は捉《とら》え得た。そこで密《ひそか》に、大橋・児島も縛され、襲撃は不成功で、河野等六人斬死した始終を知らせ、今江戸へ赴くは死を求むるに等しい、むしろ危を避けて京都に赴き、上国の形勢を志士の淵藪《えんそう》に探って皇国の為に良図を為すに若《し》かずと説いた。長七郎は危いところで助かった。そこで帰って信州佐久郡の下県村の木内芳軒の許に居ること二ヶ月許《ばかり》の後、京都に赴いて天下の形勢を窺った。多賀谷勇も幕吏に追われて、鮫島雲城即ち後の中井弘の妻沼の居に潜んだが、新五郎は金を与えて去らしめた。栄一自身は未だ何事をも為そうとしたのでは無いが、身近の人々のこれ等の事情は、如何に心海を波立たせる風と吹荒《ふきすさ》んだことであろう。そしてまた時勢が齎らしたこれ等因縁が、如何に栄一をして家庭の好々爺たらしめようとするよりも、邦国の志士たらしめようとする方に多く働いたことだったであろう。

桜田・坂下の変より以来、幕府の威は日に薄れ行き、志士・浪人の自ら任じて政を論じて憚らざるもの愈《いよいよ》多く、和宮降嫁前後、公武合体の説の一時に行われしありしといえども、大勢は幕府に否にして、討幕という語さえ何日《いつ》となく生ずるに至った。文久二年の春、風雲児の長七郎は京都に去ったが、京都に行っただけになおさら反幕府的の諸情勢は新五郎にも栄一・喜作にも伝えられて、三人を刺撃したに疑無い。それからまた血洗島隣近地の上野・下野・常陸は勤皇志士の居る者多きところであったから、これ等の人々の気息が繋く通じたに疑無い。いやそれどころでは無い、長七郎・喜作・栄一、皆既に交を所謂《いわゆる》志士に結んでいたのだから、その名を知り人となりを知った志士浪人等が特に尋ね寄っては各方面の種々の意見や策謀や事情を伝えたに疑無い。しかし二年は先ず何事も起らなかったが、三年の春となって、長七郎は京都から山陽諸州までを歴遊して帰って来た。栄一は復《また》江戸へ出て四ヶ月ばかり時勢の沸騰せる坩堝《るつぼ》の中に身を置いてその熱気を受けて来た。長七郎は大橋訥庵社中の川連《かわつら》虎一郎と共に、坂下門で死した河野顕三の旧居を下野の絹川西岸の吉田村に訪《と》うた。顕三は、「心を決して手ずから榛《しん》荊《けい》を掃《はら》わんと欲す、一剣直ちに当る百万の兵、成否は従来皆天なる耳《のみ》、将《まさ》に留《とど》めんとす報国尽忠の名」という一詩を留めて安藤対馬を斬ろうとしたものであった。僅に二十五歳だった好壮士に先だたれて垂白の老母一人残っていた。遺物散落して、纔《わずか》に一巻の詩稿あるばかりだった。長七郎は感傷に堪えずに、詩稿を懐《ふところ》にして帰って、栄一に示した。栄一も大《おおい》にその志を悲んで、遂に為《ため》に小伝を作り、その詩稿を世に留めた。今存する所の青淵蔵版と署せる『春雲楼遺稿』一巻は即ちそれである。瑣事ではあるが青年多感の当時の東寧と青淵との情懐は察知すべきである。嗚呼《ああ》、これであるもの何として栄一が動き出さずに居られよう。況《いわ》んや出羽の清川八郎*如きは特に長七郎を尋ね来り、中瀬《なかせ》村の桃井《もものい》可堂*は新五郎と談合することあるをや。またましてこの五月には長州赤間関には米国艦を砲撃し、七月には英国艦の鹿児島を砲撃せることなどあって、世態愈急転直下激変せんとするの勢《いきおい》を示せる年であるをやである。

文久三年、渋沢栄一年二十四、大胆不敵にも新五郎・喜作その他と共に兵を挙げんとするに至った。この事よりして栄一は郷里に安居するを得ないで、多事の世間に身を投じ、遂に天下の士となるに至ったのであるから、栄一の生涯に在っては実に一大転機であった。後年に至って栄一自身の語るところに拠れば、その事は自身の意志に出でて、当時の対外政策の卑屈に憤《いきどお》り、かつ不当の制度の存在を非とするより、身を挺して陳勝《ちんしょう》呉広《ごこう》＊とならんとしたものだと云うのである。如何にも水戸風の学に薫染され、かつは崢《そう》嶸《こう》たる意気に燃え立つ盛りの二十四歳の一青年として、四方八方からの刺激に対しての感想は、然《そ》様《う》いうもので有ったろうと思われる。しかし事物は純粋に心志ばかりから迸《ほう》発《はつ》する場合も無いでは無いが、また複雑なる因縁から触発する場合も少からぬものである。栄一の師であり、義兄であり、従兄であり、先輩であり、朋友であった尾高新五郎は、本より一天罡星《てんこうせい》であった。輪王寺宮奉戴挙兵の策を以て、水戸の原市之進、宇都宮の大橋訥庵に謀ったところの長七郎もまたこれ一天罡星であった。数々《しばしば》江戸に出入し志士と往来を繁くしていた渋沢喜作もまた一天罡星であった。栄一もまたこれ等の衆星と聯《つら》なるところの一星であったことは論無く、而してその一座中の魁星たるものは年齢から云っても学識経験から云っても新五郎であったことは云うまでもない。ただ栄一がその父市右衛門の材幹倹徳によって造り出された地位財力を背に負いて恐らく最大有力者であったろうこともまた想われることである。

ここにまた別に一天罡星があった。それは血洗島の北に隣接して南阿賀野という村があり、その北に北阿賀野村があった、その北阿賀野の生れで、桃井可堂というのがそれであった。可堂は名は儀八、上総から出た東条一堂*に学んで才学の名を得た。一堂は幕府の採用した朱子学を奉ぜずして一家の見を持し、官学以外に世に尊信せられた鬱然たる一大家で、経世の識さえ有った人である。儀八は一堂の学を承《う》けたのだから、固より徒《いたずら》に記誦詞藻をのみ事とするものでは無かった。庭瀬藩主板倉勝資《かつすけ》*に聘せられてその師となり、傍ら子弟に教授していたが、外夷来り逼り天下動揺するに及んで、慨然として憂国の念に駆られ、広く志士と交って、また芸窓《うんそう》の下に書巻をのみ手にする能わざるに至った。で、文久三年に、何様《どう》いう手続《てつづき》で出来たことか不明だが、長州藩士と密約するところあり、三月庭瀬藩を退き、本国に帰って榛沢郡中瀬村に居を定め、表面は旧に依って子弟に教授をしていたが、実は反幕府の兵を挙げんと志していたのである。中瀬村は血洗島や手計から東北に当って、一里とは隔たらぬほどの地である。この儀八は三月二十五日に上州新田《にった》郡田島村に岩松満次郎を訪《と》うている。岩松氏は新田義貞の末裔、代々満次郎で、徳川氏の祖家たるを以て特別格の家である。儀八のこれを訪うたのは、名家を引入れて人望を得ようというのであった。同二十八日には油屋新五・長五兄弟を訪うたが居合わさなかった、と儀八日記に見えている。新五は勿論新五郎、長五は長七郎であろう。また七月二十三日の条に、黄昏尾高長太郎、血洗島七郎右衛門男紋治来る、とある。長太郎は長七郎であろう。血洗島七郎右衛門男紋治というのは不明だが、紋治は手計村下新田の者で、血洗島の者ではない。後に新五郎が岡部の陣屋に囚われた時、弟の紋吉と共に強訴的連判状を造って、釈放を乞うたる植木屋松村紋治郎がここに記された紋治なること疑無い。この紋治郎が武器類を江戸から利根川を川伝いに密輸し、中瀬村から陸揚したのである。紋治は手計の者である。して見れば血洗島七郎右衛門男とあるのは、紋治とは別な者の訳になるが、誰だかは想像に待つほかは無い。七郎右衛門は市郎右衛門の誤、市郎右衛門男、紋治と読むと、市郎右衛門男は栄一のことになる。同晦日の条に、手計に往く、紋治在らず、長七郎を問う、宣三と共に行く、とある。宣三は儀八の子である。かくの如くであるから、栄一と儀八と対談共議の事などは直接証拠は無いとは云え、桃井の計画と尾高・渋沢の計画とが何等の交渉も無かったろうとは思われず、不離不即という程度にしても必ずや幾干《いくばく》かの関係が有ったものだろう、如何に対外屈辱に憤慨しても、制度革新に焦躁しても、また青年客気《かっき》、野心功名心が爆裂しても、新五郎や栄一の如き聡明にして著実のところのある者が、農村の名主やその子息位の身を以て、別に何等かの行懸りもあるというのでも無いのに、忽然として反政権的の直接行動を起そうとするに至ったろうとは考えにくいことである。

儀八の計画にしても、如何に傑物であろうと、村里の一儒生の身を以てして、突として兵乱など起せるわけのものでは無い。もし果して一人で然様《そう》いうことをしたら、それは誇大妄想狂で、病理的である。これは蓋し長州がやや志を得て、幕府に対して御親征の旗を進ましめんとするような勢《いきおい》を有した頃、長州の策謀の手の伸びたる一端の現われで、儀八のかくの如き計画も資金無しでは少しも事の運ぶ理は無いから、その資は必ず密《ひそか》に長州から供給されたものであろうし、即ち儀八その人が主であるとしても長州が主であるとしても、いずれにしても両者の間に聯絡があって而して後に生じたことであろう。八月初儀八の長男八郎が江戸の長藩邸で同藩士及び島原の梅村真一郎*、久留米の権藤真郷*等と会見したなどということは、明らかにこの事を裏書《うらがき》し、また長州の福原美祢《みやの》助《すけ》*・大楽《だいらく》源太郎*、久留米の水田謙次*・池尻岳五郎*、宇都宮の広田精一*などその他諸藩志士の儀八を来訪する者が有ったことも、皆儀八の背後に反幕府的有力者即ち長藩過激派の存在したことを想わしめる。

新五郎・栄一等一団と桃井等とは地理的にもはなはだ近かったし、また長七郎は既に尊皇攘夷的志士群中の一人であったしするから、中瀬村と手計・血洗島との間に交渉の有ったことは必然で、そしてそれは桃井の方から持懸けたのだろうと思われる。この事の後六十年、新五郎・長七郎の追善会が大正十二年十月、上野寛永寺で催された時、栄一は桃井の孫の臨席を得て、席上、共に関東に義を徇《とな》え、御祖父さんとは度々その事についてて話合った、と語っている。しかし桃井の麾下《きか》について事を挙げんとしたとは語って居らぬ。勿論それは然様《そう》だったに疑無い。

桃井儀八の計画は志士を自分の縁故ある上州・武州・越後に募り、名家岩松満次郎を主将に推し、十一月十二日冬至の日を以て蹶起《けっき》して、一挙に上州沼田の城を抜いてここに拠り、進んで横浜を襲い攘夷の実を行おう、形勢不可ならば険要の地たる沼田を守りて、四方の響応を誘発しようというのであった。もとより長州が錦旗を押立てて関東へ攻下ることを予想してなのである。ただしこの時の実勢は、長州が京洛においてその威を失していて、仮令《たとい》桃井等が一時の功を収め得たにせよ、機既に後れて計謀合期《ごうご》せぬ事情になっていたのである。桃井は矢張り学者であって、実際家では無かったのである。

尾高・渋沢の方策は郷党及び近在の壮佼を語らい、また交友中の千葉の塾生真田範之助*・佐藤継助*・竹内練太郎*・横川勇太郎*、海保の塾生中村三平*等を致し、総計僅に六十九人を以て、十一月十二日冬至の日を期し、高崎を夜襲してこれを奪い、更に兵を得て横浜の夷を攘《はら》わんというのであった。

双方共に同じく十一月十二日を以て突として事を起そうというのだ。一は沼田を、一は高崎を取ろうというので、沼田は高崎より奥であるが、一線上の地である。尾高・渋沢が桃井によって動かされたで無いにしても、双方の関係は知る可しであり、そして計画通りに事が運ばれたなら、一時にせよ相当に功果的であったろう。ただ沼田・高崎をその不意に出でて奪うことは奪い得ても、これを守る段になっては幾日を支《ささ》え得ようか、特に四方通達の地で険岨の無い高崎の如きは七十人ばかりの小人数ではたちまちにして攻略されて終《しま》うであろう。城を得ても続いて同志を得べき見込の無い以上は、線香花火を揚げたようなもので終るべきは分明である。桃井の方はその程度は不明だが長州と糸を牽いているのだからまだしもだが、尾高・渋沢の方は後援を得る路無しにかくの如きことを敢てするとせば、余りにも詩人的小説的であって、聡明な新五郎、重厚な栄一が為しそうにも思われぬことである。しかし挙兵を思立ったことは事実である、ただしそれは思立ったまでなのであったのも事実である。

種々因あり種々縁あって、栄一の肚裏《とり》には既に物有るに至った。今や身を家庭のものとするに堪えなくなって、これを一世の運命の歯車の上に横たえようという念がそれであった。ただし栄一は父母の仁愛の下《もと》に美《うる》わしく生長して、常識常情は円満に発達していた。そこで一面には大丈夫的壮図に心を焦《こが》しても、他の一面には何等の了解をも得ないで父母の仁愛の巣に負《そむ》いて其処《そこ》から飛立つのは、真に相済まぬという心の逼るのを如何ともすることが出来なかった。栄一のこの温和悃誠《こんせい》のところは、即ち後に至って多くの世人に嚮慕《きょうぼ》される所以《ゆえん》のものであった。その年の九月十三日、後の月見の宴に、新五郎や喜作も来り、父市郎右衛門もその座に臨んだのを機会に、紛れ行く世態の談話に緒を発して、栄一は父に対《むか》って、この様な世となっては農商といえどもただは居られぬ時となったことを言出し、自分の一身の行動の自由を与えられんことを請うた。ところが父は吾が児が不測の広大な海に向って錨を抜き帆を張って出でんとする危さを哀しみ、身の分限を忘れて越俎《えっそ》の罪を得ることの危さを諭し、分に安んじて生を遂ぐるが真の幸福を得るの道である、と教えた。もとよりその言は当っており、その意に忤《さか》らいようは無いが、今は既に決するところがあるのであるから、栄一は農桑を事として日を送ることの出来ぬ故を述べ、一身の自由を許されんことを懇願して已まなかった。勿論の事、栄一の真意は今後の自分の行動によって父を累することの無いように、また父の膝下《しっか》に居て孝養を尽すことの叶《かな》わぬようになるのを予《あらかじ》め深く謝して置きたいのであった。父はまた何も栄一の存意を悪いと見做《みな》すのでは無いが、それよりは安全であり幸福である道があるのだから、平坦の大路を履《ふ》んで行くがよいと云うのであった。互に諒解が出来ていて互に扞格《かんかく》するのだから、談は不決裂的に長かった。夜は遂に明放るるに至った。すると市郎右衛門は栄一の料簡の翻し難いのを見て、宜い、それなら汝は汝で自由に羞《はず》かしからぬよう世をおくれ、乃公《おれ》は乃公で代々の業を守るばかりである、と栄一の自由を許した。そこで栄一は、それでは私を勘当して下さって、しかるべきものを妹ていに配《めあわ》せて家を承《う》けさせて頂きたい、と請うた。これは当時の制度で勘当と云うのは、公辺上に籍を削ってその家の人にあらずとすることである。市郎右衛門は、いや、今突然勘当しては却って人の怪み疑うところとなろう、養子の事は急に定むるにも及ばぬことだ、と流石《さすが》に老功の意見、一言にこれを制して、さて汝は家を離れて差当り何事を為そうとするのか、と問詰追及した。これには栄一も窮したが、もとより漏洩すべきことでは無かったから、遂に口を噤《つぐ》んで語らず、ただ父の慈愛の深厚に感じて、一腔に謝恩の涙を湛うるのみであった。

これより先長七郎は京都へ上っていた。何時《いつ》上ったかは不明であるが、前年から引つづいて在京していたので無いことは明白である。『春雲楼遺稿』を閲して貰うため、栄一と長七郎とが共に鷲津毅堂*を訪《と》い、出板したのは今年七月であるから、少くとも七月上旬以後である。いや桃井儀八は七月晦日に手計に長七郎を訪うとその日記に記しているのだから、八月に入ってからである。儀八及び自己等の挙兵計画を肚裏に有して出京したのであるから、単に上国の形勢を探るというばかりでは無く、蓋し長州藩その他志士に需《もと》むるところあってか、打合せするところあってか、何にせよその計画を有利に展開せしむるためだったと解釈して当然である。水戸は徳川氏親藩であるが、夙《はや》くから勤皇精神を有して幕府と相軋《あいきし》るところあり、またその藩中の一派は反幕府側の志士、特《こと》に長州の士と気脈相通ずるあり、安藤閣老襲撃の如きも、実行に至らなかった最初の計画は、長藩の桂《かつら》小五郎*・松島剛蔵*・周布《すふ》政之助*・宍戸《ししど》九郎兵衛*等と、水戸の西丸帯刀《さいまるたてわき》*・岩間金平*・野村彝之助《つねのすけ》*等との間に企てられたほどであり、彼の多賀谷勇の如きも長藩家老毛利内匠《たくみ》*の臣であったから、水戸に因縁せる新五郎・長七郎等の長州に親しむ傾向の有るべきは自然であって不思議は無い。

この年長州は大《おおい》に勢《いきおい》を得て、尊攘派の公卿・志士を擁し、錦旗御親征を強いるまでに至っていたのだから、長七郎の京都を指して立った時は、希望に輝いて上ったに疑無い。しかるに八月十八日に至りて、反長州派の結束成りて、堺町《さかいちょう》御門の長州の警固は免ぜられ、会津・薩摩の兵によりてクーデターは行われ、長州を援引せる三条西中納言*・三条中納言*等七卿は都落ちを為すに至り、形勢は俄然一変した。かくの如くなるに至るの前、同月十四日に吉村寅太郎*・松本謙三郎*等の過激の徒は、前に長州へ走った中山忠光*を奉じて、長藩士を率い、大和に蹶起して、十七日五条の幕府代官鈴木源内*を殺し、攘夷先鋒の勅命を蒙《こうむ》れる旨を云触らしたが、これはあたかも関東における桃井・尾高等の企《くわだて》を実行したようなものであった。長州の手が押出《おしだ》したことと思われる。この十七日暴挙の翌日、遂に非長州派の奮起となって、二十八日には朝命を以て紀州藩・津藩等は暴徒を討伐し、吉村等は死し、中山は長州の大阪藩邸へ逃込むに至った。それからまた平野次郎*は長州及び七卿の退去に平らかなる能わず、沢宣嘉《さわのぶよし》卿*を擁して、強いて但馬の生野に兵を挙げたが、十月十四日出石の藩兵に討たれて、沢は遁《のが》れ、平野は捕えられ、その徒は四散して長州へ入った。

長七郎は長州跋扈《ばっこ》の時に入洛したのであったろう。そしてたちまちにその転落して散々になって退散したのを目《ま》のあたりに見て、憮然として為すところを知らなかったであろう。会津・薩摩の勢は張り、攘夷の説は変らざれども、疎暴急激の挙措はこれなりとせられざるに傾き、すべての模様は前と異なりて、蓋し長七郎の知るところの志士などもほとんど見ること少きに至ったであろう。

血洗島では九月十三日の徹夜の談で、栄一は父から一身の自由を得たので、雄飛の時至れりと悦んで、その翌十四日、武沢市五郎というものを京都へ急派して長七郎の帰郷を促《うなが》し、愈《いよいよ》実行の準備に忙がわしかった。栄一は江戸へ出て、喜作と共に同志と往来し、柳原の道具師梅田慎之助の家に寓し、武器調達の任に当った。鉄砲の購入は計画露顕の危険があるので已むを得ず刀槍・著込《きごみ》の類にとどめたが、慎之助の手を以て陸路は血洗島へ、水路は中瀬村の廻船問屋石川五衛門の宅に送り届け、尾高家の土蔵と渋沢家の藍庫《あいぐら》とへ密蔵したという。石川五衛門という名は一寸《ちょっと》滑稽に聞えるし、鉄砲を購わなかったのもまた奇異に思えるが、何と云っても明治前の事であるから、然《そう》様いうことも有ったろうと思われる。これ等の事に要した百五十両からの金は、栄一が自家の商業上の金を流用したのであった。

栄一が一橋家用人平岡円四郎*と相知るに至ったのは、この江戸滞在中に偶然生じたことだと伝えられているが、果して然様《そう》であるか、も少し前々から知を得たのでは無いかと思われる。栄一の一生は一橋家に夤縁《いんえん》したところから開展したもので、慶喜公に近侍するを得ることが無かったらば、何様《どう》いう運命を辿ったか分らぬものである。故に如何にして栄一が何時頃《いつごろ》から一橋家に結ばったかは、詳しく知りたいと何人も思うところであろうが、栄一自身の談には柏木惣蔵*・川村恵十郎*の両人が初めて平岡のところへ連れて行ったとあり、別に伝うるところによれば、喜作が一橋家の川村恵十郎と交りがあったので、栄一も自然と恵十郎と相知るようになって、それからその紹介で同家の用人平岡円四郎、用人格《ようにんかく》黒川嘉兵衛*、目付《めつけ》榎本亭造《こうぞう》*、番頭助松浦作十郎*等の知遇を受くるに至った、というのである。黒川以下の人々は深く論ずるに足らぬが、平岡円四郎はその危きに際して栄一・喜作を保護し、かつまた二人を一橋家へ仕うるに至らせ、一生の転機を為したものであるから、その人となりの大概を記さずばなるまい。

円四郎は幕士岡本花亭*の第四子で、平岡氏を冒《おか》したものである。花亭は勘定奉行、近江守で終ったが、深く経済に通じて、而《しか》も骨癯《こっく》神清《しんせい》、凡常の人では無かった。閣老水野忠邦に忤《さか》えるを以て斥《しりぞ》けられたが、実に容《い》れられずしてその大なるを見るものであった。矢部定謙《さだのり》*・川路聖謨《かわじとしあきら》*等と親しく、一種の風骨を具せる俊逸の人であった。円四郎、名は方中、文政五年を以て生る。生れて重瞳《ちょうどう》、才鋭く心高く、世俗と交わるを好まず、衆人目《もく》して変物となせりという。慶喜公一橋家に入りし時、補佐の士を得て左右に侍せしめんことを父烈公*に乞わる。川路左衛門尉が円四郎を器として、かつて水戸の藤田東湖に語ったことがあった。東湖乃ち烈公に白《もう》して、一橋家の雇小姓とならしめたのである。それは嘉永六年、円四郎三十一歳であった。これより前《さき》円四郎は文武を講じて後、評定所留役などを経て、経済の道に身を立てんとして、政治の実務を町方与《まちかたよ》力《りき》中村次郎八*に就いて習っていたところだったから、長袖者流の貴人の近侍などは有難くなくて固辞したが、辞しきれなくて出仕した。根が直参《じきさん》の子で、またこれ一豪傑だから、挙動疎野、礼に嫻《なら》わぬもはなはだしかった。小姓は主公の髪も結えば食膳の給仕もするのが職の内だった。拝命の初の円四郎の給仕は乱暴千万で、所謂《いわゆる》杓子の突《つっ》かかりほうだいだった。慶喜公もこれには弱られたので、仕方が無いから、自身に杓子を取り椀を持って物しずかに様よく飯をよそって、給仕はかようにするものぞ、と御教えになった。それから円四郎も心を傾けて公に仕うるに至ったという談が遺っているが、その時代において慶喜公に杓子を執らせた位の円四郎だ。井伊掃部頭《かもんのかみ》の出た時は、円四郎は何も大した身分でも無かったのに斥けられて、甲府勝手小普請《こぶしん》に遷された円四郎だ。それが今は一橋家用人である上に幕府からさえ本高を賜わって、公の左右に在って縦横揮搉《きかく》している身となっているのであった。この円四郎に栄一・喜作の接近したことは、寒梅花《かんばいか》上に星の照るを見たようなものであった。円四郎はこの紛乱の時勢に当って手下に俊髦《しゅんぼう》を得んことは何よりも望むところであったろう。既に川村恵十郎は一橋家の士でも何でもなく、甲州駒木根の関守の子であったのを円四郎が引抜いて用いたのであり、その他関東における一橋領内の農民で新規召抱えられたものも尠《すく》なかったのである。恵十郎が栄一・喜作等を円四郎に引合せたのも、もとより円四郎の意を奉じて為したことであるに疑無い。それであるから、円四郎と栄一・喜作等の数々相見《しばしばあいまみ》ゆるに至って、功名の心まさに盛なる栄一等には、当時の世評はなはだ宜しかった一橋家に随いて一世に雄飛するの地を為したい意も起り、また円四郎の方では青眼《せいがん》を以て二人を見、これを愛撫するに吝《やぶさか》で無かったことは自然の勢《いきおい》であった。

栄一等は「一橋家の家臣として奉公するは欲する所にあらざれども、御用達などの名義によりて出入を許されなば、事ある時には四、五十人の壮士を率いて相当の軍務に従うべし、されば何かの名義を以て家来分となることは出来まじきや」の旨を円四郎に請求したが、円四郎は、いずれ評議の上にて沙汰すべし、と答え、その後、他領の百姓にては急にその運びに至り難し、と断られたということが伝え残されている。この栄一等の提言は何時頃《いつごろ》の事であったか。これが文久三年即ち挙兵計画の年の事だったとすると、挙兵計画が実意ならばこの提言は疑わしいことであり、この提言が実意ならば挙兵計画は虚象であらねばならぬ。強いて両者を融合して、挙兵計画の方を実意だったとして解すれば、何かの都合便宜の上に、円四郎が自己等に好意を寄せているのを幸に、一橋家家来分の名義を得て一身の甲冑とせんと欲したのだとも言える。円四郎が許さなかったのは、挙兵計画などいうものが潜在せるのを知ってにしても知らなかったにしても、漫然と主家の家来分などということを許せるわけのものでは無いから当然であった。何れにしても挙兵計画に絡《から》んで円四郎との関係、または円四郎に絡んで挙兵計画との関係は、偶然か、また非偶然か、甲主乙従か、乙主甲従か、何だか何様《どう》も現存材料だけでは解釈し難い事情が存したろうことを思わせる。

八月十八日の京都の政変から事情一回転して、十月七日には朝廷勅して一橋中納言を召させたまい、また同十日には将軍を召させたまう。慶喜はすなわち同二十六日出発を期し、用人平岡円四郎、用人格平野内匠《たくみ》・黒川嘉兵衛は布衣《ほい》仰付られた。布衣被仰付《おおせつけらる》とは官服に狩衣を被《き》るを許さるる意味で、当時では格式昇進したことである。二十二日一橋慶喜は柳営に暇乞《いとまごい》をし、二十六日には陸路の危険を避けて、海路より十一月十二日を以て兵庫に著し、同二十六日入京した。この出発前、十月二十三日に一橋家側用人中根長十郎*は浪士に斬られたなどの事があったので海路を取られたのである。これはこの頃既に攘夷などという事の行うべからざることを一橋慶喜も悟り、円四郎等も無論其様《そん》な世界事情に即せざることの成立つべからざることを心に暁《さと》っていたことが、攘夷党の深く悪《にく》むところとなっていたからである。円四郎も初は攘夷党だったろうが、早く越前の橋本左内*その他と相知り、研究の末、固陋《ころう》の意見から蟬脱《せんだつ》して、何時《いつ》までも水戸風攘夷一点張りの過激派の中には居ず、漸《ぜん》を以て世を開国に誘導しようと思っていたのである。それで平岡は「一橋家獅子身中の虫」と云われたり、「平岡十里痴雲合し、望み断ゆ江門の第一橋」と攘夷党からは詩に作られたりした。平岡は円四郎、痴雲は水野忠徳《ただのり》、*第一橋は一橋慶喜を指しているのである。こういう円四郎が、こういう場合に、こういう一橋中納言に随って、多事な京都へ行こうというのである。その時円四郎は栄一・喜作を招いて、同行を勧めたのである。この事実は一寸《ちょっと》奇異であるが、烏有《うゆう》では無い。後に栄一等が平岡一橋家の人であるとして上京道中の安全を得ているのも斯様《こう》いうことが有ったればこそしかるを得たのであるのである。この時円四郎が無謀の攘夷論などを胸中に抱いていない者であることは、既に志士等の間に明らかであったのである、栄一等は密《ひそか》に攘夷的挙兵計画を懐いていたのである。ここに矛盾が有って、解し難く思われるが、栄一等は、もし貴意に従わば如何様《いかよう》にして宜しいか、と尋ねたら、平岡は予の家来ということにするが宜い、と答えた。そこで栄一等は、ただ今直《ただち》に御同行は致し難いが、追って上京仕《つかまつ》るその時には御家来名義を借用いたしましょう、と約束したということである。この一条の談は浮泛《ふはん》の談ならば、何様《どう》も信じ難いのであるが、渋沢家編纂所の伝記稿本に記してあるのだし、その事が十月十九日前だったことは、十九日付を以て喜作・栄一から新五郎に与えた書によって推察し得る。かつまたこの事が無ければ、後に至って栄一等上京に際して一橋家の翼下に安全の便宜を得るに至った事情の本づくところを明らかにすることが出来ないから、こういう事が有ったのだということを認めない訳にはゆかぬのである。これは十月十七日一橋公上洛を幕府より命ぜられし後、同月十九日までの間のことだったと推測される。栄一等はもとより挙兵計画を抱いていたのだから、円四郎の勧めには従わなかったが、円四郎は二人等の計画を預り知り、もしくは察し知っていて、そしてこういうことを言ったか、全く何も知らなかったか何様《どう》かは不明であるが、血洗島の一党が一橋家に心を寄せ、また自分等に帰嚮《ききょう》しているものだということだけは確かに認めていたからに疑無い。

平岡円四郎に上洛同行を勧められた日と、尾高長七郎帰著の日とが両方共に分明すると、この間の事情は解釈を深くすることが出来るのであるが、いずれも十月の下旬とばかりで、確知することを得ない。『雨夜譚《あまよがたり》』によると、長七郎の帰ったのは二十六日、尾高両氏追悼会の栄一の談では二十八日で、新五郎の家での同志会合は同二十九日とある。さすれば平岡渋沢会談の方が前である。二十六日とすると二十九日までの間、長七郎と人々とは相談《あいかた》らなかったのか、不思議であるが、とにかく二十九日新五郎の家の二階で人々は集まったのだ。主人新五郎・長七郎・栄一・喜作・中村三平の五人であった。挙兵手筈《てはず》の議は直《ただち》に提出された。京洛の現況を見て来た長七郎は、十津川《とつがわ》の事、五条の挙、殷鑑《いんかん》遠からずとして、その不可なることを説いた。栄一はこれを論駁して相争った。互に激して互に譲らなかったが、多勢に無勢《ぶぜい》でも長七郎の言には理も有り証も有った。特《こと》に長七郎は涙滂沱《ぼうだ》として暴挙を止《とど》めたということである。そこで新五郎先ず意を翻《ひるが》えし、衆皆積日の雄図を自《みず》から棄つるに至ったのである。

この暴挙計画及びその中止は栄一の生涯の関棙《かんれい》をなすものである。観察の立脚点によって種々相違した影像があらわるるのを免《まぬか》れない。第一に中年以後の栄一と、かくの如き計画の発起者《ほっきしゃ》の一人たる栄一とは、ほとんど同人とは思えぬことである。しかしそれは血気はなはだ壮なる時に当り、世間の滾沸洶湧《こんふつきょうよう》せる際に会したので、英物の晏然《あんぜん》たる能わざるだけの各種刺激に衝動されてかくの如くなるに至ったのだと解釈すれば、先ずは最も平凡でしかも最も正当な解釈とも云えるだろう。ただその計画中止については、平岡円四郎に会談してからでは無く、長七郎が帰って京都の形勢を説いて止めた故とあるけれども、平岡が慶喜に従って上洛せんとするに至ったのは、京都の形勢が変化した為であるから、およそ長七郎が語ったほどの形勢や事実は、栄一・喜作が上京随行を勧められた際に、平岡から聞知らなかったことはあるまいと思われる。して見れば忽然として長七郎に啓発されて暴挙中止に至ったというのも、互に自説を執って譲らず、長七郎と刺違《さしちが》えんとするまでに争ったということも、実際その通りでは有ったろうが、前後のつづき工合が一寸《ちょっと》明瞭に解釈しにくいのである。個人の性格から云えば、長七郎は多賀谷勇に勧められたとしても、前に輪王寺宮を日光御社参の際に強擁して兵を挙げんとした程の、勇多くして謀短なる者であるから、長七郎こそ不利の形勢の下にも暴挙決行を主張しそうであり、栄一は水戸の過激派及び浪士等には忌《い》まれている智謀の平岡如きに接近しているのであり、かつは本来物事を理詰めに運ぶことを能くする人であるから、この際は中止をしかるべしと仕そうな訳である。しかるに事実はその反対で激論の末に、辛《から》くも中止に落著したというのは不思議な位な事である。しかし暴挙中止に決定したのは天意ともいうものであろう、しからずんば栄一等は草賊暴徒の名を負いて、必ずや何の効も無く、近隣藩兵の手に芟除《さんじょ》されて終ったことだろう。

風裏の落葉はただ空を飛ぶが、風が無くなって見ると静かに地に墜《お》ちぬわけには行かぬ。時の勢《いきおい》に押されて、血の気の多いままに、一図《いちず》に逸《はや》り立って国家の為とばかりに突飛な計画を立ててその進行に熱中していた栄一は、一旦その狂行妄動たることを覚《さと》っては、蓋し自ら顧みて空中より旧の地上に帰ったような感に打たれたであろう。そこでたちまちに心づくことは無軌道的に四囲を顧慮せずして奔走運動していた自分等が如何に他人の目に映じていたろうかという事であった。当時所謂《いわゆる》志士を以て自ら任ずる者共の、大なり小なり反幕府的な危激な行動を取るのが存したに対し、所謂八州取締という偵吏の眼は常に輝いて居り爪牙《そうが》は磨かれていたのである。同志の団結を解《と》いて、意念の熱が醒めると同時に、急に身に逼って来るものは、不法行為の形迹《けいせき》の嫌疑によって逮捕されても是非が無い弱味を有《も》っていることである。そこで安穏に従前通り村居していることの危険を感じて、既に一身の自由を父から許されているのを幸に、郷関を出でて天下に放浪し、風雲の渦まく根源たる京都へ出て、四方の士と交わり、一世の勢を観ようと、名を伊勢参宮に藉《か》りて父に辞別し、前に計画の為に費したる百五十両の罪を謝し、新に百両の旅費を貰って、喜作と共に新五郎の家から士装して出立した。普通の見地から云えば、農家の者としては不良の悴で、大金を費消した上に、女子を今年設けた妻をも置《お》き去《ざ》りにして、別に何の見留の付いているのでもない長旅に出るなどというのは困った者なのであるが、そこは平生の行儀も宜しくて、善い解釈を下させるに十分な信用が有ったので、父も妻も不都合とはしないで送り出したのである。此処《ここ》で当時では大金の百両を出し呉れた市郎右衛門の大腹中は感ずべきであり、また然様《そう》いうように扱われるだけの地を作っていた栄一の平生もまた感ずべきであった。もとより既に前日一身を一家の為にするより天下の為にするの許しを父から得ていたのではあるが。かくて十一月八日栄一は喜作を伴なって、自己の新しい運命の緒《いとくち》を捉《と》るべく、他郷の雲を望んで定め無い旅に出たのである。

尾高・渋沢の計画は日の光を受けずして解消したが、これに関聯せる桃井一党の計画もまた同じ運命を辿った。蓋しそれもまた長州の勢《いきおい》が頓挫して了ったからの事で、武力は武力のみで事の運ぶものでは無く、必ず財力が助けなくてはならぬのであるのに、長州の水の手が流れて来難くなったので、何も出来なくなったのであろう。また尾高・渋沢には遠ざかられ、岩松満次郎には逃げられ、如何ともする路が無くなって、遂にその年の十二月、桃井の自首となって、その意図の薄い影だけを、『可堂先生事蹟』に遺して事は終って了った。

栄一は今は全く時勢の児となって江戸へ出た。平岡円四郎が一橋公に従いて航海上京の途中に在ることは知れていたが、喜作と共にその門を叩いた。平岡家来の名義を藉《か》りて、身分の保証を得、安全を確保しようというのであった。円四郎は居なくても、その妻は主人の命を得ていたと云って、二人の為に円四郎家臣とすべく取計《とりはから》って呉れた。何様《どう》いう形式手続のものだったか不明だが、行届いた平岡は予め合法的な措置をして置いて呉れたのであった。ここを考えると、遅くも十月十九日以前から栄一等二人は平岡の腹の中に在ったものである。地位の故も有ることではあるが、平岡は若い時の栄一の接した人物の中での大きい人物で、この人に値遇したことが何程栄一の運命を拓《ひら》いているか知れない。事実の上のみでは無く、心霊の上にもこの人の開発を被《こうむ》ったことは決して少くは無かったろうと思われる。碁の道では碁の強い人に値遇することが、その人の天禀《てんぴん》だけの進歩を遂げる因になる。武田信玄に遭ったことは徳川家康の幸福になっている。まして敵では無くて提導してくれる地位に立っているこの人に、眼の莢《さや》をはずして貰ったことは、たしかに栄一に取って天の寵恵であったことと思われる。徳川氏の福薄れて衰相の現じた時、積善の余慶として世に出た二人の重瞳《ちょうどう》の良臣が有って徳川氏を豊臣氏の如くにはならしめなかった。その一人は江戸を屠《ほふ》ろうと欲していた薩摩を抑えた勝安房《あわ》*であって、他の一人は慶喜を最後の将軍たらしめたこの平岡円四郎であったのである。そして慶喜をして屈後にまた伸びて、尊位高爵、善くその終を令《よ》くせしめたものは、渋沢栄一だとのみは云えないが、実に栄一の力も大なるものがあったのである。これを思うと運命の不可測なことを感ぜずには居られぬのである。

十一月二十五日栄一等は京都に著《つ》いた。先ず何よりも平岡円四郎を訪《と》うたのは自然の行掛《ゆきがか》りであった。慶喜は海路を取り、十一月十二日兵庫著、二十六日入洛、東本願寺に入ったのであるから、栄一等の著京はあたかも平岡の命令に合期《ごうご》したようなものであった。すなわち仮寓も本願寺に近い珠数屋町に定めて、そして一橋家士と交際せるほかには、壬生《みぶ》藩の松本暢《ちょう》*、暢の友の医鈴木瑞真、岩佐玄策、それから処士頼支峰*、越前藩の松平正直《まさなお》*、備前藩の花房義質《はなぶさよしもと》*、その他所謂《いわゆる》有志者等と往来して形勢を探り、尊攘志士間に流行せる伊勢大廟参拝などをしてその年を終った。

明くれば元治元年春、居を三条小橋の茶久という旅宿に移した。これは一橋公及びその家中も三条の若州藩邸に移られた為に、その近くに転じたので、離郷前後のこれ等の蹤跡《そうせき》を合せ考えると、何等かの意味で平岡と二人との結ばれていたことは分明である。二人はかくてある間に、時勢の観察を下し、種々の情状を新五郎に報じ、また長七郎の西上を促した。長七郎ももとより蟄居に終る心は無いから、その正月中村三平及び渋沢氏縁家の福田滋之進を伴なって先ず江戸へ向って出た。中村三平は即ち前に尾高の楼上で挙兵論議の席に在ったものだ。三人は戸田ヶ原へと差しかかった。その時何様《どう》した機会から歟《か》、長七郎は俄に精神が狂って往来の者を殺傷したので、たちまちに大騒ぎとなって、幕吏の為に捕縛されて了い、江戸伝馬町の牢に繋《つな》がれるに至った。この戸田ヶ原殺傷事件は病的発作《ほっさ》であったとあれば論は無いことだし、またその詳細な実状はこれを徴知すべき何等の材料も無い。しかし長七郎等が前々から諜者捕吏の徒から目を注《つ》けられていたろうことは想像されるし、また逮捕さるべきだけの危険思想の所持者であったことも事実であるから、長七郎の殺傷した者が薄々《うすうす》長七郎を知っていた者か何ぞで、その片言隻語一顰半笑《いちひんはんしょう》が偶々《たまたま》長七郎を赫《かっ》として怒らせかなんぞしたのかも知れない。中村・福田の二人も投獄されたのは、矢張り当時の捕吏等の忌んでいた志士臭い者であったからであろう歟《か》。その時栄一・喜作両人から京都の情を報じ、幕府の忌諱《きき》に触るるような事をも書いた書状を、長七郎が懐中していた。それを獄吏に取上げられたのは、長七郎をして自分の身の危さから、引いては二人の危さをも感ぜしめた。そこで獄中から長七郎は書を発して一部始終を二人に知らせ、二人は二月初旬その書を得て大《おお》いに驚いたと伝えられている。して見ると長七郎は投獄されてから醒むるが如く平常に復して、そして自身の行為、及び自身の懐中していた栄一等の書状、それによって起さるべき栄一等の身の危険の予想等を、獄中から通信した、ということになるが、長七郎の発病は実に突然で、これは怪むに足らぬが、またその平癒は実に速《すみ》やかなものであった、これは奇蹟的だったと思われる。何日に起ったことか不明だが、正月に起った事を、二月初旬に京都へ知らせたとなれば、長七郎の心疾は発作してまたたちまちに平復したので無ければならぬ、これは誠に奇蹟的であり、そして心疾の人は多くはその発作の時の自己の行為を知らざるものであるが、懐中せる書の意をまで記憶せるもまた奇蹟的である。犯人が同志者の危を救わんとするの意より出たる書信を、当時の厳烈なる牢獄中より京都に致し得たることも巧妙なる手段に由《よ》りたるのでも有ろうが、これまた奇蹟的結果を収め得たものである。あるいはまた事を報じた書面は中村・福田二人の中から発したものでもあったろうか。栄一の談では長七郎が郷里より江戸へ到らんとする途中の事とあるが、渋柿園《じゅうしえん》*の記するところの新五郎の談では、福田滋之進をして迎えしめて江戸より手計に伴ない帰るの途中の事である。栄一談ではその事の日は不明だが、正月に発したこととなるのであるが、藍香伝では、噫《ああ》、その日は三月の二日、とある。歳月既に隔たった今如何に考えても、その詳密なることは得られない。長七郎、東寧と号す、文武双脩、剣技万人に勝る、惜むべし一蹶《いっち》また起たず、後に至り兄新五郎これを救いて、獄より出さるるを得たるも、病癒えずして遂に死す、行年纔《わずか》に三十二だったという。

伝うるところに拠れば、長七郎の信書を得て、策の出づるところを知らなかった栄一・喜作は、江戸へ出て長七郎を救わんと欲したり、それは出来難いことであると考えたり、自分等の身の上も危いと思ったり、むしろ長州へ逃《のが》れて多賀谷勇を手寄《たよ》ろうか、それも好都合に行く望は薄い、などと一夜を煩悶焦慮したということである。

ところがその翌朝になると、平岡から一寸《ちょっと》来て呉れという招きだ。行って見ると平常とは少し異なった様子で、足下《そっか》等は関東に居た時、何か穏やかでないことを仕《し》はせぬか、幕府から当家へ懸合《かけあい》が来た、包まず語れ、悪くは計らうまいから、という談《はなし》だ。二人は是非が無いから、左様仰《おっ》しゃれば私共親友の中、何か罪科を犯して獄に繋がれたという手紙を昨夜受取りました、と答えた。何様《どう》いう筋の朋友かと問うから、我々同志憂国の徒で、その一人は剣道の師をいたし居る者、栄一の妻の兄であると答える。いやそれだけではあるまい、何か仔細があろう、と詰《なじ》られる。他にこれということもなけれど、彼方に与えた書信中に、幕府の因循姑息を非とし、慷慨《こうがい》致した意味などもござりました、恐らくはそれが怪《け》しからぬと認められたかと存じます、と答えると、平岡は、それでは其様《そん》な事であろう、しかし当節慷慨家などいうものは随分荒々しい事をするが、足下等はまさか兇行など仕たことは有るまい、有ったなら有ったと云って呉れ、有ったことを無いと思っていては後に困るから、という打砕けての問だ。もとより其様《そん》な事は無いから、断然然様《さよう》な非違の事は致しませぬと答えると、それで一トわたりの応答は済んで、さて平岡は更《あらた》めて、その事はそれで宜いが、さて足下等はこれから何様《どう》する積りだ、という同情有る言葉だ。実は二人共思案に尽きているところだ。そこで、我等二人はいささか志を抱いて国家に尽すつもりで居りましたが、今かくの如くの境地に立ってほとんど進退に窮して居ります、と云うと、平岡は、如何にも然様《さよう》であろう、察し入る、就いてはこの際足下等は節を屈して一橋の家来になっては何様《どう》だ、一橋家は諸藩と異なって、所謂御賄料《おまかないりょう》で暮しを立てている謂わば御寄人同様の御身柄で、重立った役人も皆幕府からの附人《つけびと》であり、拙者も小身ながら幕府の者で一橋家へ附けられた様な訳であるから、新《あらた》に人を抱えるのは随分むずかしいのだが、足下等が当家へ仕官しようとならば、平生の志が面白いから拙者が心配しよう、徒《いたず》らに国家の為を思うと云っても一書生では真に国家の為にもなり兼ねる、予《かね》て聞いてもいようが、この一橋の君公というのは有為の君であり、今の幕府とこの一橋とはまたおのずから相違もある、勿論差向き好い位地を望んでも、それは出来ぬ、下士軽輩で辛抱する気なら、尽力して見よう、と云って呉れた。二人は厚意を謝して、相談の上御答を致しましょうと宿へ退《しりぞ》いた。

喜作は栄一よりも剛情だった。これまで反幕府側に立っていて今その支流の一橋に仕えるのは好まないと云ったが、栄一はこの場合一橋家に仕える方が好いと論じて、遂に二人とも平岡の言についた。この時二人は意見書を一橋公に呈し、また一度君公に拝謁を仰付けられ、仮令《たとい》御意は下されずとも、一言直々に申上げて後に御召抱を願いたいと強いて乞うたため、公が松ヶ崎へ御乗切《のりきり》がある途中へ出て居て、彼が何某でござると御見掛けになるよう工夫するがよい、と平岡に云われて、下加茂辺から山鼻まで一生懸命に御馬が見えると駈け走ったということであり、一両日経て辛《から》く御目見申付けられ、書生流では有ったことだろうが、意見を言上《ごんじょう》したと云うことである。

以上はすべて栄一の談であって、一橋家に仕うるに至った経緯を伝えたものである。栄一等が長七郎の信書を得たということや、江戸公儀から二人の身上について一橋家へ懸合のあったということ等、いささか詳しく考え難い点も有るが、何はあれ窮余の身が平岡の勧めによって一橋家に仕えたということに帰著する。新規召抱の命を受けたのは二月の九日だったといい、召出された身分は奥口番《おくぐちばん》で、禄は四石二人扶持、外に在京都中の月手当が金四両一分だったという。奥口番は奥の口の番人で、老人役であるが、それは身分の属する名のみであり、諸藩でいう留守居役所即ち外交事務取扱所の様な御用談所の下役《したやく》に出役を命ぜられて、御用談所の脇の室を借りて、二人共に其処《そこ》に居ったのである。室が八畳二間に勝手の附いた長屋で、二人は質素な自炊生活をした。田舎者でも相当な家の若旦那であった二人だから、炊事などを手ずから仕た事は無かったので、互にその不出来を譏《そし》り合いながら、煩《わずら》わしい朝夕を送った。

かかる薄給微禄の中で、二人はなおも節約を事として、借財返済を敢てした。というのは郷を出る時に父から貰った百両の金は、江戸で使い、道中で使い、伊勢参宮で使い、志士交際で使い、京都滞在二ヶ月余になったのだから、困乏に陥ったのは当然で、そこで一橋家に勤仕している一、二の知人から、あるいは三両あるいは五両と借入れて、詰り両人で二十五両程の借財になった。それを次第に返したのだということなのだ。これは栄一の自談にあることだが、瑣事ではあるけれど身にしみた経験であったろう。如何にも謹直なことで、当時の志士などというものは多く磊落不羈《らいらくふき》で細行を顧みないものであった中に、この両人のかくの如き行為は、正に後年実業家として大を為すに至った所以《ゆえん》をば予め語るものと云って宜い。ただしこの金を貸して呉れた者は一橋の家士猪飼勝三郎その他ということだ。が、二十五両はその頃では少い金ではない。もとより人物は信用は得ていたろうが、旅烏の浮浪人に能く貸したものである。また借りる者は困ったから借りたのに過ぎぬ訳だが、親類でも同郷人でもなくて能く借ろうとして、そして借り得たものである。ここを考えると、平岡家来分で旅行をし、特に珠数屋町に宿を取り、また三条小橋に宿ったこと等と照らし合せて、一橋家に随身せぬ前、長七郎被召捕《めしとられ》事件が二人を危険に臨ませた前から、二人と一橋家家中との間に、単に志士間の朋友交際というよりはなお少し進んだ関係が結ばれていたろうことが思われる。

四月十七日、二人は奥口番より御徒士《おかち》に進んだ。身分の定めが変ったのみで、勤向《つとめむき》は前の如く御用談所調方《しらべかた》下役なのであった。この頃の事である、栄一の名を篤太夫と改めた。それは平岡円四郎の命ずる所であったという。栄一の文字が主家において諱《い》むとところでも有ったか、主筋に同じような名が有ると、その名を呼ぶのは不敬に当るから改名をさせるのは当時の常識であるが、一寸《ちょっと》思い当るところも無いから、何か他の都合上からで有ったろう。栄一の名を用いない方が宜いとしてかくの如き干渉に出たのに理由の無いことは有るまいが、円四郎の考は今分明せぬ。栄一の名は、蘇老泉*が二子に名づくるの説のように、新五郎藍香が説を書いた程で、栄一も後に更《あらた》めて前名を用いた位であるから、自身は改称を悦びはしなかったろうが、その時は円四郎の命のままになったのである。

この年二月諸外国相議して長州を衝《つ》かんとする由の風聞あり、去年五月長州の所為に報いんとするのだという。そこで軍艦奉行勝麟太郎、長崎奉行服部長門守*、その事の無きを必ず可からざることを報じた。それをきっかけに兵庫開港等にからんで、差当り摂海防備の議が起り、参預だった島津大隅守*が、自分かねて海岸防備の事に関心して居り、薩摩藩士折田要蔵*というものをして方策を研究せしめてあるというので、一日二条の城で、一橋中納言・板倉閣老*その他諸有司をして折田の意見を聴聞あった。折田は論弁滔々、安治川口天保山、これに対する島屋新田・木津川口等、十四ヶ所の砲台、一ヶ所およそ六万両を要するものを築き、大砲八百十門、一門およそ千両を要するものを備うべく、その他云々と説立てて、その方面の知識の少い人々を動かした。幕府は終《つい》に百人扶持を給し、御台場築造掛という名儀で大阪に出向かするに至った。島津は要蔵の言に拠って、しきりに防備を説いた。それはあたかも自ら摂海防禦《ぼうぎょ》の重責に当らんとするが如く聞えた。薩摩の真意は何処に在るか知らぬが愈《いよいよ》この大任を京洛の近くで外藩に委《ゆだ》ねることになっては、形勢の変化測る可からざる者が有るから、平岡円四郎は宮方や公卿方に説いて、一橋慶喜は禁裏御守衛総督・摂海防禦指揮に任ぜられた。

平岡は栄一の篤太夫に内密に命ずるには、今度折田要蔵が砲台御用掛で大阪へ行くことになったについて、工合よく折田の弟子になって、薩摩の腹の中へ入り、その様子を成るべく見て来て呉れとのことだった。自分の心から出たことのようにして、築城学を習いたいから塾生にして呉れ、と云込むのが疑われなくて宜かろうというので、川村恵十郎の知合に小田井蔵太*というものがあって、それが折田と懇意なのを好い手蔓にして折田へ頼みこむと同時に、一橋家からもまた、渋沢は当家家来だから掛念《けねん》なく教授して呉れと声がかりをして貰った。折田は承知した。それが四月の初だったから、一橋家へ奉公してから二月ばかり経た時で、云わば間者のような役についたのである。内弟子と云ったとて、何も順序立てて習うこともない。絵図や書類を写させられる位の事だったが、慣れぬことだから絵図は巧く引けず、反古ばかり拵えては叱罵されて弱ったということだ。それでも何様《どう》か此様《こう》か日を送る中《うち》には絵図も書けるようになり、また他所《よそ》への使などでは大《おおい》に折田の調法になった。薩摩人ばかりの折田の家では、国訛りがはなはだしいから他所へ出て巧く談話の出来る者がほとんど無い。そこで大阪町奉行まで行けとか、御目付へ行ってこの事を引合って来いとか、命ぜられるままに働いて、大に役に立った。しかし折田は風呂敷のみ大きくて余り中身は無く、その宿の大阪土佐堀の松屋に、摂海防禦御台場築造御用掛折田要蔵という掛札をして、玄関に紫の幕を張って誇らしげに構え込んでいるという質《たち》の人で、時には島津久光へ建言したり、西郷隆盛へ文通したりする位の事は有るが、真の材幹の有る人とも思われず、松屋の隣家に下宿して居た薩摩連中で、後に明治の警視総監になった三島通庸《みちつね》*、海軍卿になった川村純義《すみよし》*、日本鉄道会社社長になった奈良原繁*、それから中原直助*・海江田信義《のぶよし》*・内田正風*・高崎五六*など交遊の重なるものであるが、その三島・川村などにも重んぜられているというのでは無いこと等も分り、なお長くその傍に在っても益無きことが明白になったので、五月に入っては大阪を辞して京都へ帰り、知り得た限りを復命した。

この一ヶ月ばかりの間に栄一が観察し得た薩摩藩の事情は平岡円四郎の参考になった

ことのはなはだ多かったろうを疑わぬ。その頃は会津及び薩摩は徳川氏側になっていたのだが、薩摩は会津とは大《おお》いに異なっていて、勿論反幕府的の料簡が腹の中には充満していたのだし、その意図の籌画揮推《ちゅうかくきかく》の順序手段等も薩士の間に種々に研究されていたのだったから、円四郎がなお長く生きていたら、これに対する応酬的措置も次々に講ぜられ、薩長を合同させて徳川氏に当らせるに至るようなことも無かった事だったろうと思われる。それは擱《お》き、差当ってこの内空しくして外飾るところの折田を重用するに至らしめなかったのは、栄一の功であった。後に薩州の士は多く要路に立つに至ったのに、折田は湊川神社社司たるに止まったというから、その実際が然程《さほど》実務的の人物で無かったことは推測される。

一橋慶喜は今重要の地位に在るが、その家の成立が成立だから、位は高いが禄が乏しく、その手の下の実力は、他の大藩などには及びもつかず、家中の士卒は足らぬのであった。そこで平岡にも本よりその意は有ったろうし、栄一等の建言も採用されたのであったろう。五月に大阪から帰ると、やがて、平岡から栄一・喜作に、関東へ出張して、一橋家領その他諸村より身元慥《たしか》に人物堅固で、最初より高禄を望まず、微職にても辛抱する者が有らば、召抱え来れとの命令を受けた。両人の材能が認められ、信用がついたので、かくの如き任を託された訳である。二人は踴躍して命に応じた。千葉・海保の塾生等の中において、幾千人《いくばくにん》を得べく、また挙兵計画に参した者共をも誘い来るべき目算があり、兼ねては長七郎を救出す道を得たい心も有ったからである。

さて人撰御用ということで二人は心勇みして出発した。その日平岡円四郎は近郊散策の名を以て山科蹴上《やましなけあげ》に先著していて、粗宴を張り、関東巡回の心得を細訓した。栄一等は新参の軽輩であり、平岡は重臣であるから、公然の見送りは出来ないのだが、それが態々《わざわざ》かくの如くしたのは、二人を重んじ、またその事を重んじたのであって、かくの如くされれば二人が士を招く場合において話も付けよいし、また自ら感激もしたことであろう。平岡の士に下り人心を攬《と》り、事を巧みに運ばせる作略《さりやく》は行届いたものである。この調子は後年の栄一において栄一の所有となっている。

さて二人は江戸へ著し、一橋家の目付兼大砲銃隊調練頭榎本亨造の浅草堀田原の家に寓し、一橋家に赴きて留守重役に用件を具伸し、また小石川原町の地方役所に至り、代官等と会見して巡回行次等を協議した。その間に彼《か》の入牢中の長七郎を救出さんとして、今は血洗島村農民では無い、一橋家家人であるから、黒川嘉兵衛からの添書も得て居り、便宜を得て、幕府勘定奉行都筑《つづき》駿河守、*勘定吟味役小田又蔵*等に就いて種々に尽力したが、中々何様《どう》も都合好くは運ばなかった。何としても事実が強い光を放つところの殺傷現場被召捕《めしとられ》なのだからであろう。そこでそれは他日に譲って、人撰御用の方へかかった。

一橋家領地は関西・関東に散在していた。関東では、武蔵国の埼玉、下野国芳賀《はが》・塩《しお》谷《や》の二郡で、僅に二万三千石の地に過ぎなかった。これ等の地を巡回して人を得んとしたのであったが、もとより千葉・海保の塾の知友、及び予《かね》て知れる有志の者等からしかる可き者を取らんとするのは腹案であったに疑無い。しかるにこの年の二月末より三月末にかけて、水戸の藤田小四郎*等の一党、攘夷を標榜する者、重望ある水戸町奉行田丸稲之《いなの》衛門《えもん》*を推して領袖と為すを得しより頓《とみ》に勢《いきおい》を得、初は筑波山に拠り、次で日光山に至り、檄を四方に飛ばして同志を致し、四月太平山に屯し、五月末復《ふたた》び筑波山に拠り、その間小藩を脅威し豪民に誅求し、公然としてまさに武力を以てその為さんと欲する所を遂げんとするの勢を示したれば、足利の西岡邦之助、*結城の昌木晴雄*等如き響応する者もまた少からず、常陸・下野・下総の地は動乱騒擾した。これは実に前に桃井・尾高・渋沢等が為さんと欲して為さざりしことを為したものであったので、栄一等の知れる者の気骨ある輩は多くその方面に吸集されて了った形になり、思うように人を得ることは出来なかった。それでも江戸では剣客間中隼太*、儒生白井慎太郎、水戸の穂積亮之介*、姻族須永於菟《おと》之《の》輔《すけ》*等十余人、群村では農民壮丁四十余人を得た。志を同じうして国事に奔走した宇都宮藩士岡田慎吾、下野真岡の川連虎一郎をも一橋家に招致しようとしたが、故障があって行われなかった。しかもこの招募に尽力中、尾高新五郎が水戸の田丸・藤田の筑波山一党に招かれた事から、応じは仕なかったのだが、浪士一味なりとの嫌疑を受けて、岡部藩の獄に繋がるるなど、栄一等をして便宜を失い、かつ行動の自由を狭《せば》め礙《ささ》うる気味があった。それにも増して両人をして愕然として驚き、茫然として為す所を失わしめたものは、京都において六月十六日平岡円四郎が殺害されたという飛報に接した事だった。

有為転変の世の習ではあるが、平岡の死は実に両人を驚かしたことであったろう。両人をして理想の世界より現実の世界の人として立たしめたものは平岡であった。現在運動しているのも、平岡の手の下で運動しているのである。その人が今忽《こつ》として亡くなったのである。車輪がその軸に折れられたようなものである。人生の常、かくの如きものあるのは不思議でも何でも無いが、恐らくこの事は栄一をして人生の観察において今までに無かった観点を与え、かつまた一大新知識を与えた事だったろう。平岡は慶喜に事《つか》うること十余年、真にその帷幄《いあく》の謀臣で、慶喜をして賢者の名を得て、漸く朝廷と世間との信頼するところたらしめ、禁裏御守衛総督・摂海防禦指揮として、公武内外疑懼《ぎく》の世に至りて、中流砥柱《しちゅう》の観をなすに至らしめたものは、慶喜の英資に因《よ》るといえども、また平岡献替の功に依るものが多いのであった。表面に出た功は見えぬが、蕭何《しょうか》＊・張良《ちょうりょう》＊一流の人物であったことは、平岡存生時の慶喜の運命が常に亨《とお》りて吉なりしを見ても知る可きである。その初は慶喜と共に攘夷を心掛けていたろうが、漸く世界の情勢や国内の実状に通ずるに及んで、短慮妄挙が功を成すに足らずして、却って釁《きん》を開き禍を招くに至るべきを洞察し、内治を先にし、紛糾を整理して行こうとしていたのである。故に攘夷一点張りの硬派から見れば、円四郎は密《ひそか》に開国論を懐きて一橋公を惑《まど》わすところの奸物と目されざるを得なかったのである。それで前年の夏秋の交、栄一が江戸に在って平岡の家に出入せる頃、水戸藩士の三橋某等と会飲した時、某は栄一を強要して手引をさせ、円四郎を斬ろうとしたことさえあった位で、栄一は手際よくこれを外《そ》らせて、後にこの事を平岡に告げて警戒させたことが有り、喜作もまた同様の事に遇ったということである。この事は平岡と両渋沢との関係の夙《はや》くから深かったことを語り、また平岡が水戸の硬派に夙くから忌まれていたことを語るものである。容れられずしてその大なるを見る、平岡は小さな存在では無かった。この平岡が慶喜に従って京都へ乗出してからその主人は日に日に勢威を増して、朝廷と徳川氏とを相対的ならしむる如き愚現象を漸く除去し、諸公卿及び薩摩・越前・土州・宇和島の諸藩も幕府に力を協《あわ》すに至った。これ多くは平岡が慶喜の懐刀《ふところがたな》となってその利器たるの能を揮《ふる》ったからで、当時の評に、天下の権、朝廷に在るべくして幕府に在り、幕府に在るべくして一橋に在り、一橋に在るべくして平岡に在りとまで云われたのである。この評は恐らくは反幕府側から出たものであろうが、一橋家用人たるに過ぎぬ身を以てかくの如き評を得たる平岡の勢力もまた大なるものであった。五月十五日平岡は一橋家家老並に陞進《しょうしん》した。両渋沢が関東に遣られたのはこの際である。この時去年以来雌伏を余儀無くされたる反幕府派・攘夷派はあるいは頻りに流言を放ち、落首投文を為し、あるいは数々《しばしば》堂上出入の軽輩を殺しては天誅を加えたりとなした。関東においては長州と気脈を通ぜるあるやの疑有る水戸浪士等は筑波山・太平山に拠りて気勢を揚げ、京都においては五月二十二日会津藩松田鼎を殺して梟首《きょうしゅ》し、大阪においては二十七日中川宮家臣高橋健之丞を殺して梟首し、長藩の士、身を変じて洛の内外に潜み、有司を罵詈讒謗《ばりざんぼう》し、世人を脅喝威嚇した。遂に六月四日公辺の手を以て、京四条小橋古道具屋枡屋喜右衛門、実は志士古高俊太郎《こたかしゅんたろう》方において、烈風に乗じて火を御所及び中川宮に放ち、宮、松平肥後守参内の途中を要撃せんといえる陰謀謀合の書類、及び武器弾薬等が発見さるるに至った。そこで暴起一味の輩は、大事露顕の上は六月七日の祇園祭の雑沓に乗じて蹶起するに若《し》かずと、その次日の五日三条小橋の旅舎池田屋に宮部鼎蔵《ていぞう》＊・松田重助＊・桂小五郎・吉田稔麿《としまろ》＊等二十余名密議した。そこを公辺の会津・桑名・新選組等の士七十余人が襲撃して、宮部等三人を斬り、十余人を捕縛し、所謂池田屋騒動の修羅場を現出した。ここにおいて反幕府側の所謂志士等は激怒して、一橋慶喜を憎み恚《いか》り、流言投書毒詛《どくそ》辣議《らつぎ》は火の如くに起った。

池田屋騒動は何も平岡円四郎が発令指揮したということも何も無いのであった。しかし一橋家に忿怒憎悪の矢弾《やだま》が集まった以上、平岡がその的《まと》の一箇となったに不思議は無い。実際また平岡を無くして了うが宜いと思っていた者も沢山有ったろう、平岡は敵の利器で有ったから。水戸の硬派は既に生命を投出《なげだ》して起って筑波に籠っているのである、長州は今や死物狂《しにものぐる》いとなろうとしているのである。水戸は徳川の親藩であるが、長州と水戸とは前に叙べたる如く、そのある者とある者とは手を繋いでいるのであった。六月五日以来、長州の者等ははなはだしく圧迫されて、長藩留守居乃美《のみ》織江＊は武装してその邸を守るに至ったほどであるに、平岡はその十一日諸太夫仰付られ、近江守と任官した。それから幾日も経ぬ十六日の夜、川村恵十郎と従者二人とを従え一橋家家老渡辺甲斐守＊をその旅宿に訪《と》いての帰るさ、十分に便宜を窺って居たと見える暴人に突として襲われた。円四郎は即死、従者二人も殺され、恵十郎も傷を負うたが、これは敵を逐走《おいはし》らせた。敵も重傷で、遁れて千本通りで斃《たお》れて了った。それは何と水戸藩士林忠五郎＊・江幡貞七郎＊という者であった。平岡は江戸の者だが、水戸出の慶喜を助けて功を立てて居たものを、水戸の士が無残にも殺したのである。感情の波浪が激しに激していた当時だったから是非も無いことだった。あるいは伝えて云うに、水戸の士が水戸の原市之進に逼《せま》って、一橋公は何故攘夷を実行されぬかと詰《なじ》ったら、市之進が、それは平岡が近侍しているからだ、と云ったので、そこで予《かね》てから獅子身中の虫などと云われていた平岡を斬ってしまったのだ、というのであるが、蓋しそれは後からの理窟付けというもので、市之進は巧弁を以て責《せめ》を人に嫁すような人では無い。平岡無き後に一橋家の柱石になったのは原である。栄一の平岡を評せる言に、平岡は弁才俊爽で、利剣一掃、たちまち人を斬って落すが如くに、直下に人を屈すること数々《しばしば》だったから、人の怨を受くることも少く無かった、とあるが、何もその為に四十三歳で命を失ったというのでも無く、それは平岡の悲運に就いて、栄一がそれを自己の修省の資とした観察とも云えよう。世には真に良い人でも、自任して裁判長となりたがる人があるものだ。そういう人が波瀾激盪《げきとう》の多き場合に立つと、忽《こつ》として恐ろしい判決を他に下《くだ》して恐ろしい執行を敢てするものである。蓋し平岡は不幸にして自任裁判長もしくはその手下の執行委員に出遇ったのである。

平岡によって運命の一転湾をした栄一は、平岡の死によってまた一抹角《まっかく》して行くべくされた。早速に帰京したいので、六月十三日に岡部藩から釈放された尾高新五郎にも会わず、同藩から睨まれている自分等が累を父母妻子に貽《おく》らんこともとの斟酌から、密《ひそか》に妻沼で父及び喜作の父の文左衛門と会見しただけで、八月四日江戸へ著した。この時京都は池田屋騒動から引続いた長藩の動揺で、長の真木和泉*・久坂義助*等が兵力を以て長州の威を回復せんとしたのから事態切迫し、福原越後*・国司《くにし》信濃*等が堂上方等の長州に意を寄する者と通同し、強いて禁闕《きんけつ》を犯さんとするの形を取るに至ったので、七月十九日、一橋慶喜はこれを掃攘し、世に所謂蛤門《はまぐりもん》の兵乱となったのである。長州の兵敗れて、たちまちにして事は済んだが、京都民家の兵火に罹《かか》れるもの四万余、実に一時の大変であった。されば両渋沢は心も心ならず、募集の事を力《つと》め行《おこな》ったが、その間にも長七郎救出を心掛けた。しかしそれもこれも天下の形勢ただならずなったので為すべき道も無く、遂に九月の初、志士十余名、壮丁四十余を引《ひき》つれて、江戸を発し、中山道を上京した。途中新五郎と深谷に会い、その隣村宿根というところの親族の家で、栄一は妻が二歳の女児を懐《いだ》いて待合せたのに暫時の別《わかれ》を惜み、岡部の陣屋前を何事もなく通過して、九月十八日を以て京都へ著した。

平岡の横死は二人に取っては軸を脱した車輪になったような思をさせたが、平岡の後を受けて用人首席となった黒川嘉兵衛は、平岡如き俊才では無い代りに、穏当を希《ねが》う循吏的の人であったから、両渋沢の労を犒《ねぎら》いその心を安んぜしめて、なお忠勤を続くべしと云って呉れて、そして関東の形勢等を問糺《といただ》した。江戸や水戸や、関東志士等の様子を二人の観察に須《ま》って知ろうというのは、平岡が二人を派出した時にも既に存していた意味の一だったろうが、黒川がこれを尋ねたのみでは無く、数日を経て主公からも下問せられた。二人は江戸・水戸の情状、筑波の一団の進退、追討諸隊の動作等を詳しく言上して、善しとせられた。その際栄一は攘夷決行に就いても進言するところが有った如くであると諸伝記には見えている。如何にもこの年の中の尾高新五郎への書状等には栄一がなお攘夷論者で有るように見え、また従来の行懸《ゆきがか》りからも攘夷論者で有るべくも見えているが、主公も平岡も世界大勢の知識を得るに従って既に攘夷の決行などの不可能を密《ひそか》に悟っていたろうことを栄一等もおよそ猜知《すいち》していたろうから、然様《そう》いう進言をしたと云おうよりは、現在問題になっている筑波一団の上などに就いて何か進言したのでもあろう。彼《か》の一団には栄一の同情が有ったろうことは、その旧同志などが彼の一団に加わっているのでも自然の事であった。しかしまた彼の一団が、今は主公の当面の敵となった長州と策応したことも蓋し疑えぬという複雑な事情も存し、主公もかつては水戸革新派の方に左袒《さたん》し、自分もかつては長州に一糸の連絡を有ったということも有るので、滅長救長の論の有った折柄、何様《どう》という考を以て居たかは、ほとんど幾微《きび》に属することで、今明らかにすることの出来ぬところである。

この年十一月の末、水戸の武田伊賀守*・藤田小四郎等一隊、兵を率いて美濃路より京都へ入らんとするの風聞があった。この武田・藤田一隊の始末は、実に複雑紛糾せる事情の伏在せることで、従って簡明にこれを叙述して人をして理解せしむることは困難であり、かつこれに対する一橋慶喜の処置を正当に批評せしむることもまたはなはだ難いことに属する。概略を云えば、元来水戸は文化・文政頃より藩内およそ二派に分れて争っていた。その一は藤田東湖等の改革派で、尊皇の大義を抱き、他の一は市川三左衛門*等の保守派で、主家中心の念に篤く、自然と改革派は尊皇から攘夷、攘夷から長州に連《つら》なるようになり、保守派は主家中心主義から幕府に連なり、反改革的になっていた。その二派が水戸及び江戸小石川邸を中心として、互に政権を奪い合い、随分刻毒の争いを演じていた。それに水戸の先公の烈公の遺志、当主中納言*が横浜鎖港の勅命を蒙れること、幕府が常に保守派を援けたこと、保守派が常に幕府の力を藉《か》りて敵派を圧せしこと、反幕府的の長州の手が陰に改革派に結ばれた気味のあること、それ等の事情の上に会釈もなく時勢の波瀾が一揚一抑と押寄せて来たので、悲むべくまた恨むべき厭《いと》わしい現象が展開されたのが、耕雲斎一隊の西上だったのである。

　武田伊賀守は初めは藤田小四郎等の長州桂小五郎と通謀して兵を起さんとしたのを諭し止《とど》めんとしたけれど、小四郎等は聴かずして事を挙げた。藤田の一党は書を老中板倉周防守に与え、また因州・備州藩主にも書を贈り、攘夷決行を敢てせんとし、過激の行動を取ったので、江戸の水戸藩邸で政柄を執っていた伊賀守等は彼等暴徒の同派であるというので、市川派の乗ずるところとなって墜落を余儀なくされた。一方水戸の主公中納言は漸く因循の態度を執るに至り、六月九日幕府は川越以下十一藩に出征を命じ、筑波山党を鎮圧せんとした。山党も初めは正義の精神に出発したのではあるが、為《し》たことは暴横であった。軍用金の徴発は勿論、小藩の結城を脅迫したりなどした。市川派は七月六日自ら戦ったが、その翌夜はなはだしく敗《やぶ》れ、幕府方の永見貞之丞*は江戸へ遁帰った。ここに至っては幕府はその儘止《や》むことは出来ぬ、若年寄田沼玄蕃頭*を将軍目代《もくだい》とし、討伐軍を編成した。八月に至って田沼は市川派に迎えられて水戸へ入った。この間に種々の経緯が有って、結局大義を名として兵を起した山党は、幕府の後援有る市川派の党争の敵となって了った形になった。山党に加担した志士等は分散しだした。江戸藩邸より主公中納言目代として松平大炊頭*は伊賀守等を従えて水戸に入らんとしたから、市川派は拒《ふせ》いで入れざらんとし、市街戦をするに及んだ。憐《あわれ》むべし大炊頭は騒乱の鎮定を心にかけて事情を江戸に訴えんとしたところから幕府目代戸田五介*の陣に投じた。しかるに田沼玄蕃頭は権柄ずくに何も彼《か》も圧付《おしつ》けるという取扱をして禁錮に付した後、十月朔日《ついたち》に至り、幕府は、公儀の兵に対して不届《ふとどき》の所業あり、というので切腹を命じて終《しま》った。ここで伊賀守は自分等烈公以来の尊皇攘夷の義を奉じている一派は、その主張を捨てぬ限りは主公の水戸城に対して、幕軍と市川派とに無勝算の戦を挑《いど》むか、しからずんば情を陳し義を叙せんとして大炊頭の如く敢無《あえな》く死を取るに至るより他無いことになった。そこで伊賀守は何も最初筑波に事を起したものでは無いが、その一派を率いて、一先ず常陸・下野の地を逃れ、一条の始末を水戸出で禁裏御守衛総督の一橋公に陳し、朝廷へも奏聞を遂《と》げて、我等が心事を披瀝し、しかる後に身命はその処分に任せ奉らん、という悲壮な決意をして、十月二十三日西上の首途《かどで》に就いた。田丸稲之衛門・山国兵部*・藤田小四郎等八百余人、四方皆敵の中を行こうというのだった。伊賀守は幕令で官位を褫奪《ちだつ》され、一行は表面上は不逞の匪徒《ひと》の如くになった。さればはなはだ艱難して、幕命を奉ぜる黒羽・岡部・高崎・松本・高島諸藩の兵と砲火を交《まじ》えつつこれを突破し、美濃路に出で、一ト月余を経て十二月十一日、越前の国新保《しんぼ》駅に著いたのである。

実にこれは困ったことであった。武田伊賀守に取っては勿論であるが、水戸家に取っても、幕府に取っても、一橋慶喜に取っても、朝廷に取っても、何と処置したのが名分と情理との上に宜しいか、容易に考えきれぬことであった。幕府からは騒乱を起した不届の徒であり、幕府の兵及び十数藩の兵に命じて掃蕩を期させたものである。慶喜には情誼ある者共であるが、その精神を可なりとしても、勿論これを収容するなどという訳には行かぬのであった。朝廷には今年五月、因州松平相模守*、備前松平備前守*が上書して、田丸・藤田等の誠志は成就せしめたき旨を奏せしものであり、単に横暴不逞の徒とは目し難いものであった。それよりも何よりも困るのは、この徒に対する措置を定めかねて荏苒《じんぜん》している間にその徒が京師近くに現われて来ることであった。巧拙善悪を問うて居るよりも早く処分して了うことが大切であった。多人数西上して来るような事になろうとは思わなかったろうが、筑波の挙兵及び前々からの水戸の党争は、慶喜は勿論、平岡も原市之進も大場主膳*も本国寺詰水戸藩士も早くから知っていたろうから、対策研究は多面に出来ていて、この時に至って何様《どう》しようということは小早く定められたものと見える。武田一行が新保に著いた前、一橋慶喜は出征御暇を乞得て、十二月三日、京都を出発した。栄一はこの時黒川嘉兵衛の手に属して軍中秘書役となって働いた。勿論年少では有り、新参低微の地位にあったものだから、伊賀処分の大体の上に就いて何等立論建策など為すべき身分でも何でも無かったから、ただ命令に従って行動したまでであったに過ぎまい。

伊賀等は新保において、諸藩の兵が四方を固め、特《こと》に加賀藩の大兵は新保を距《さ》る二十町ばかりなる葉原に在って堅く阻止するに出会《でくわ》した。そしてその藩兵は自分等が庇護を得んとするところの一橋慶喜の加勢として出張せる者で、強いて行進せんとすれば一戦に及ぶべしというのであったから、如何とも為すべからざる形勢に立つに至った。しかし加賀藩の監軍の永原甚七郎*が情理兼ね至る態度を取って呉れたので、再三の紆余《うよ》曲折の応酬の後、遂に降伏という形式を取るに至った。それでもこの際に至ってなおかつ老いて古稀を過ぎたる山国兵部の如きは、一橋公とは戦い難けれど、間道を経て山陰道に入り、長崎に達するを得ば素志を暢《の》ぶるに足らんと主張したり、あるいはまた今加賀の軍門に降るとも何ぞ先日の宍戸侯松平大炊頭の如くならざるを知らんや、むしろ一快戦して死して赤心を天に訴えんには如《し》かじ、というものも有ったというが、その調子は何様《どう》も不祥を将来したものであった。ただしその麤《そ》剛鹵《ごうろ》莽《もう》のところが事を生じ功を失うの源《みなもと》となったとは云え、意気精神の真実掩《おお》う可からざるものもまた其処《そこ》に見えるので、その跡を論ぜずしてその心を取らんとするの人は、何とかしてこれを救わんとするも多く、大原三位*・松平相模守・松平備前守・松平右近将監*・松平主殿頭*・喜連川《きつれがわ》左馬頭*等は連署して寛大の処置を請い、加賀藩は不破亮三郎*をして二条関白*に就きて彼等の処分を幕府にのみ任ぜられぬように請うた。

しかるに筑波一党の頭上には救星の光は弱く兇星の輝きは近かった。嚮《さき》に水戸に出張した田沼玄蕃頭は、常陸・下野が平定すると直《すぐ》に引返して、大目付・目付以下諸役人、歩兵隊を引率して伊賀等を追い、慶応元年正月元日尾張に来た時伊賀等の降伏を知った。江戸幕府からは玄蕃頭に兇徒を引渡さるべしということになった。慶喜はただださえ幕府から猜忌《さいき》されていた折柄、幕府に抗して彼等を救わんとすれば、ここに新らしい大きな波瀾を生ぜざるを得ざる場合にあった。特《こと》に在来諸書に見えてはいぬが、七月において強いて禁闕に逼った長州と筑波党とが聯絡有ったやの疑《うたがい》は、筑波党を宥《ゆる》さんとするには大障礙《しょうがい》であって、下手《へた》な事をすれば一橋慶喜は自刀自傷、無意味の存在となるのを免《まぬか》れないのであった。幕府も慶喜も今直ちに攘夷の決行は出来難いとしている際に、攘夷決行を中心にして燃上って無理を敢てしたところの長州や筑波党を容《い》れることは矛盾撞著である。是非が無い、慶喜は田沼に筑波一党を加賀の手から引渡させた。前に市川派に連《つら》なったものであり、また単に幕威を張るに熱した田沼であったから堪《たま》るものでは無い、本より幕意を奉じてではあったろうが、二月四日から十六日に亙って伊賀以下三百五十余人を敦賀《つるが》に斬って了い、武田・田丸・山国・藤田の首級を水戸に送って梟首し、その他を追放・流罪《るざい》に処し、三月に至って同党の那珂湊《なかみなと》での降人四十余をも古河・左貫《さぬき》等で斬って了った。これでこの一件は落著したが、已むを得ざる行掛《ゆきがか》り上かくの如くなるに至ったとは云え、藤田・田丸等の蹶起の結果は、自分等をはじめ、水戸その他の多数の志士を徒死せしめ、水戸をして半枯の邦たらしめ、その主公をして罪を天下に得せしめ、慶喜をして苦悩せしめた上に不人情の謗《そしり》を得、大に人望を失わしめ、幕府をして暴威以て自ら衛《まも》る、その命必ず久しからず、との讖《しん》を得せしむるに止《とど》まった。もしこれ等が倒幕府的の長州の陰謀から起ったとすれば、長州は自家の直接策動は犯闕《はんけつ》の名を得て失敗したが、常陸に伝えた一点の星火を以ては敵地を焚《や》くことはなはだ大なるの功を収め得た訳になったのである。

筑波山一党の始末が直ちに栄一に与えたものは何も無い程だが、この事件が栄一を引包み、浸涵《しんかん》し、実際教育を施したことは、蓋し一ト通りでは無かったろう。栄一が前年企図した挙兵などがもし実現されたならば、それは明らかに筑波一党を凹鏡で見たような小さなものに過ぎなかったろう。当時の栄一の同志で筑波党に入った者も少からず、それ等に誘われても尾高新五郎及び弟平九郎は幸《さいわい》に応じなかったが、なお安部藩士の為に投獄されたり手錠《てじょう》に処せられたりした。関東出張中の栄一はあたかも常陸騒擾の時に際したから、十二分に情勢を視聴したろう。出張前に筑波の事を聴いて、原市之進が、藤田・田丸が軽挙して大計を誤ると歎じたのも聞いたろうし、平岡円四郎が心配して考を練っていたのも見たろうし、帰って後漸々《ぜんぜん》に事情が推移し、遂に西上し来りたるに対しての慶喜はじめ諸方面のこれに対する処置の意見等も知ったろうし、また自分の意見も感情も湧上ったろう。しかし一切の人々の意見も智慮も感情も、錯声交響はしたが、結局一関《いっけつ》の佳曲は成らずに終ったのが、元治元年三月から慶応元年三、四月までのこの一件であった。この件について栄一は別に何をもせず何をも語ってはいないが、後年慶喜伝を撰するに至って、慶喜の為に当時の処し難き事情を釈明することはなはだ委曲なのは、如何にこの実際問題に面して実際省察を行い、身に浸みて人生行路を如何に取るべきかを悟り、以て他日の栄一を作り上げるに至ったかを語るものである。実に筑波山事件は栄一に取っては厳粛な人生の大学であったに疑無く、今までも既に存在はしていたが、これより後は著しく道理詰めに事を運ぼうとし、いやしくも権道、険危の路を取るを避くる栄一一個の風格を現《あらわ》し出すに至ったのである。

　慶応元年正月、栄一は小十人並となり、食禄十七石、五人扶持、月手当十三両二分を賜わることとなった。小十人並というのは、御目見《おめみえ》以上と云って、君公に進謁し得るのである。一橋は家格は高いが、徳川家家族であって、親藩というのではなく、従って常備の兵というほどの者は無く、牀几《しょうき》廻りという即ち主公護衛の百余人の士と、幕府より附属された二小隊の銃隊あるのみであった。そこで禁裏御守衛総督・摂海防禦指揮の命を拝した時、水戸から原市之進・梅沢孫太郎*等、及び藩兵二百余人を借受けて手兵となした。が、それで多事多難の今において足るべき訳は無いから、平岡の時既に募兵の挙が行われたのであるが、黒川等もまたこの事を続行せんとした。その説主公の納《い》るるところとなって、栄一は歩兵取立《とりたて》人撰御用として出張を命ぜられた。一橋家領地の関東に散在せる分は前年巡回した故、今年は畿内・中国をとて、備中国後月《しつき》郡江原村に著したのは三月八日だった。栄一昔は関東の一農民だったが、今は一橋家御目見以上だから、長棒《ながぼう》の駕籠《かご》に乗り、槍持を従え、合羽《かっぱ》籠《かご》など持たせて堂々と乗込むと、領内の荘屋十人余も板倉宿まで出迎えるという騒ぎで、初の事とて自分でも驚いたほど威光に輝いた。しかし武兵取立の事を代官に交渉すると、先例の無い事に出会った代官は、しからば村民を陣屋に呼出したる上、直《じき》に御趣意御申聞かせあるようにとの事だった。そこでそれから連日村民を陣屋の白洲《しらす》に呼出して云聞かせた。ところが附添の荘屋等は、いずれ篤《とく》と申諭し、御奉公の意ある者がありますれば御請《おうけ》致させましょう、と答えて退出するばかりで、一人も募に応じようというものは出て来なかった。兵農は確《かく》と分れている世だから合点が行かぬのかと、栄一は言《ことば》を尽して理を説き時勢を説き、鼓舞して奮起せしめんと割口《わりくど》説いたが更に功は無かった。苦労はしても今年二十六、まだ年は若かったから、世間の表裏は解らなかったのである。

しかし流石《さすが》に後年実業界において慈父の如く仰がれた栄一だけあって、陣屋の上からばかりこの不審を解釈しようとはしなかった。定めしこの地にも文武の指南をする先生が有ろうがと荘屋等に尋ねると、剣術には関根先生があり、学問には阪谷先生が有ると*いう答だ。阪谷先生というのは同国川上郡の人、名は希八郎、朗廬《ろうろ》と号し、栄一もかねて伝聞していた儒者で、その学校は半官半民で成立し、代官所の監理にかかっている興譲館であり、他国からさえ遊学する者もあったのである。そこで栄一は刺《し》を通じ酒を餽《おく》って朗廬を訪《と》い、その師弟と談論を交え、また翌日は自分旅館へ請待し、饗宴を開いた。この席上朗廬は開国論、栄一は攘夷論で、互に相下《あいくだ》らなかったが、しかも互に相知るに至ったという。後年阪谷氏渋沢氏の好因縁を結ぶに至れるも、実にこの時に胚胎したものである。それからまた剣客関根某をも訪《おとず》れて技を闘わして相知るに至った。かくの如くにして土地の長者と相交わり、かつまた一団の和気、善くその子弟等に接したから、青年等の喜んで訪《と》い寄る者も生じ、日数を経るままに一橋家に仕えんと欲する者が数人出づるに及んだ。栄一はその数人に採用志願の書面を出させて、それを受領した後、荘屋共をこの度《たび》は旅宿に呼寄せて、申し談じた。直々《じきじき》に我が接せる者は幾干《いくばく》も無いのに、採用を願い出でし者、既にかくの如く数人あり、しかるに数十ヶ村に今まで一人の志望者の出でざりしは心得難いことである、これには必ず仔細が有ろう、その方等《ほうら》の心より出でぬことならば不届なことでも差許《さしゆる》しつかわす間、申憎きことにても有体《ありてい》に申すが宜い、今日の場合、御領主の御為御不《おんふ》為《ため》を弁《わきま》えぬ者は代官にせよ荘屋にせよ、屹度《きっと》処分せねば済まぬ時である、包み隠すこと無く打明けて申せ、と恩威二つに挟んで問糺《といただ》した。荘屋共は相談の上にてその一人が実情を吐露した。その言葉に、誠に恐入ったる次第ではござりまするが、先日来御諭しの後、代官の仰《おおせ》には、世間段々と面倒になりて、一橋家にても旧仕《し》来《きた》り通りのみには無之様《これなきよう》に成り、御家に山師《やまし》多くなりたり、現に黒川嘉兵衛など、下賤成上《なりあが》り者にて、山師の料簡に任せ、旧規に背《そむ》きて種々煩《わずら》わしき事柄を申越せども、一々これに従わば面倒差起り、村方難儀に至るも測られず、すべて新しきことは逆《さか》らうことは叶わざれど、その儘に係り合わずして済ますに越したること無し、今度の歩兵取立なども、皆々これを厭《いと》いて応ずる者無しとなれば、今度きりにて済むことなり、との事でござりました。それ故に志願の者もござりましたなれども、代官の御示しも御道理かと存じ、一人も無之様取繕《これなきようとりつくろ》い置きましたる次第にこれ有り、しかるに自身直々に志願の者あらわれ、御問糺しに相成りたる上は、是非無く、かく実情を申上まするが、代官の下に付居る我等の事ゆえ、何卒《なにとぞ》事の表立たず相済みまするように、との事であった。小吏俗吏の根性は毎《つね》にかくの如くなるもので、何事も成規旧例の格套の中に居睡りをしていて無事に一切を済ませて行こうというのがその常情であるから、都《す》べて新しいことなどは取合いたくないのである。栄一は荘屋等の言で苦笑裏に事情を了解したから、では汝等の迷惑にならぬよう代官にも申し談じて、今一応村民等に説諭するから、今度は十分に力を添え、御主意成立つよう勉《つと》めよ、と申渡して一同を退出させた。

翌日栄一は代官所に赴いて、儼《げん》として代官に告げた。過日来募兵に就きて説聞《ときき》かせたれど更に応ずる者無きは、主意説諭なお不行届《ふゆきとどき》の為なるべければ、更にまた明日説諭致さんと存ずる、就いては一応貴意を得て置きたい、抑《そもそも》一橋家に兵士無之《これなき》は御承知の通りなり、この儘にては禁裏御守衛の御職掌柄、今日誠に事足らぬことなるにより、君公御《おん》思召《おぼしめし》を背負いて余輩歩兵取立御用を命ぜられてこの地に出張致したり、しかるに応募者無しと荘屋共申立たるが、御領分農民二、三男に取りては出世の道とさえ成るべく、上下両為《りょうため》のことなるに、かくの如き次第は有るべきことにあらず、これ説諭はなはだ拙《つたな》き為なるか、御見等《おんみら》が御主意取做《とりな》し方《かた》足らざる為か、いずれにしても募兵の事埒《らち》明かずしては、自分立帰りて御用相勤まり兼ねたる次第を分明に申上げねば叶わぬことなり、しかる時には御身等に御迷惑相掛るかも測り難く存ずる、篤《とく》と御考有りて、明日よりの再説諭には、御身等も荘屋等に御主意相立つよう説聞かせられたい、もしなお御用相勤まらずして空しく自分立帰るに至らば、お互の身柄に障《さわ》りを生ずるよう相成らんも知れず、因《よ》って念の為に御談じに及べるのでござる、と物柔かに真綿《まわた》で頸《くび》の談判をした。代官は恐縮して、誤った態度を改めざるを得なかった。

妨《さまた》ぐる者が無くなって助成する者が出来たのだから、再度の説示には応ずる者が続出して、たちまちに二百余人を得たほか、特《こと》に膂力《りょりょく》あり、異能ある別格の者二十余人を得た。そこで名簿を造り、期を定めて上京を命じた。それから播磨・摂津・和泉等の領地を回《めぐ》ったが、備中での噂が伝わっていたので、容易に功を収むることを得、総計四百五十余人を数え、五月中旬に京都へ帰った。主公御満足に思《おぼ》さるる由の褒詞があり、白銀・時服の褒賜《ほうし》を得たが、この行は実に栄一が初めて実際世間に自ら当って事功を建てた第一階段登攀《とうはん》の第一歩であった。生兵の著京するに及び、これを紫野大徳寺において訓練したが、栄一は訓練の事には当らなかった。ただその給養の方法など、事務的の部分に大《おお》いに尽力したということであった。

それのみではなく、この行の道すがら、栄一は人情風俗の視察に力《つと》めて、芸能ある者、農商の道に功のあった者、孝子・節婦・義僕等を調査し、これを具申して褒賞を請い、遂に允《ゆる》されて栄典の沙汰が行われたという。善を標し徳を旌《あら》わして民を率《ひき》い俗を化するは、儒教的の政治の一大綱で、栄一を須《ま》たずして知れていることだが、年僅《わずか》に二十六、始めて長棒の駕籠に乗ったばかりの身で、ここへ心づいてこれを実にしたということは、理想に燃立つ年頃とは云え、如何にその学べるところによってこれを行いて社会良化に貢献せんとするに敏であったかを語るもので、血洗島に居た時とは大飛躍して進んだものである。彼時《かの》は空想に燃えて身を失わんとするにも臨んだ、今は理想に燃えて人を揚ぐるにも及んだ。一橋家に仕えて実際の世に出てから、たしかに栄一は実際という砥に磨かれてその光を発しはじめたのであった。主公の慶喜さえ未だ全くは攘夷論の色を脱し得ざるこの時において、開国論を懐《いだ》いて居ると知りながら、阪谷朗廬の才学を盛称して、次年において主公をしてこれを用いんと欲するに至らしめたのもまたこの帰京直後であった。

いやそれのみでは無い、この巡回中に栄一はまた別途に一の考を立てた。それは他《ほか》でも無い、経済に就いてであった。一橋は関東関西八ヶ国に散在する領地、合計十万石を有するのみで、現主慶喜が禁裏御守衛総督の任に在るので、旧来の十万石の外に、幕府から毎月米七千五百俵、手当金若干を賜わっていた。この米と金とは幕府の老中・若年寄等が受くる役料のようなものであったが、京都における将軍代理の如き地位に在って大任に当っているのだから、用度は中々充ち足ること能わず、用人等は常に苦んでいた。これを知った栄一は一橋家財政充実を必要と考えていたが、この度の巡回中に三案を得た。それは領地播磨の年貢米は従来兵庫に売捌いていたが、米質が佳良だからこれを灘・西ノ宮の酒造家に直《じか》に売れば高価を得べきこと一ツ。また播州は白木綿の産出多きも、これを大阪において販売する方法宜しきを得ず、法を設けて取引の敏活流利を謀らば物産も増加して利あるべきこと二ツ。また備中においては硝石を産し、在来その製造に従事する者有り、方法を改善して採取販売せば一利を興すに至るべきこと三。この三点に心づいて進言すると、黒川嘉兵衛先ず賛成し、吏僚合議の上に允許《いんきょ》を得て、慶応元年八月十九日、特に擢《ぬき》んでて栄一を勘定組頭並《くみがしらなみ》に補し、二十石四人扶持、別手当五人扶持を賜わり、主として事に従うよう命ぜられた。一橋家勘定所は勘定奉行二人、勘定組頭三人、その下に平勘定・添勘定・勘定所手附《てつき》などの属吏、金奉行・蔵奉行・金方・蔵方等の支配向ありて、幕府の職制に則《のっと》り、小面倒に組織されていたが、栄一は新規行事を仰付《おおせつ》かったので、何等旧規に掣肘《せいちゅう》せらるること無く、事務執行方法なども自由に改善して、事すべて簡捷《かんしょう》に運ぶを主とし、やがて兵庫に赴き、同地の蔵宿《くらやど》東実屋某をして一橋家蔵屋敷の摂津・播磨の良米を灘・西ノ宮醸酒家に売却するの事を扱わしめた。物資の需要者と供給者との距離を少くし、良質米という特別事情を以て双方を緊接したということは、中途の手数や配慮を省いたる利益を生じ、果して一石につき五十銭程ずつ高値に売りたるの結果となって一橋家を利益した。次に備中の硝石製産に就いては、さきに相知るに至りし剣客関根某の硝石製法に委《くわ》しきを以てこれを使用し、また農民中の有力者を選び、資金を授けて四ヶ所の製造所を開かしめた。しかしこれは当時なおかくの如き新事業に就きての知識経験が乏しく、硝石需要も未だ能く開けていなかったので、苦心は十分に酬《むく》いらるるに及ばずして止んだ。その傍に播州の木綿業取立には大《おおい》に力を尽してその功も挙った。元来播州は木綿が重な産物で、一橋領分僅《わずか》に二万石ほどの村々で出来るものも相応の産額であった。しかし村民個々随意にこれを産しこれを売るというまでで、仕法も無く取締も無かったから、隣藩姫路が自封内の木綿を藩で法立《ほうだて》をしてこれを集めこれを売り、商界に勢力を以て臨んでいるに比しては、自然その価も低く、産額も比例的には少いのであった。今これを一物産として栄えさせ、以て人民の利と土地の福とを起そうには、一橋の藩札《はんさつ》を造って流通させ、売買を便利にして、自然その集散を勢力あるものとすべきであるという立前《たてまえ》から、允許を得て木綿多産地の印南《いなみ》郡の今市村に藩札と正金《しょうきん》との引換《ひきかえ》の会所を設立し、また大阪今堀・津田その他四軒の用達に今市村引換所準備正金と同額正金をば、三十日前に通知を受くれば返納すべき約束を以て貸附け置き、最初先ず三万両の藩札を発行した。今市附近の一村に物産集所を置き、藩札を以て自由に売買し、また藩札を換えて正金を得、些《さ》の障礙無く、容易に木綿と藩札と正金との転換を得せしめた。当時各藩多く藩札を発したが、その引換の確乎たらざるより信を民間に失し、他領に通用せざるは勿論、自領内においても額面何割引《なんわりびき》、または何《なん》分掛《ぶがけ》などと称して遥《はるか》に低下していたものであったが、一橋の藩札は引換の危惧など毫も無かったので、常に額面価格を保ち、しかもまた物産集所と引換所と融通共同の作用を為したので、今日の所謂《いわゆる》荷為替貸金《にかわせかしきん》の働きをも為し、木綿の売買は大《おお》いに便利となり、産額も従って増し、価値も漸く高まったという。しかも最初藩札を拵《こしら》える資金から、その他一切の費用に至るまで、皆大阪二十二軒の御為替組の中で重立った津田等五軒の用達に調達させて、勘定所からはいささかも出金せず、ただその事を許可したのみでその功を挙げたのであったということだ。

栄一が歩兵取立の事に従ってから後に行った二ツの事は、栄一の長い生涯の行程の方向を決定し、かつまたその準備の完了を示したものであった。孝子節婦を標旌《ひょうせい》し、公益を為せる者を賞して、人情を美しくし、世の福利を厚くせんとする儒教的精神の実現の所為は、新五郎等を通じて得た水戸学の発揮であり、経済を整理し、財政を充実し、弊を去り利を興《おこ》さんとしたのは、父市郎右衛門からの親譲りの材徳の現われであった。この年この時まで栄一の身内に保有され醱酵醞醸《うんじょう》されていたものは、完全にその過程が完了して、今や渋沢栄一なる一丈夫として成立ったのであり、そしてこの後の長い歳月を、一面儒教的精神を具現し、一面経済的労作に尽瘁《じんすい》して、終始変らず大道路を行尽《ゆきつく》したのであった。人が世に在るのは譬えば穀物が世に在るようなものである。穀物は誠に好い物で、それぞれの差異はあるが、結局は世の用に立って、その有《も》っている使命を果して終るのであるが、その用に立つ前に必ずや磨礱《まろう》に逢って籾殻《もみがら》が除去されねばならぬのである。これと同じに、人も真に世の用に立つものとなる前には、必ず先ず籾殻から脱出して、稲なり麦なりの性相を現わさねばならぬのである。人の籾殻を除くものが、即ち人生の磨礱と云うものであって、その穀物に取っては磨礱が痛く辛《つら》く当るものであるが如くに、その人に取っては悲しい目や辛い目や痛い目や厭《いと》わしい目に逢って、いろいろの境界を転《ころ》がし廻される中に、終《つい》に籾殻が除き去られて、初めて一人前の人となって、世の用に立つのである。生れ合せが悪くて、貧家に生れ、あるいは早く孤露の身となって、年も行かぬに蚤《はや》くこの人生の磨礱に遇うものもあり、幸運富有の家に生れて、割合に遅く磨礱に遇うものもあり、極めて稀には一生籾殻の取れぬような人もあり、また天稟はなはだ薄くて磨礱に在る間に徒《いたずら》に砕けて終《しま》うような者もあり、欠粒《かけらつぶ》のような者となるものもあるが、人たる以上は、その心にその身に大なり小なり重いなり軽いなりの磨礱に遇わないで済むものは無い。新五郎は早く磨礱に会って籾殻の取れた男になったが、栄一は父母妻子に別れて京上りを為し、借金せざれば自ら支《ささ》うる能わざるに至り、一橋家に仕えて自炊して生活し、頼みとしたる平岡に死なれ、知人も加わりたる筑波山党西上の悲劇を目《ま》のあたりにし、その他種々の事情の間に身を置き、元治元年のこの一年において散々《さんざん》の磨礱に遇った。そして籾殻は完全に脱《お》ちた。自己の性相を全く現わして世の用となるに至った。一橋領民の善を勧め俗を美にし、一橋家政の内豊《ゆたか》にして外張らんことを図ったのは、その新《あらた》に踏出《ふみだ》した第一歩であった。

栄一が経済に心を致すに至ったのは、その家が元来半農半商で実業を事とし、父・祖父等が理財の道に善《よ》く力《つと》めたからの自然的の傾向からのみでは無い。また自分が上洛後に喜作と共に窮乏に面して困った体験が心に浸みて銭財の大切なことを痛感したからでも無い。儒教はもとより余り多く財利を語っていない。支那学では僅《わずか》に管子《かんし》が生財富国の事を言っているのみである。しかし当時の世態は、政治上の困難の多かったのみならず、経済上の困難も大きなるものが有ったことは、誰しもの眼に映じていたのである。ただ財利の事を言うのは、当時の武士気質《かたぎ》、慷慨《こうがい》家気質、英雄気質等とは背馳《はいち》したもののように感ぜられていた世だから、誰も政治や兵務の事は論じても、生財興利の事などは考えるに及ばなかった。ただし表面の何様《どん》な好い事でも、いざこれを実際に施行する段になると、これを裏づけるところの財力物力が有って而して支持するので無ければ、ただ口頭紙上の美あるのみで、夢の如く幻の如くなるに終るのは知れ切ったことである。栄一の目《ま》のあたりに知れる最も近い例では筑波山一党の事の如き、初め藤田小四郎が四、五十名の同志を得たのは、もとより肝胆相照らすの士の集まったには相違無いが、小四郎が何処《どこ》からか得た財が有ったればこそ人を集め得、これを保ち得たのである。如何に忠肝義胆の人だとて、胃袋は平凡であって無邪気の要求をする。田丸稲之衛門等の同意を得て筑波に雄視するに及んでは、人が多くなったから、糧《かて》も多くを要せねばならなかった。何様《どう》してこれを得たか、財は無かったのである。そこで近傍の財戸農家に徴発するほかは無かった。武威の徴発は行われた。天下国家の為とあれば、拒《こば》むことは出来ぬが、粒々辛苦して貯《たくわ》えたものを出させられて悲み恨まぬものは無い。はなはだしきは一戸で千両も取られたものさえあった。何も筑波党の精神が無理をしようと思った訳では無かったに相違無いが、精神を裏づける物資が無くてはならぬところから、かかる無理は生じたのである。所在かくの如き徴発を行わなければならなかった。宇都宮藩には贈遺の形式で千両を出させた。太平山に移っては名主等を呼集め、しきりに軍用金調達を命じた。常陸・下野の人民は、一党を天狗様と称して、忌み悪《にく》みかつ怖れた。当時政柄を執っている武田伊賀等は元来筑波党と同じ政見を有して居たので、筑波党は伊賀等が暗に教唆《きょうさ》していると云われ、また筑波党鎮撫の費用として幕府より三万両を借りながら、却ってその内二万両は党の軍資に当てしめたなどという流伝は、勿論真偽不明ではあるが、かかる場合に財力が如何に重要な役割《やくわり》をしたものかを語って居り、後に伊賀が引ずられて党首となったのにも因縁ありげに聞える。筑波党は人の多くなるにつけて費《ついえ》も嵩《かさ》むので、軍用金徴発は愈《いよいよ》厳しくせねばならなくなった。小山・結城・下館《しもたて》は云うも更なり、別手の田中愿蔵《げんぞう》*一隊の如きは栃木・北条・真鍋・土浦・那珂湊《なかみなと》・祝町・太田・菅谷《すがや》の諸地を暴掠し、散髪組と云われて虎狼《ころう》視され、博徒等これに追随して私利を図るに及び、遂に本隊は愿蔵を除名せざるを得ざるに至ったほどだった。これ皆《みな》資金無くして事に臨んだ無理より生じた恐るべき弊害で、筑波党は日に日にその真意より出たるにあらざる行為の故を以て社会から駆逐さるべき形勢を造った。筑波を出て西上するに及んでも、八百余人を以て長途を行くのに、何様《どう》してその費用を支《ささ》え得よう、信濃路などでも在々の富豪から、強談押借《ごうだんおしがり》、手取り早《てっと》く言えば掠奪しつつ自ら支えて、そして越前新保《しんぼ》まで行ったのである。水戸領の人民でも強いて徴発されては怨嗟するに、まして縁も無い他領の人民が槍刀で物資を取られて怨恨憤怒せぬものが有ろうか。筑波党の初念は必ずしもかくの如きを敢てする訳では無かったけれど、経済の裏づけの無い所行は遂にかかることに立至って、そしてその無理な所行は一般社会から自分等の存在を呪わしむるに及んだのである。僅々《きんきん》五百両の献金を累代の藩主の吏員から命ぜられてさえ憤懣遣《や》る方《かた》無かった記憶のある栄一の眼に、万々已むを得なかったとは云え順当の経済の伴なわない意図の実際の結果が何様《どん》なことになり、かつまた無理な行為の果《はて》が何様《どん》なに社会から看做《みな》し思做さるるに至るべきものであるかは、如何に深刻な教訓を含んで映じたか推察すべきものがある。況《いわ》んや藍の商業上の金の百五十両ばかりを以て武具を購《あがな》ったほどの規模で、彼《あ》の時高崎の城に取掛りなんどしたら、全然経済の裏づけも無い諸生一団が、よしや城は陥《おとしい》れ得たにしても、何様《どん》な事になったろうか、問わずして知るべきであった、と今更省《かえり》みて自ら驚かずには居られなかったろう。箭《や》は弦によって飛ぶのだが、弦はその前に弓があってこそ飛ぶのである。人生の事は経済の裏づけが無くてはならぬ、韓信・彭越《ほうえつ》*・英布*・曹参《そうしん》*の輩は箭である、張良は弦である、蕭何《しょうか》は弓であった。栄一の身には父市郎右衛門、祖父宗助の血が流れていた、その肩の上には平岡円四郎の影がさしていた、また円四郎の父幕府勘定奉行にして経済の才の長ぜし花亭岡本近江守の影が円四郎を通じて射したのであった。また折田要蔵の許に在りし時、薩摩が外藩の中にて今最も勢《いきおい》有るも畢竟《ひっきょう》資力豊《ゆたか》なればこそで、その薩摩に調所《ずしょ》*某なるもの有りて藩の経済を能く良好ならしめて富強の根基を為したるを聞いたことも有ったろう。栄一が自ら語ったその経歴には何もかかることは更に無いが、栄一が経済に心を致すようになったのは真の栄一の生涯の発軔《はつじん》であるから、当時の実際状態に照らし考えて、それやこれやの点から栄一の一橋家の為に経済三策を立つるに至ったところを記したのである。かくの如くにして栄一は慶応元年八月より勘定所の人となったが、これまで相並んで同職に在った喜作の方は、軍制所調査組頭に補されたから、これからは左右相別れてまた行動を共にすることは無くなったのであった。

栄一が慶応元年の仲秋、勘定組頭並に補されてより、一橋家財政の為に拮据鞅掌《きっきょおうしょう》して、大阪・兵庫・播州・備州等に往復経営し、同二年三月勘定組頭に進みて、御用談所出役を免ぜられ、専ら経済を以て自ら任じて力を尽している間に、天下の形勢は幾翻転した。前年蛤門の行動より罪を朝廷に得て、尾州の徳川慶勝《よしかつ》*の征討の師に広島に臨まるるに至って、降伏恭順した長州毛利慶親《よしちか》*父子は、福原越後・益田右衛門介*・国司信濃三家老の首級を軍門に献じて罪を俟《ま》つに至ったが、同藩高杉晋作*・井上聞多《もんた》*・山県狂介*等の硬派が蹶起して武力を以て藩論を率い、桂小五郎帰りて一藩を指導するに及び、外柔内剛、もし幕府の問罪の師の来るあらば、長防二州を以て天下と争わんとするの勢《いきおい》を為し、前には相和せざりし薩州・土州と陰に結び、攘夷の主張者たりしも、今は外国と交款《こうかん》してその兵船兵器を購《あがな》い兵法を学び、長防取紏《とりただし》処分の為に毛利淡路*・吉川監物《きっかわけんもつ》*等を大阪に召喚せんとするの幕命を奉ぜず、終《つい》に慶応元年九月二十一日を以て幕府は征長の勅許を得るに至った。その後なお幾多《いくた》の紆余曲折を経て、二年五月朔日《ついたち》、小笠原壱岐守*・毛利父子処分の命を伝うるに及び、長藩は歎願に託して実は拒絶したるより、同六月七日より遂に兵火が開かれた。しかし幕軍振わず、七月二十日将軍家茂大阪に病死し、慶喜衆望によりて強いられて、入って宗家を続ぎ、長州再征は有耶無耶《うやむや》になった。

幕長交渉は以上の如く変転せるに、一方慶応元年閏《うるう》五月英国公使パークス新任してより、同九月、将軍の大阪に在りて衆有司これに従えるを機とし、英米仏蘭四国兵艦九隻を以て兵庫沖に到り、幕府に逼りて安政五年幕府の締結せる神奈川条約の勅許を十月五日を以て得せしむるに至った。この間の事情は実に錯綜して、内外、公武、幕薩、各々表裏あり、虚実あって、今よりこれを考うるもなお真に正しい解釈は得易からざるを覚ゆるのであるから、ましてその身廬山《ろざん》の中に在って、しかも高処に立っていたのでもない栄一などには、中々当時の真相を把握し適評を下《くだ》し得よう訳は無い、その時々に当って自己の知るを得た材料によって意見を有したには疑無いが、余りに紛糾し旋転した中に居ては、ただこれ大洄《だいかい》の中の小魚となって、瞠目驚心していたに過ぎまい。それも実に是非も無いことであった。それで郷里に在った時は、諸生流に国家の事を論じ、手出しも仕ようとしたのだが、この時に当っては、条約勅許という如き大事、長州征伐という如き危事に対しても、今は諸生でも無い地位にあるだけに、何等の議論も施為も為すこと無くしていた。しかし主公慶喜が入って宗家を継ぐというのには、我が頭上の事であり、視聴の及ぶ所も有ったことだから、自分は自分だけの考によって、その不可なることを原市之進に説いた。その説は、幕府は、既に倒壊せんとして居る巨厦《きょか》のようなものであるからこれを受けてこれに居らんとするのは、ただ危きのみあって安きこと無し、それよりは一橋家は一橋家で実力を増し、大阪城を請いてこれに拠り、近畿に五十万石乃至百万の加封を受けて、確乎として自立の地を為すのが得策である、というのであった。原は学識材能ありて、平岡無き後は慶喜の信頼するところとなって居たものだが、慶喜はもとより宗家を継ぐを欲しなかったに関《かかわ》らず、原は主公の宗家を襲《つ》ぐことを欲していたし、また家茂将軍が予亡き後は田安亀之助をして後を承《う》けしめんという遺言があったにせよ、亀之助はなお幼にしてこれに当るに堪えず、実際慶喜のほかには誰も適当の人が無かったから、慶喜の後をば必ず亀之助に継がしむべしというので家茂遺言を立てて、幕府の内議は一決して了い、朝廷にも二条関白・賀陽宮《かやのみや》＊等の強き推薦の意があって、辛《から》くも慶喜の相続となったのであったから、これ等の最高級事情など知るに及ばぬ地位の栄一如きが後《おく》ればせに意見を立てたとて何様《どう》なるべき訳のものではなかった。原は一通り説を聴いて、拝謁して親しく言上《ごんじょう》せよ、と言って呉れたが、時を候《うかが》いて謁を請おうとしていても、御目見以上にはなっているとは云え、軽輩を以て大事の言上などすべき機会が容易に得られよう理は無く、七月二十八日、将軍家茂の名を以て、臣が病患重きに至らば家族慶喜をして相続せしめ、かつ征長の軍務は急を要するを以て慶喜を名代《みょうだい》として出陣せしめん、と上奏し、翌日勅許が下《くだ》り、即ち二十九日松平越中守＊・板倉伊賀守、上使として、徳川家相続、防長追討の台旨《たいし》を伝うるの形式を取って、慶喜は終《つい》に徳川氏宗家を襲《つ》ぐに至ったのである。

八月二十日将軍の喪は発せられた。慶喜はなお将軍をば辞してこれに任ぜられずに居たが、上様《うえさま》と称せらるる身となった。水戸家から一橋家の雇《やとい》となっていた原市之進・梅沢孫太郎は目付となって幕臣となった。栄一も御家人《ごけにん》の末に列したのである。慶喜は八月十二日を以て征討の首途《かどで》と定めた。栄一は、御出陣御供被仰付《おおせつけられ》、御用人手附と可心得候《こころえべく》、という辞令を受けた。長州征伐に発向すべきなのである。思えば随分奇異な運命の糸に操《あやつ》られているものと思わぬわけには行かなかったろう。初めは何様《どう》だった、今はまた何様《どう》だ。尊皇だ、攘夷だ、と一腔の血を上《うわ》ずらせて、頼まれもせぬに国士を以て任じて、危険極まる事を企《たくら》んだ。水戸の過激党の筋も引いていたが、桃井儀八等の手を通じて長州の糸の端《はし》にも触れていた。長七郎入獄の報を得た時には多賀谷勇を尋ねて長州に入らんともした。反幕府的の心は常に燃えていた。攘夷は男児の神聖なる事業と思っていた。それが今は何様《どう》だ、長州さえもが外夷に親しむに至っている。尊皇の雄が犯闕の罪を敢てした。自分は今幕府の軽輩となっている、徳川家御家人である。かつては身を託そうとも思った長州へ斬込んで、銃声剣影の間に瞋眼《しんがん》怒喝相見《あいまみ》えんとするに至っているのだ。嗚呼《ああ》人生何ぞそれ測り難きや。と不思議の感慨に打たれざるを得なかったろう。主公が宗家を承《う》けず、自分が一橋家勘定組頭で差当り心よく勤めていた時は、妻をさえ京都へ呼取ろうとまで思っているに及んだが、ここに至っては運命の掀翻《きんぽん》に遇って、其様《そん》なことは昨日《きのう》の夢となり、明日《あす》は西陲《せいすい》に去って死山血河に奮迅せざる可からざる身となったのである。そこで栄一は故郷の妻へ宛てて情緒纏綿《てんめん》たる訣別の書を寄せた。後年に至りてその書を見て、「消え残る露の玉づさ秋の霜すぎし夜寒《よさむ》のあとをこそ見れ」と自ら詠じたということだが、実に秋夜蒼涼一種悽愴《せいそう》の感を懐《いだ》いていたことであったろう。

しかしながら長州征伐は薩藩・芸藩その他の賛助を欠き、後には諸藩も幕命を奉ぜず、却って幕軍の小倉口《こくらぐち》瓦解の報は八月十一日を以て至るに及び、出陣見合《みあわ》せとなり、その勅許を得た。そこで栄一も長州へ発向するには及ばず、翌九月七日、陸軍奉行支配調《しらべ》役《やく》に補せられて、京都の陸軍奉行詰所《つめしょ》の附属詰所に、組頭森新十郎という者の下に付いて勤務する身となった。陪臣から幕臣となったのは身分こそ出世したようなものの、一橋家に在った時は、微禄にせよ御目見以上であって相当に役を持って働き甲斐ある地位に在ったが、一橋の主公が幕府の主となって見れば、幕臣は雲の如く多くして自分等は末の末の者となり、中々御目見以上などの格にあるべくも無い小卒同様の者となり、今は謁見さえ叶わず、また仮初《かりそめ》にも役などの付こうようは無く、原市之進・梅沢孫太郎・

榎本亭造などは、あるいは御目付、あるいは御使番《おつかいばん》などの役向《やくむき》に転じたが、それ等の人々とさえ地位格式が大《おお》に懸隔したから、物言い掛くることも機会少くなり、夢にも意見など開陳すべき立場でも無くなった。何も主公から棄てられたという訳ではないが、職制役向の大組織が定《さだ》まっている中へ新参微禄の者が配置されては、閑却されたようになるのは自然の事で是非は無かった。しかし斯様《かよう》な場合には手にしていた物を奪われたような感じがして、たといその物が好い物で無かったにせよ、空手《からて》になった味気無さを覚ゆるのは人の常である。ここに至って栄一は興味無き日を送って、あるいは再び浪人の生活に還ろうか、いやそれもまた前途不確《ふたしか》の事であり、一身と世態と、一体何様《どう》したならば可《い》いのだろう、と様々に思惑うのを免《まぬか》れなかった。

　斯様《こう》いう場合は世の多くの人の一度は経験しがちなことである。しかしその場合軽率な挙動を取る者は、多くは造物の脚本を受取る前に自分の料簡で動き出して悔《くい》を取ることの多いものである。栄一も当時の諸藩の人々のややもすれば敢行したところの、出奔脱走などということを為《し》たならば、恐らくは険悪な運命の歯車が軋《きし》り合っていた当時の世の、何処《どこ》かの、山阿水隈《さんあすいわい》で車輪の間に圧潰《おしつぶ》された一無名の浪人となって終ったかも知れぬ。ところが栄一は軽率では無かった。そして従順に造物の脚本を受取った。それは意外のものであった。十一月の二十九日に、原市之進から談ずべきことがあるから来て呉れという使があった。直《ただち》に往《ゆ》いてその談を聞くと、今度西紀千八百六十七年即ち明年を以て仏国巴里《パリ》に仏国政府の企《くわだて》によって万国大博覧会が催され、世界各国の文明の事実が蒐集され展開され評論されるのである。この事は仏国公使レオン・ロッシュ*より本年六月を以て幕府に告げ、その参加を促《うなが》しており、幕府に対して特《こと》に好意を寄せ呉るるロッシュの親切なる意見に、この機会を利用して日本大君《たいくん》の連枝を同地に派遣し、国交の親善を図ることが宜しかろうとの事である、上様に置かせられても道理と聞召《きこしめ》され、清水殿（水戸家斉昭第十八男、今年十二月九日清水家を相続したる徳川昭武《あきたけ》*、時に年十五）を差遣《さしつか》わされ、仏国及び欧羅巴《ヨーロッパ》諸国を訪問し、交誼を厚くし、しかる後仏国に留学せしめらるることに定《き》まった。しかるに公子外国行に就きては、水戸藩士の間に理解無くして反対する者も多かったが、異議ようやく収まりて事決したれば、御随行の者七名を命ぜられた。ただしその人々は忠義にはあれど頑固にして、今なお外人を夷狄《いてき》とのみ賤《いやし》み居るようの者であれば、攘夷論を立てていた者ではあるが物の理解の宜しい篤太夫を差加えたら、彼等とも折合宜敷《おりあいよろしき》上に、片寄り過ぎるようの偏屈の弊をもなごめ得て調停の役に立つであろう。特《こと》に見込有る有為の材なれば彼の行末の為にも遊学さするが宜しかろう、との上様の思召《おぼしめし》である。丁度庶務会計の任に当るべき者も無くては叶わざること故、足下その任に当って御伴《おとも》申すように、との事であった。吉田寅次郎*などが一身を賭《か》けても渡航して視察したいと願った外国へ、徳川将軍の連枝たる民部公子の従者として、十分に便宜多き資格を以て各国に臨み、世界の何様《どう》いう様子であるかを知ることが出来る活学問の途に上り得るのである。栄一は忽然として好運に接したのである。今の今までは不平不満で鬱悒《うつゆう》に囚《とら》われていたのであるが、主公の眼は我が頭上に光っていたのである。栄一は知己の感と機運の恵《めぐみ》とに何で喜ばずに居られよう。直ちに領承の旨を答えて退《しりぞ》いたが、実にこの民部公子随行の命こそは、天よりの寵命であって、今までは人生行路の転湾抹角《てんわんまっかく》を経て来たのだが、ここに至って経済に心を致した時からの細い道を横に折れること無くして、而して万里一条の大道路に出るようになり、終《つい》に新しい日本の文明の先進者指導者となって、百花怒発し万木競栄するの天地を現出するの産婆役を務《つと》め、国の為にし民の為にするの初志を成すを得るに至ったのである。

十二月七日、いよいよ清水昭武に附添い庶務取扱うべしとの公命は下った。同二十一日旧役を免じ、新に勘定格に進められた。当時栄一はなお長女歌子あるのみであったから、義弟平九郎、時に年十九であったのを見立《みたて》養子にして、万一の場合には家督相続せしめたき旨を願い、允許を得た。私事はこれで事済みだが、親類であり朋友であり同志であった喜作が公用で江戸へ行っていて、別を告げ得ぬのが心残りだった。が、幸《さいわい》に喜作も報を得て帰って来たから、互に過現未に亙《わた》っての感慨や予想を語合った。共に反幕府的企図から起って、今共に幕臣となり、自分は海外に去り、喜作は旧邦に留《とど》まる、特《こと》に薩長その他が倒幕の意図画策は見え透いて居り、徳川氏の末運に属せるは分明であるから、二人共に語って尽す能わず思って堪うる能わざるものがあったが、前途は全く天に託して、雄心は各《おのおの》懐に在り、終《つい》に決然として相別るるに至った。

公子一行は十二月二十九日京都を発し、慶応三年正月元日を邦艦長鯨丸で祝い、横浜に著し、滞留五、六日の間に外行準備をした。この時御勘定奉行小栗上野介*、外国奉行川勝近江守*にも面会し、また語学教師仏人ビランに招宴せられて始めて外国風の食事を取ったりした。京都で栄一の自分でした支度は黒羽二重の小袖羽織に緞子《どんす》の義経袴、粗製の靴、大久保源蔵という男が横浜で買って来たホテルの給仕などが著たらしい燕尾服一枚、しかもズボンもチョッキも無いのを譲り受けたというのだから、今から思えば可笑《おか》しいようなことだが、ただ靴を穿いたのが不調和なだけで、純日本服であったから不体裁だったわけではない。一行二十八人、堂々として仏国郵船アルヘー号に乗込み、正月十一日を以て日本の地を離れ、万里鵬程の首途《かどで》に上《のぼ》った。

徳川昭武は幼年であったとは云え、一介の貴公子が個人の資格で外遊したのではない。幕府からの公人として、使節または公使というような格で欧羅巴を訪《と》うたのである。それで外国奉行向山《むこうやま》隼人正一履《かずふみ》*は附添を命ぜられ、作事奉行格小姓頭取《とうどり》山高石見守《いわみのかみ》信離《のぶつら》*は傅役《もりやく》を命ぜられ、外国奉行支配組頭田辺太一*、外国奉行調役生島孫太郎*、外国奉行支配翻訳御用頭取箕作《みつくり》貞一郎麟祥《りんしょう》*、外国奉行支配通弁御用山内《やまのうち》六三郎堤雲*は属吏たり、水戸藩士菊地平八郎*・同井坂泉太郎*・加治権三郎*・皆川源吾*・大井六郎左衛門*・三輪端《まさ》蔵《ぞう》*・服部潤次郎*は清水御雇の小姓たり、歩兵頭並保科俊太郎*、奥詰医師高松凌雲*、大番格砲兵差図役頭取勤方木村宗三*、小十人格砲兵差図役勤方山内文次郎*、勘定格渋沢篤太夫は随員たりという訳で、長崎在留仏国総領事ジュレー*は仏国政府の命により、旅中万般介抱の労を取り、加うるに英国公使館通弁シーボルト*は帰国の次《ついで》を以て一行の為に通弁の労を取るの約あり、その他裁縫師・理髪師を兼ねたる者を合せて小使三名、向山・山高・シーボルトの僕各一名等、一行上下三十一人。別に会津藩士横山主税《ちから》*・海老名《えびな》郡治*、唐津藩士尾崎俊蔵*の三名は仏国留学の許可を得て同行したのである。

旅中遭遇せる一切についての観察や思惟や感想は、明治三年の冬において栄一の序を附して刊出された『航西日記』というものがあって逐一にこれを語っている。日記は当時伊達《だて》大蔵卿*の勧めによって、杉浦靄山《あいざん》*と合撰したもので、靄山は当時の同行者の一人であったのである。蓋し二人の日記によりて、口授して実を記したもので筆者は靄山の父護堂《けんどう》*であった。

ただ一言に諸外国を夷狄とのみ擯斥《ひんせき》して更にその事象を知らなかった当時の人士の眼を世界の実相に開かせたことは、我邦を世界の中に儼立《げんりつ》せしむるに至った端緒を成したもので、俊敏の士は皆内外の比較と批判とから大《おおい》に悟るところあって、そして奮起して我邦を進歩せしむるに力《つと》めかつ奏効したのである。『航西日記』は筆墨以外に如実《にょじつ》にこれを語っていて、今よりこれを読むもはなはだ興味有るものである。目を覚すべき場合に置かれたこの英霊底の漢子は被中に睡眠を貪《むさぼ》っては居なかった。先ず第一にアルヘー号の船長が如何に存心善良で用意周到で紳士的であるかに感じて、外国ではかくの如き職に在る者はかくの如くならざるべからずとするを知り、また飲食医療の道の善《よ》く備われるを見て、彼の文明の度の我に勝《まさ》っていることを認めた。揚子江に溯《さかのぼ》りて上海《シャンハイ》に上《あが》っては、英仏官吏等が我が公使を迎接する外交儀礼の如何なるものかを知り、また支那において税関に西洋人を用いてより弊少く功多きに至れるを感じ、瓦斯灯・電線・道路の完備せるを認め、翻《ひるがえ》って支那城内の汚陋なるを看、人民生活の低きを悟りて、因循にして改むる能わざるを惜み、東洋人と西洋人とを比較して内自ら省《かえりみ》るものがあった。香港《ホンコン》に著きては、英人の経営が荒僻の一漁島を殷賑の商阜《しょうふ》となせるに驚き、また孜々《しし》として東洋学を治《おさ》むるに感じ、英貨ポンドの世界における勢力を目《ま》のあたりにし、また英の造幣局を見、軍艦を見、囚獄を見、罪人をして自ら新《あらた》にせしむる為、神の道を教うるの施設あるに感じ、当時我邦においては未だかくの如きことあらざるに痛く刺激されたことは言うまでもない。香港より船を替えて、漸く熱地に至り、柴棍《サイゴン》に著いた。柴棍は仏領に帰してより未だ十年ならず、鎮府ありて兵一万を駐《とど》め、盛んに開発に従うの最中だった。初め仏国教師等を土人の殺害せしより事起って戦《たたかい》となり、主屈し客勝って今や仏領となったが、仏は製鉄所・学校・病院・造船所を設け、東方経営の根拠となさんとしてはなはだ力《つと》めているのに、土人は貧陋にして、婦女が労役に従うような憫《あわれ》む可き状態に堕《お》ちて居る。妄《みだ》りに仏人を殺して彼に辞柄を与え、割地謝罪の因を為したものは、所謂攘夷家にほかならぬのを目《ま》のあたりにしては、日記に何の識《しる》すところ無きも、顧《かえり》みて省悟するところが深かったろう。二月朔日《ついたち》、英領シンガポールに上陸して、また欧人と土人との文野の懸隔せるを見、七日セイロンに著きて仏陀教国の現在を見た。十六日亜丁《アデン》に至って、東西洋咽喉の地、地瘠せて不毛なれども、英人の拮据《きっきょ》経営ははなはだ力めて、印度支那を羈縻《きび》するの規模を覗《うかが》い、また給水の設備の能く洽《あまね》きを見て、自然に恵まるる人民の幸《さいわい》必ずしも幸ならず、恵まれざる人民の不幸必ずしも不幸ならざるを感じ、暗に我邦人民の天恵に狎《な》れてその剛貞を失わんことを警戒した。二月二十一日スエズに抵《いた》ったが、この時は運河未だ開けず、百五、六十里を掘鑿《くっさく》して、東西洋を通ぜんとする大計画大事業の進行半途だった。世界の地脈を截《き》って三大陸の水脈を通ぜんとするレセップ*の偉図に直面して、印旛沼《いんばぬま》を江戸湾に通ぜしめんとするすら不成に終った小島国の栄一の血は如何に動き躍ったであろう。テントを張並べ、畚鍤《ほんそう》に従事する人夫等のはなはだ多く行交《ゆきか》うを見て、英雄の事業必ずしも剣影砲声の間のみにあらずして、共益公利の為にするの神算長計にも存することを痛感したのである。カイロに埃及《エジプト》の興亡を思い、アレキサンドリヤに回教徒の多妻を非とし、サルジニヤ島の傍《かたわら》を過ぎてガリバルジー*の英風を欽尚し、コルシカの山を仰いでナポレオンの雄業を感嘆し、同二十九日仏国マルセーユに安著した。祝砲轟然と歓迎せられてから、仏国官憲の接待に取巻かれ、三月七日を以て巴里《パリ》に著いた。その間ツーロンにて軍艦を観、また初めて潜水器を見、陸軍操錬及び軍功表賞式を観、化学試験所を観、リオンに大繅《そうし》糸場・紡織場の職工常に七、八千人、器械屋宇《おくう》はなはだ能く整《ととの》えることを聞いた。これは後年富岡製糸所を開くに至るの胞子となったかも知れない。動物園・水族館など、皆当時の我邦には無かったものを観、西人が庶物に就いての知識を得るに力《つと》むるを感じ、ナポレオン一世の墳《つか》を訪《とぶら》い、そこに癈兵を収養せるを見て、この良制なかるべからざるを思い、競馬の盛なるを観て、我国にかくの如きの壮挙の欠けたるを憾《うら》み、前外務大臣の茶の会に招かれては、我が交際の作法の開朗ならざるを反省した。二十四日公子その他仏帝に謁見したが、我は皆衣冠狩衣、あるいは布衣《ほい》・素袍《すおう》であった。二十八日風船を観、二十九日仏帝の催《もよおし》にて看劇し、その所謂《いわゆる》劇なる者、当時の我国の芝居とは雲泥の差ありて、我が能楽とも異なり、宏麗の館、優美の曲、音楽舞踏、幻化百出、絢爛雅麗、花の如く錦の如くにして万人を悦ばしむるに足り、かつ重礼大典等ありてその事畢《おわ》れば、帝王の招待ありて各国帝王・使臣等を饗遇慰労する常例となり居、国家交際の一具となり居れるを看た。後年同志を糾合して帝国劇場を設けたのも、蓋しこの時劇場なるものが社会に何様《どう》いう作用をするものであるかということを識得したのが胞子となったに疑無い。四月一日、ミニストル館にて舞踏を観た。これは普通の社交界の舞踏であったが、殊に博覧会大典により国内事務局の催しであったので、国帝・后妃はじめ貴族・高官・豪民集会し、各国帝王・貴族・官員等も招待せられた立派なものであった。栄一がこの種の舞踏会を漢学風に観察して、人間交際の誼《よしみ》を厚うするのみならず、男女年頃の者、互に容貌を認め言語を通じ、賢愚を察し、自ら配偶を選ましむる端にて、所謂古風の仲春男女を会すといえる意に符し、また礼儀正しく、彼の楽んで淫せざるの風を自然に存せるならん、と記しているのは、観察し得てはなはだ善意的であり、肯綮《こうけい》に中《あた》っており、またあたかも本邦の北嵯峨・大原・木曽藪原等盆踊の類《たぐい》に似て大《おお》いに異なるものなりと云っているのも面白い。二日凱旋門に上り、三日チュイロリー宮に舞踏会に陪し、四日はパノラマを観、絵画をば、また世用欠くべからざる一具なるべし、と功利的に評し、十二日植物園・動物園を観、カンガルー・ヒポポタムの奇に驚き、人骨・ミイラ・病体等の蒐集標本を見て、攻学の実際的なるに感じ、二十四日は巴里市地下の上水道・下水道・瓦斯道を視察した。水火はもとより都市の生命のかかるところではあるが、専門家でも無いのに半里許《ばかり》を舟に乗りて臭気強き下水道を下ったのなどは、流石《さすが》に思慮が多くは虚を避けて実に貼《つ》く栄一だけあった。同晦日大競馬会を観、西洋諸国の競馬は人々相賭して勝負を争い、富札《とみふだ》の如きもの即ち馬券を売るのを常とするの俗を記し、かつこの仏帝と露帝と十万フランを賭したが、露帝が勝ったので、帝は巴里の貧民院に基金を寄附したことを記している。その事の可否は評していないが、外国帝王の所為の東洋風とは異風別趣あるを看取したのであろう。五月四日巴里郊外にて大観兵式があって、仏帝・露帝同車にてその帰路、波蘭《ポーランド》の一職工が露帝を狙撃したという珍事が起った。栄一は新聞記事によりて詳しくこの事を記し、そして新聞の速疾委曲を得るを感嘆している。新聞というものが如何にあるべきかを悟り、また世界の事すべて影響はなはだ速《すみや》かなるを感じたのであろう。六日は病院を視、我邦の療病の道の完《まった》からぬを痛く感じている。十一日巴里ベッシー郷ベルゴレーズ街五十三番へ公子一行転宿した。十八日に至りて博覧会を観、世界古今の文化に目を駭《おどろ》かし心を驚かし、またかくの如き大会開催の施設とその方案とに注意し、また出陳諸物に対してこれを解知し批評するに堪うる自己の知識の欠乏を反省している。要するに我邦と欧米諸国及び僻遠《へきえん》未開諸国等の文化の程度の比較を自然的に感知して、心中我邦の進歩発達を企図せざるべからざるを思ったことは、日記の文外に見えている。二十四日は巴里市水道浄水池を観、配水装置の行届いているのに驚嘆している。二十九日博覧会褒賞の盛式を観、仏帝ならびに各国君主、朝野の如何に文明に関心せるかを感じ、仏帝の式辞の正大にして熙和《きわ》の気象に富めるをば可としたのだろう、ことごとく日記に採録している。十七日以後には日本の大小事に対する外国新聞の記事を頻りに訳載しているが、これは蓋し外国人の我邦に対する知識と解釈との程度、及び観察・批評の如何なるものなるかに注意することの必要を感じ初めたからであったらしく、また経世の心あるものに取っては、かかる注意を為すことが実際にははなはだ要用であることに想著した栄一の聡明の発露でもあった。さて博覧会も漸く末になって各国帝王・大統領等も帰国するに至ったので、八月六日我が公子一行も巴里を発して、諸国廻覧の途についた。先ず瑞西《スイス》を訪い、八日同国の軍楽を聞き、農兵の発火操錬を観、小国といえども独立して自ら保つを感じ、時計製造所を観、同十六日出発、荷蘭《オランダ》に至り、十九日同国議事堂議政の式を観た。二十七日白耳義《ベルギー》に至り、アンベルス砲台を視て、その宏偉精緻を讃し、九月三日リエージ製鉄所を視たが、同九日国王レオポルト*に請ぜられて、公子王の右に坐して饗宴にあずかられた時、王は公子に説かるるよう、鉄は文明国の必需品で、強大国はこれを用いること多く、弱小国はこれを用いること少い、貴国もその富強を計《はか》らるる以上は、須《すべか》らく鉄を用いること多きを期されねばならぬ。その時に当っては鉄を買うに我が白耳義よりするが宜しかろう、と説いた。これを聞いた栄一は、泰西の風、王者もまた国家の産業に念《おもい》を懸くるの厚きに驚いた。二十日伊太利《イタリー》へ向い発し、サンミセールよりスーザまで山路なお汽車無き地を経、二十四日フロランスへ著、二十五日伊太利の議政堂をも観た。十月八日英国軍艦に迎えられ、リボルスより乗艦、十日海軍発火演習を観、同二十二日マルセーユに著、途中艦の機関の時に不調あるを知る。翌日巴里に帰り、十一月五日英国ドウヴアに至り、九日英帝に謁し、十日タイムス新聞社を看て、その執業の捷利《しょうり》なるに感じ、十一日ウーリッチ製砲所を覧、十四・十五・十六・十七、連日軍事に関する見聞を広め、特に十五日英蘭銀行・造幣局等を注意し、二十二日巴里へ帰った。『航西日記』はこれで終っている。この年正月よりここに至るまで、栄一は宛《あたか》も世界という大学の全科を学ばせらるるような位置に置かれたのであり、また今まで東西に立別れていた西方の文化の大瀦水《だいちょすい》を東方の遠処に流到せしむる大なる水道管のような役目に当らせられたのである。そして栄一は優良な学生として業を卒《お》え、偉大なる水道管として破裂などすること無しにその功を遂げたのであった。まして従来抱いていた鎖国攘夷の感情、井蛙窺天《せいあきてん》の意見などは、厳正公平なる批判内省によって、これを雲散霧消し去って了って、羽化蟬脱《うかせんだつ》した身は、天空に飛び喬樹《きょうじゅ》に移るの概有り、固陋誤謬に陥《おちい》らざるの見地に立って真に国家民人の為に努力すべきであると感悟発憤したのである。

他の一面、即ち栄一担当の庶務及び会計に就いて、万般の事情の異なる外国において三十余人の様々なる随行者を、低い身分を以て取扱って行くには随分の苦労を経験せねばならなかった。中にも水戸の藩士の幾人かは飽《あく》まで我が旧形式旧精神の厳存を以て忠誠と心得るような人だったから、旅館のボーイの挙動を非礼だとして大声叱咤したり、動物園を観ても徒《いたずら》に珍禽奇獣を集むるの愚と為し、夜会演劇等に臨みても苦々《にがにが》しい淫蕩驕奢の事と為し、一概に外国風を斥《しりぞ》けるので、一行の者を困らせることもあった。栄一は原市之進が自分を推薦したのもこれあるが為だと、何時《いつ》も調停役を取ったが、公子各国巡廻の段となって、御傅役《おもりやく》山高石見守が扈従《こじゅう》の人を減じようとしたことから、終《つい》に争《あらそい》が起った。元来外国では貴人の旅行でも随員などは少人数で万事簡便を好いとする、その中に公子はなお幼者であるに、多勢の扈従を伴《ともな》いあるくのは他の目を側《そば》だたしめて妙でない、殊にその同勢が外国人にははなはだ奇異に見ゆる大髻《おおたぶさ》に結い込んで、珍稀な服装をして、しかも姫路《ひめじ》革《がわ》の引膚《ひきはだ》の附いた長い刀を腰にして行列を作るのだから体裁が悪い、という訳で、山高が随行減員を云出した。そうすると、井坂・加治・服部等は怒り出して、我々は公子の御伴《おとも》をする為に来たのである、巴里に留まって外夷の言語など学ぶために来たのでは無い、左様の事ならば公子は一歩たりとも動かし申せぬ、と突張《つっぱ》った。山高・向山もこれには弱って、渋沢に取計《とりはから》えとの事になった。栄一は交代随行という案を立てて、辛《から》くも波瀾を収めたが、当時は未だ旧態を脱せぬ人と新風に移った人とが入交《いりまじ》っていたのだから、思わぬ葛藤なども起った訳であった。向山一履は薩摩藩が幕府の制令を受けざる独立国として、かつ琉球国王と称して博覧会に出品せる非違は正したけれども、なお薩摩太守の政府と称したるを黙認したる失態によって、八月来著せる栗本鯤《こん》*と代りて帰朝した。その時井坂・皆川・加治・服部の四人が病気に託して帰国したのも、旧精神に本づいた不平から決裂に至ったのであった。昭武はかねて露西亜《ロシア》・普魯西亜《プロシア》・葡萄牙《ポルトガル》へも使すべき筈だったが、故障があって延期することとなった後は、公務を離れて講学に従事する訳になった。そこで栄一は規約を起草し、巴里仮御屋形《かりおやかた》申合《もうしあわせ》を立案して、山高石見守以下十三人記名調印し、以て一行の起居行動を合理的に具体的に整理した。

会計掛としての栄一も随分苦んだに疑無いが、その代りその苦労は他日の功益を為したことも疑無い。本国出発の時、京都郡代《ぐんだい》小堀数馬*から公子御手許金《おてもときん》として二千両を受取ったが、これは巴里到著までの手許予備金に過ぎなかった。仏国皇室及び政府に対する費用、並《ならび》に各国巡廻の経費は、前後外国奉行向山一履・栗本鯤から支弁せしめ、また所謂《いわゆる》御手元金も数回外国奉行の方から受取ったが、外国巡廻が済んで、昭武が留学の資格になった頃には本国からの送金が停滞し勝《がち》であったから、その苦心は一方《ひとかた》ならなかった。幸《さいわい》に勘定奉行小栗忠順《ただまさ》の手配によって、和蘭《オランダ》貿易商社から毎月仏貨二万五千七百五十フラン、当時の邦貨に換えて五千両の為替を得たから、これを一ヶ月定額とした。が、明治元年には一層経費節減をなさねば済まなくなったから、公子の馬車一輛を残して他を売却し、公館使用婦人小使を免ずるというような小さな事までして、毎月二万フラン未満の金額で全体の経費を支弁した。そしてその余し得た金額を銀行預金としたり、鉄道債券・公債証書等を買入れたりして、抜目《ぬけめ》無く利殖の道を講じた。それからまた一同の為に月掛積金《つきがけつみきん》の方法を立てて、相互救済に充《あ》てようとした。これ等のことは、幕府依嘱の名誉領事フロリヘラルド*が元来巴里の銀行業者であり、またシベリオンは商人であり、また借館管理者として雇入れたるヴァンシャンが元は軍人なれども経済の道に通じていたこれ等の人々から欧風の経済知識を得、また実際自己の職務上接触せる銀行・会社・取引所等に就いての観察等から得たところによって実地経験しだしたもので、ベルゴレーズの借館の如きもその所有者の要求によって、当時なお邦人の解得しなかったところの火災保険をジュソレール火災保険会社と契約し、向山一履の名を以て三百五十六万八千余フランの契約を為し、また巴里の各種貧民救済事業に昭武の名において金円を寄附せる場合、かくの如き慈善事業が如何なる組織と方法によって経営せらるるかを知得し、当時の我邦士人が欧羅巴の富強を致せる真実の社会相の中に游び居っても、あたかも石の水中に在るが如くこれを吸収しなかったのに反し、栄一はスポンジの湿処に置かれた如く実に能くその真実相を吸収し、そしてそれだけの働きを仕出したのであった。

それは宜かったが、公子等一団が、漸くおちついて留学の実を挙げかかった慶応四年即ち明治元年の正月二日、人々が新年を祝し合っているところへ、幕府が政権返上に及んだという御用状が到達したので、誰も彼も愕然として色を失って終《しま》った。それから引続いて本国よりの通信、仏国新聞紙の報道によって、漸々国状の容易ならざることが分った。栄一は薩長の下心も猜知《すいち》して居り、幕府の窮状も目睹《もくと》していたから、国家の状態の如何になり行くべきかを早くより憂慮していたが、天涯万里の地に在りて幼き公子を擁しながら、鳥その巣を焚《や》かるるの場合に立到っては、随分その心忡々《ちゅうちゅう》たらざるを得無かった。しかし栄一は見事にこの際に処した。

国内の変化は日本歴史上の大変化なのであったから、一ト通りの事では無かった。今これを詳記することは勿論不可能だが、大体は慶応三年十月十四日を以て徳川慶喜大政奉還の表を上《たてまつ》り、同十五日御召によりて参内、勅許を蒙《こうむ》り得た。しかるに薩長二藩等は予《かね》てより徳川家を武力によりて倒さんとするの企図よりして、同じ十四日朝、大久保一蔵・広沢兵助二人、討幕の勅書、松平肥後守・松平越中守を誅するの御沙汰書、ならびに錦旗を頂戴したのであった。然様《そう》いう世状だったので、慶喜が忠誠無二なるに関《かかわ》らず、明治元年正月三日、君側の奸を攘《はら》わんとて上洛せんとする徳川方の兵に対して薩藩兵より発砲し、遂に鳥羽伏見その他において両軍接戦し、徳川方は朝敵の名を得、敗走の余儀無きに至り、慶喜は抗戦の事態の引続かんことを憚《はばか》り厭《いと》い、大阪より艦に搭じて正月十二日江戸に帰るに及んだ。これより薩長の計《はかりごと》は成って、江戸の勢《いきおい》は屈し、錦旗東向するに至って、二月十二日慶喜は城を出で、上野大慈院に屏居《へいきょ》し、四月十一日江戸城引渡し済み、同日慶喜朝命によりて上野を出で、十五日水戸に入りて謹慎し、二十一日大総督有栖川宮《ありすがわのみや》*江戸城に入りたまい、ここに全く徳川幕府は解消し、政体一変、新政の曙光は鮮発したのであった。

かくの如き急変の連続が行われていた本国の状態は、本国からの通信及び仏国新聞紙によって、洪濤《こうとう》の万物を漂《ただよ》わさんとするが如き勢《いきおい》をもって在留の人々の心を撃った。二月二十五日には鳥羽伏見の変を新聞紙で知って栄一は憤《いきどお》った。事ここに至っては敵は薩長なのだ、兵力を以て曲直を争うべきのみだ、との意見だった。しかし公子については、今公子が帰国したとて何が出来るでもない、むしろこの儘留《とど》まりて学び、材器を成して後に機を見て帰るに若《し》くはない、と考えていたところ、慶喜からも同じ意の書が来た。ところが四月九日に至っては、昭武はなお留学すべく、徳川幕府より各国に散在せる留学生は全部引上ぐべしとの令状が来た。外国奉行栗本鯤は幕府が瓦解したのだからとて、四月二十四日井坂・山内・木村・高松・大井等を率いて帰途に就き、後事を栄一と留学生取締《とりしまり》栗本貞次郎*とに託した。留学生帰国の費用に就いては何等の指令も無かったから、栄一は我国人士の不体面を生ぜぬよう心配して昭武の預金を流用し、英国留学生川路太郎*・中村正直《まさなお》*・外山正一《とやままさかず》*・箕作奎吾*・箕作大六等十四人、和蘭留学生林研海等三人、仏国留学生六人、露国留学生四人を次第に帰還せしめた。瑣細の事ではあるが、物資が伴《ともな》わねば処理し難い斯様《かよう》な庶務を、臨機的にかつ合理的に体面好く捌いて行くということは、本国政府が何様《どう》なって行くか分らぬという場合においてははなはだ処し難いことであったろうが、栄一は能く巧《たくみ》に執行したものであった。

やがてまた本国よりの御用状は来た。それはこの度正金二万両を和蘭貿易商社に払込んだ、これで当分の間は凌ぎ得ると思わるるから、なお十分経費節約忍耐せよ、との事であった。これは形勢すべて変化して徳川家で同貿易会社へ為替尻支払不可能に陥《おちい》る場合もあらんかとの予想から、数ヶ月の将来を保証せんとするの意である。そこで栄一は大節約を施し、諸教師を解雇し、昭武を学校に入れ、今の立派な公館を去りて小さな家に移り、そして本国よりの送金が途断《とだ》え、和蘭会社よりの為替を得なくなってもなお二、三年を支《ささ》うるよう工夫せんとし、また万一の場合に備えんため、自分の父からも送金を得ようと考えた。市郎右衛門は栄一の書を得て、慨然としてその請《こい》を入れ、まさにその手続《てつづき》を取らんとするに及んだ。栄一が私力を以て公事に当らんとしたのも行懸《ゆきがか》り上已むを得ざるところからとは云え、感ずべきことであり、その父がその請に応じたのも愈《いよいよ》以て感ずべきことであった。しかしそれは実現するに至らないで已んだ。というのは五月十五日朝廷からの御沙汰書が巴里に到著して、王政御一新につき、昭武に帰朝すべしとの事だったからであった。

御沙汰であって見れば、兎角を申すべきようは無い。しかし仏国政府と我が旧政府との交渉で昭武の留学ということは成立っているのだから、旨を仏国政府へ告げると、仏国では一応新政府へ質《ただ》して後に事を定められたい、新政府への公文書は既に発送したから、その返書の来るまでは猶予あるが宜い、との挨拶であった。で、附添教師ウィレットの忠言により、帰国以前に仏国軍港砲台等見学し置かるること利益なるべし、との勧めに従い、六月十四日から諸所を見学した。軍事上諸施設の視察において得るところも勿論有ったが、栄一は七月七日ルーブルの木綿織場を見て、一時間に大幅二十九メートルを織るに大《おおい》に感じた。我邦にはかくの如き工場は夢にも見ることを得なかったからである。

七月二十日水戸藩庁から御用状到達し、朝命によって昭武の帰国を促《うなが》すことを伝え、ならびに井坂泉太郎・服部潤次郎を迎えとして差遣《さけん》する旨《むね》を伝えて来た。これは四月水戸藩主慶篤《よしあつ》薨じて、嗣子篤敬《あつよし》＊なお幼なれば、昭武を清水家より復帰せしめて主と為し、しかる後篤敬に及ばんとするの議を定め、水戸家と姻戚関係ある東征大総督有栖川宮に請い、大総督府よりの命を以て帰国を沙汰せられたのであった。かかる事情の存した上に、仏国政府の徳川氏と結ばんとする政策も既に変じたので、仏国政府に昭武帰国の交渉を遂げ、八月六日井坂・服部来著するに及び、著々帰国準備を進めた。附添ウィレット、語学教師ポワシェール、画学教師チソウ、銃術教師スピルモン等を解傭し、和蘭貿易商社より同社に払込める徳川家二万両の内の残金を受領し、かねて所有したりし鉄道債券・仏国公債等を売却し、ベルゴレーズ街の仮館の借用契約を如法に解消し、什器家具をあるいは持帰り、あるいは贈与し、あるいは売却すべく処分し、また旧幕府において横須賀・横浜両製鉄所を経営せんため外国奉行柴田剛中《たけなか》＊が仏国政府と謀《はか》りて技師・職工を雇い、機械器具を購入せしめたが、これ等に対して全部支払を了せざる間にかくの如き場合になったので、昭武予備金中より六万フランを割き、諸道具売却金をも加え、かつ幕府の博覧会出品をも売却してこれをも加え、全部の債務を果して、立つ鳥の後を濁さざるようにした。さてかかる煩瑣な事務を栄一の材能と親切とは能く合理有利に処置して後、昭武はナポレオン三世に謁して厚誼を謝し、諸官吏に別《わかれ》を告げ、九月四日を以てマルセーユを発した。従う者は栄一・山高信離・伊東玄伯＊等、上下総《す》べて九人、英国汽船に便乗した。幕府は亡びた。昭武の地位は変った。何《ど》の寄航地でも誰も迎送するものは無い。何様《どん》な運命が故国で待って居てくれるのか分らなかった。しかし海上恙《つつが》なく、この年十一月三日を以て横浜へ著いた。

横浜へ著く前に一寸《ちょっと》一挿話があった。人の運命というものが造物の脚本によって時間的に展開されるものとすれば、それはあたかも脚本中の一贅疣《ぜいゆう》的小齣《しょうしゃく》の如く思わるるものであるが、しかし当時の栄一の心の傾きによって栄一の運命は何様《どう》なったか分らぬことであるから、この一条の味わいかた次第で、人の運命は造物の脚本であるなどという考を否定させて、そして人の運命はその人の心の楫《かじ》の取るところによるとも思わせるものである。本国へ帰る道すがら、各寄港地で栄一は熱心に本国の形勢を知ろうと力《つと》めた。香港へ著いた時には奥羽諸藩が抵抗的であったが、大勢競《きそ》わずして会津は落城したことを聞いた。また幕臣榎本武揚《たけあき》*が海軍を率いて函館に拠ったということを知った。それから上海に著くと、長野慶次郎*というものが独逸人スネール*というものと共に突として現われた。長野は前から知っていたものだった。長野の云うところによると、スネールは会津に居たが、その戦半《なかば》に兵器の足らぬのに苦み、鉄砲を買いに此処《ここ》へ来たのである、薩長は官軍の名を冒《おか》しているが、実は薩賊長奸である、何ぞみすみす彼等の悪謀に屈してなるものか、此処に足下が民部公子に随って来られたに遇ったのは一の便宜を得たものである、公子は将軍の弟君である、足下等と公子を奉じて、此処より直《ただち》に函館に至り、函館軍の首領と仰いだなら、軍気も大《おおい》に張って形勢も転回しよう、是非とも同意してほしい、との事だった。栄一先に巴里に在って事変を聞いた時には、慶喜等の腑甲斐無きを大に憤ったのだった。最初は兎《と》もあれ角《かく》もあれ、何年かを幕臣として生きて来た現在である。ここで血が躍ってその言に就き、ウン、それは宜かろうと、公子を擁して函館へ走ったならば、公子一行、栄一等は何様《どん》な運命に立到ったか知れなかった。しかし栄一は既に思慮に老いていた、今更其様《そん》なことに加担《かたん》するほど青二才では無かった。断然として、イヤ以ての外のことだ、左様なことは出来ぬ、大総督府の命、前将軍の旨、水戸諸臣の請《こい》によって御伴をして帰る路である、と峻拒したので事は終ったのであった。そこでこれはただ戯曲的の一挿話として済んだ。

十一月三日横浜へ著して見ると故国の様子は一切変っていた。出た時は将軍の弟君の御伴をしたのであったから老中やそれぞれの役人や、仏国公使ロッシュや、身分の有る人々に賑わしく送られて出たのであったが、今帰って見ると、主家は顚覆《てんぷく》し、主公は謹慎の身となり、幕臣は喪家《そうか》の狗《いぬ》の如く、入港すると港務の小吏には胡乱《うろん》の者でも取糺《とりただ》すように小やかましく身分などを調べ立てられ、見るもの聞くもの不快の事ばかりであった。公子は水戸藩から御迎に来た者どもに取巻かれ、直《ただち》に東京へ赴かれたが、栄一は公私の荷物を船から受取るなど、随行者としての任も有ったので、横浜に留《とど》まらざるを得なかった。それでも去年八月巴里を発して帰っていた杉浦愛蔵が出迎に来て懇切に世話してくれたので、共に旧友を尋ねなどして、久々《ひさびさ》に日本の家に坐し、日本の食を取り、日本の事の談話を聞いて、いささか心の暢達《ちょうたつ》を覚えた。しかしまた一面には、段々と聞けば聞くほど愴然憮然闇然たる感に打たれることも多かった。共に故郷を出で、共に流《る》浪艱苦《ろうかんく》を経た喜作は、彰義隊・振武隊と輾転して、今は戦勢覚束《おぼつか》なく函館五稜郭に籠っているし、また彼の入獄した尾高長七郎は釈放されたが、心疾癒《い》ゆるに至らずしているし、先輩中で学識材幹地位有り、かつ自分をして民部公子随員たらしめた原市之進は、前年八月十四日、幕府同心鈴木豊次郎*・依田雄太郎*、与力鈴木恒太郎*の為に殺害されているし、師にして、友にして、義兄たる尾高新五郎は徳川氏の冤《えん》を伸べてこれを救わんとして喜作と共に彰義隊に関与し、次いで飯能に振武軍を立てたが、五月二十三日官軍の襲うところとなり、戦破れて喜作と共に伊香保に走り、草津に潜みて、辛《から》くも郷里の手計村に帰っているし、栄一の義弟にして養子だった平九郎は振武軍の戦敗《やぶ》れて、大宮へ落ちんとする道の黒山村で官兵と闘い、腹掻切って死んで終《しま》ったし、その他知友の誰彼も有為転変の世の習い、あるいは死し、あるいは行方知れず、あるいは蟄伏《ちっぷく》、あるいは征戦に従っているという有様で、天下の大勢はほぼ定まったとは云え、残燼余焔なお腥気《せいき》有り、衰草寒樹うたた人目を傷《いた》ましむる景色の中に、敗残側の一人として、孤身煢《けい》然《ぜん》として立った栄一の情懐は推察するに余《あまり》有って、絢爛繁華な欧羅巴文明を幻影的に雲天の彼方《かなた》に有しているだけ、その胸中は蓋し万感蝟集《いしゅう》、慷慨淋漓《りんり》、情状更に一ト際詩歌的なものが有ったに疑無い。栄一が詩人であったなら、蓋しこの時は必ず雄篇大作を胚胎せずには居なかったろう。ただ栄一は平面的なる詩歌の人では無かった、立体的なる功業の人であった。そして此処《ここ》から幾多の雄篇大作は立体的に打成《だじょう》されたのであった。

栄一は詩人的感傷をほしいままにして日を送っては居なかった。上陸後一ヶ月ばかりの間に何をして居たかは分明では無いが、小石川水戸邸に昭武に見参に行ったほかは、察するに横浜・神奈川・東京そこら中《じゅう》を歩き廻って諸方面を尋ね、新しい世界の実情実勢を観察し知得するに力《つと》めたに疑無い。その事は皆細脞《さいざ》であり、その談は皆浮泛《ふへん》であり、確たる事実を視、拠《よりどころ》の有る議論を聴き得るという地位も何も無い新帰朝の浪人であったから、一橋家へ収用されぬ前に京都で流浪していた時のような状態をまた繰返していたのであろう。帰ったのは十一月三日であって十二月三日では無かった。しかるに既出の伝記類には十二月三日のようになっているのもあるが、九月四日マルセーユ発とすれば、十一月三日著として帰航日数およそ五十九日ほどとなり、往航の時の一月十一日発、三月七日著のおよそ五十六日ほどと大差無くして信ずべく、もし十二月三日に帰著したとすれば、一ト月余の差となるから遅著過ぎて信じ難い。ただこの十一月より十二月に至る間が、何をして居たか不明で、全く白紙であるによって、十二月三日帰著のように誤り伝えられもしたろうが、不在中に世態大変革が起ったところへ、不定の身分となって突として帰ったのであるから、国家は何様《どう》なって行こうとするのか、何を何と為すべきや、身を何処《どこ》に置くべきやを考え定むるために、先ず必要なる世態の視察に費《ついや》されたとして解すべく、而してその間に新政府側の様子、旧主側の様子、新政府を喜ばざる側とこれを翼賛する側との様子等、及び新旧両側に散在せる知友の死生浮沈等を略《ほぼ》解釈し得たものと思われるが、ただその往来出没は私的であって公的で無く、聯継的でなくて断片的であり、その結果もまた栄一の肚裏《とり》のものたるに止まって、それから直《ただち》に何様《どう》いう事が出来たというのでも無かったから、後に伝えらるる何の談話も無く、空白に終ったのだと看做《みな》して宜かろう。

栄一の一生に大関係のあった長七郎はこの間の十一月十八日に永眠に就いた。大正十二年十月二十八日東京上野寛永寺で、尾高新五郎・同長七郎の法会が栄一によって行われた時の栄一談には、明治元年の秋から冬に掛けて、到頭《とうとう》精神病の発作《ほっさ》の激しかった為に、家庭に大紛擾を起し、言うべからざる惨禍を惹起し、遂にその一身をも失うに至ったと云うことは、むしろ余り丁寧の御話を致したくないのでありますとあり、また、私の父の所作《しょさ》によって都合好く結了を見たというような訳である、とある。長七郎の末路が渋沢・尾高両族に取って語るを諱《い》むような惨たるものであったことはその病症によって窺い知られるが、その詳しいことは今において知るべくも無い。

栄一は種々の用事に心忙《せわ》しく東京に在る中、十二月の半《なかば》には故郷へ帰ろうと文通すると、子が親を思うより親が子を思うのは深い習《ならい》で、父の市郎右衛門は相当の金子《きんす》を懐《ふところ》にして出京して来た。予《かね》て知っていた柳原の剣術道具師梅田慎之助の宅で親子は絶えて久しき対面をした。父はその子の無事を喜ぶと共に、変った時勢の中に定めなき身分となったのを心配し、向後の方針を問い、差当っての雑用を与えんとした。郷を離れてより六年、面々相視て先立つものは涙であったが、栄一はその深恩を謝し、今直ちに函館へ参ろう意も無く、また新政府に仕えんとするのは厭《いや》でもありまする、さればとて多くの旧幕臣が為すが如くに無禄移住と申して前将軍の御身辺にまつわり付き、哀憐を静岡藩に乞うような心もござりませぬが、静岡へは参りまする、幸《さいわい》にして西洋諸国の人民の世に立てる様《さま》も見ていささか考えるところもござりますれば、何とか別に生計を立て、余所《よそ》ながら旧君の御前途をも見奉《みたてまつ》ろうと存じまする、また目前のところ窮乏致して居るというのでもござりませぬ、平生倹約して用意もして居りますから、と答えた。百両の金を貰って京上りをした時と違い、すっかり老成著実になって、物おだやかな考を語った栄一を見て、父は何程安心して喜んだことだろうか、それでは自分も懸念《けねん》が無くなった、錦を著て故郷へ帰るという訳では無くとも、村へも帰って妻子親戚にも顔を見せるがよい、とて機嫌好く帰村した。栄一も二、三日して血洗島に帰り、家族親戚隣里の人々に会い、互に無事を悦びあったが、幾日か逗留の後、また東京へ出た。

仏蘭西《フランス》滞在中の諸計算をことごとく整理し、荷物その他の水戸に属する分は水戸藩に引渡し、また仏国から持帰った滞在費残金の中を以て静岡藩庁に申立てて許可を得て、およそ八千両ばかりを昭武が水戸への土産分《みやげぶん》とし、それでスナイドル銃三百六十梃、弾丸七万二千発、ピストル、銀時計等を横浜瑞西《スイス》九十番商館より買入れて水戸へ持帰らせた。昭武は水戸の祀《し》を承《う》くる身となったが、滞欧中何も彼も栄一に頼《たよ》っていたのであり、その何事にも穏当で而も確乎としているのに深く信頼するに至っていたから、水戸に栄一を得て輔導の人とせんとするの意を抱いていた。栄一は水戸に対して為すべき一切の事務を終ったので、これより静岡へ赴こうとして、暇乞《いとまごい》に小石川邸へ行くと、昭武は名残を惜んで、栄一に依嘱するよう、余も兄上に見《まみ》えて種々御物語も致したいが、御謹慎中ゆえ心にも任せぬ、卿《そち》が静岡へ参りたらば、彼地《かのち》の有様はもとより、拝顔の叶わぬ吾《お》が心中に至るまで、何彼《なにか》と詳しく申上げくれよ、余も遠からず水戸へ参れば、兄君の御言伝《ことづて》、静岡御模様等、卿自ら水戸へ来りて悉く一伝えくれよ、と懇切に依頼して、兄君への直書《じきしょ》を渡した。そこで栄一はその書を携えその意を体して東京を立ち、十二月十九日静岡へ著した。

栄一は静岡藩庁に到った。藩の中老は大久保一翁*で、一翁が実際の藩政を執って居たのである。この人は慶応二年に公議政体を立つべしと論じたり、長州再征を非としたりした人で、幕臣の一派からは奸賊とされた程だが、大総督府が江戸を収めた時は田安中納言と勝安房守*とこの人とを江戸の鎮撫取締に任ぜなければならなかったくらいの、事相の解釈も能く当れば手腕もまた相当にある人物であった。栄一は一翁に見《まみ》えて、在外中の諸事の報告、及び財務収支決算、未済の事務を名誉領事フロリヘラルドに委《ゆだ》ね置きたる始末等を逐一提出して、自己の職責を尽し、かつ昭武の親書の奉呈を依頼した。物分りの宜い一翁は一切を解し、また栄一をも併せて解したことであったろう。

二十三日に至って、慶喜謹慎屏居の宝台院において栄一は謁を賜わった。そこで昭武の伝言は云うも更なり、欧洲の見聞、留学の始末など、悉《ことごと》く言上《ごんじょう》した。慶喜は大《おお》いに喜んで、栄一の労を犒《ねぎら》い、褒詞優渥《ゆうあく》であったが、謹慎中の寂しき主公の左右のさまを見ては、栄一は暗涙を催さざるを得なかった。さてその後二、三日を経ても何の音沙汰も無い。御返翰を得て水戸へ行こうと思っているので、かねて知っている梅沢孫太郎を訪《と》うて、未だ御返事は出来ないかと聞合せると、四日目になって突然藩庁から出頭しろというのであった。行って見ると、御用召《ごようめし》だから礼服でなければ、ということだ、仕方が無い、借服して出ると、静岡藩の勘定組頭を申付けるとのことだった。意外の事だったから、勘定所の勘定頭平岡準蔵*・小栗尚三*の二人に会って、今日の拝命は有難き仕合《しあわせ》ではあるが、水戸の公子からの御書に対しての御返書が有ろうからそれを拝受して一旦復命した後でなくては御請《おうけ》は致しかねます、何分《なにぶん》早く御返事を伺って水戸まで往きたいからその事の御取次を願いたい、というと平岡準蔵が中老部屋へ聞きにいって帰って来て云うには、水戸への御返事は別に遣《つか》わさるるから、足下の復命には及ばぬ、藩庁で勘定組頭を云付けたのだから、速《すみやか》に御請《おうけ》せらるるが宜い、と大久保氏《うじ》の口上だから左様心得られるように、ということだった。栄一は不快に堪えなかったので、左様ならばこの御請は出来ませぬ、御免を蒙ります、と云って旅宿へ帰って終《しま》った。

平岡は勘定所に勤めて居る大坪某という者が栄一の知人であったので、それを栄一の旅宿へ遣って何故御請せぬかを推問せしめた。栄一は不平満々だったから叩きつけるように返答した。自分が静岡に来たのは、前職で在外中の一切の復命と、昭武公子の御書を帯びて参ってその返辞を賜わり、何彼《なにか》と水戸へ復命申そうとて参ったのである、七十万石に封ぜられて禄は少く人は多いこの藩の禄を食《は》みたい料簡で参ったのではありませぬ、海外の勤労を御犒《ねぎら》い下さる思召《おぼしめし》から百俵か七十俵かの禄を下さるのであろうが、それはこの際自分は甘受しかぬる、民部公子がこの地へ御出になり、何彼《なにか》と御心中御物語も有度《ありたき》ところ、それも叶わざるより御親書あり、篤太夫御返書を頂きて復命も致さば、委細御聞有度旨《おききありたきむね》にて自分は駿府《すんぷ》に参りました、それを返書は此方《こちら》より遣わす、其方《そのほう》は水戸へ参るに及ばず、こちらの藩庁にその儘勤務せよでは、余りに御情合《ごじょうあい》無きなされ方と申す者ではござらぬか、大久保なり平岡なりに明らさまにこの通り伝えてくれ、そして其《そん》様な乱暴を云張っては静岡に置くことがならぬとでも云うならば何処《どこ》へでも往《ゆ》く、と大《おおい》に気燄《きえん》を吐いて大坪を返した。その夜に入って大坪はまた来て、貴公の立腹の所以《ゆえん》等を大久保氏《うじ》に話したら、これには段々仔細が有る、いずれ大久保から直《じき》に談《はな》しをする、という事だった。翌日大久保から逢いたいというので往って見ると、足下の立腹は一応道理だが、事は皆すべて前公の御直截に出た事であるのに、左様一概に立腹されては困る、というので、さてその内々の意味合を説明《ときあ》かして呉れたところに拠ると、足下の身分に付ては水戸から掛合《かけあい》が来て、是非とも足下を当方へ呉れということであった、しかるに前公思召《おぼしめし》には、足下が水戸へ行けば民部公子が足下を重用しようとなさる、足下がこれに酬いんとして働けば、水戸の連中が虚心坦懐で能く容《い》れるとは限らぬ、必ず何か面倒が起る、左無《さな》ければまた水戸の為に有用の人となることは出来ぬから、それより当藩に必要があるから遣ることは出来ぬというが宜しい、また足下自ら水戸へ復命する時は、自然暫くでも水戸に留《とど》まる、足が留まればまた人情が出て振切《ふっきり》の付かぬことにもなり勝《がち》のものである、それ故に返書は此方より出す、となったのである、との事だった。水戸から自分を貰おうとせられていた事は全く知らなかったが、水戸の気風などは承知していたから、この談《はなし》を聞くと栄一は直《すぐ》に合点が行って、主公の厚意と遠識とに感泣し、却って自分の短慮急言がはずかしくなった。

そこで栄一は一応大久保に抑えられた訳だが、しかし勘定組頭になるのは辞退し通した。今までは全く幕臣だったから、今また静岡藩の役人になるのは自然のことであるが、既に王政復古となったのだから、藩制が何時《いつ》まで続くのか分ったものでも無し、また士分や官吏やのみが好いものでも無い、独立自由の人もまた好いものであることを海外で会得《えとく》して来ているのだったから、大久保に対して、もとより自分は水戸に仕える所存はございませぬから、御返書を頂戴致そうとも存じませぬ、しかし勘定組頭の職に就くことも御免を蒙りまする、これだけは御請致しませぬことを御免《おゆる》し下されませ、と申しますのは少し心に期することがござりまするから、と到頭辞退しきって終《しま》った。この間在海外中の功により、時服二襲《ふたかさね》、御手許金五百両を賜わるの栄を得た。

栄一の自談には当時勘定組頭の職は辞したが、この先き静岡に住居するには、農商いずれの業に従事したら宜いかと、頗《すこぶ》る採択に苦んだ、とあるが、それは栄一の自謙的言辞であるかも知れない、栄一は以後従事した事業のその端緒ぐらいは既に握《つか》んで居たのでは無いかと思われる。何故《なぜ》というに、就職を辞退したのが十二月の末で、栄一が新しい形体組織を有するところの商法会所設立を企画したのも同じ年内で、余りはなはだしく時日が接近しているからである。想うに栄一は静岡へ来る前に、白紙の日数を多く費しているが、その間に外国で得た新しい知識や感想によって、旧主公や静岡藩庁、引いては新しい世の為、乃至は自分の為にも、何様《どう》いう立場で何様《どう》いう事を為そうかと、在来の自分の身の因縁の経済方面に由って種々の考を練って居り、そしてその事が用いられねば一旦は血洗島へ帰ろう、というように思っていたのではあるまいか。京都で勘定方に役づいてから、ずっと今まで経済方面に心身を寄せていたのだから、急に七十万石に減封された旧主公の上を思っても、まだまだ不安定の天下の形勢の上を思っても、いずれにしても経済方面に縁《よ》って長計良策を得ようと苦心熟慮したろうことは想いやられる。職を受けぬに就いて大坪に語った言葉の中に、百万石にもなりたいというのが藩中の智慧をふるった上の事だ、と静岡藩士を罵っているのを見ても、胸中既に何かの考を抱いていたことは推知されるのである。

御勘定組頭渋沢篤太夫、御役御免《おやくごめん》、御勘定頭支配同組頭格御勝手懸《おかってがか》り中老手附被命《ちゅうろうてつきめいぜらる》、という日附無しの辞令、及び他の二通の当時の辞令の存したところから考えると、勘定組頭は辞し得ても、全く静岡藩と縁が切れたのでなく、御勝手懸り中老手附というを命ぜられ、やはり勘定組頭と同じ格のもので、藩の役人とされていたことは分明である。しかし栄一は単に役人として納まっていたのでは無く、この時に当ってたちまちにして新案を提出したのである。

維新の大業はほとんど成ったが、未だこの時は廃藩置県に至ったのでは無く、奥羽は平定したが、函館には十一月に戦《たたかい》があったほどである。政治・軍事・法律方面は漸く革正の緒に就かんとしていたが、経済方面は窮迫状態たるを免《まぬか》れなかった。一体幕府の倒潰は、政治的に観れば、外国の圧迫と、国内の政体改革論等とからだとも云えるが、経済的に観れば、経済の行詰りが幕府をして何を為すことも不能ならしめたのが、原因だったとも云えるので、むしろその方が本幹的だったのである。栄一などが生れた天保年間、その八年から十二年までの幕府経常歳入は平均百十四万七百余両で、経常歳出は百七十七万五千余両、年々六十三万四千両余の不足であった。それ以来の歳月、世間多事なるに随って費用は愈《いよいよ》多く、不足は堆積に堆積して、元治年間には準備金は影も無くなり、文久三年将軍再度の上洛には富士見宝蔵の古金銀によってその費《ついえ》を支《ささ》え、勘定奉行並立田主水正《もんどのしょう》*をして、かくの如くにして数月を経ば支うべからざるに至らんと歎息せしめたと云い、二度目の長州征伐が動かんとして動かず、進撃の勢が無かったのも、無い兵粮は使えなかったからだと云われている。慶応三年の四月に、発案して塚原但馬守*等や小栗上野介等が阪地で商社設立、金札発行を企てても能くは行われず、同年関東で早川能登守*等が銀札発行を企てても碌に流通もせず終った。幕府は此様《こん》な工合で、小栗が仏蘭西から大金を借りでもせねば何様《どう》もならなかったところを、金は借らず、政権は奉還するという慶喜の正しい態度に、幕府は潰《つぶ》れた代り、国家の運命は明るい方を辿ったが、その後へ出て来た明治政府が困らぬ訳は固《もと》より無かった。しかし当時の要地に居た者共は皆豪傑だったから、勘定奉行の考えそうなことなどは余り考えなかったろう、金が要《い》るなら、こしらえれば宜《い》い、という勢《いきおい》で、当時に在っては非常な大金の五千万両余という札《さつ》をこしらえた。所謂太政官札《だじょうかんさつ》というのがそれだった。人民は有難いと思ったか、恐れ入ったと思ったか知らぬが、正金《しょうきん》とは違う厚手《あつで》の日本紙で、菓子折の蓋に張ってある四角な紙のようなものだったから、ただ御威光には服したが、藩札と違って天下の通用であることだけに授受したので、好きにはなり得なかった。そこで御命令では金札百両は百両に通用いたすべきだけれども、不届《ふとどき》ながら人民同士では金札百四十八両三分が金百両に引換えられるという訳で、十日も経《た》てばその割合は何様《どう》動くか分らぬ調子だった。だからまた政府は予《あらかじ》め好い智慧を出して置いた。それは当時の各藩、即ち旧大名に、石高《こくだか》一万石につき金札一万両ずつ借用させてつかわす、その返納方は毎年の春、借用高の一割ずつ差出せ、十三ヶ年にて皆済と相成る、富国の基礎を立てられたき御趣意を相認め、これを以て物産を取立て、国益を起すよう心がくべく、決してその藩の役場において猥りに遣込むべからざる事、商売等にして借用を願う者へは取扱産物高に応じて貸渡すべきこと、諸国裁判所を始め、諸侯領地内の農商等へも、身元の厚薄により て金高を貸渡し、返納の儀は年々相当の元利を差出すべきこと、拝借金高の内、年割上納の札は会計局において取捨つべき事、金札を以て返納の御仕法《おしほう》に付《つき》、御引換は一切これなき事、という規則で、各藩へその金札を渡したものであった。静岡藩は石高七十万石だから、七十万両借用致す訳で、この時既に五十三万両交付されていたのであった。政府のかかる処置は、畢竟は五千万両の不換紙幣を諸藩に押付けて世間に通用させようというのであった。この金札は明治元年即ちこの年の五月十五日発行されたもので、その布告によれば、殖産資金を世上に与えて困窮を救わんとするに在ったが、その実は新政府自体の急を救ったものであった。

栄一の自ら談《かた》るところによれば、栄一は駿河へ入ると直《す》ぐに人からこの事を聞いたとあるが、駿河へ入ってからこの事を聞いて、それについて立案したと云わなくても、神奈川・東京に居た間からこの事を知って、そして考を練っていた、と云っても宜かろう、新しい金札の事は五月半《なかば》から以後は何処《どこ》に居ても分っている筈の全国的の事だったからである。で、栄一は藩の勘定頭平岡準蔵を訪《と》うて自分の考を申出した。準蔵は栄一が先年京都で陸軍奉行支配調役勤務の時の歩兵頭で、言わば上役《うわやく》であり、面識も有ったから好都合であった。栄一の説いたところは次の如くであった。当静岡藩拝借金札は五十万両以上であると聞及びましたが、これを藩費に使用さるる傾向は今において免れがたいところでございましょう。しかる時は返納の場合に差支の生ずるは自然の勢《いきおい》で、その時になっての困難は如何ともし難いことになりましょう。それにはこの石高拝借の金高を都《す》べて別途の経済と致し、この拝借金を基礎としてこの地方商人の資本をも合同させ、資本潤沢にして信用鞏固《きょうこ》なる一個の商会を組立《くみたて》、売買貸借の事を取扱わせたならば、その働き有力有功にして、商界の有様も進んでまいりましょう。西洋諸国に行わるるところの、資本を合せ能力を共にするところの商社の法を用いるのが、商業を確実にして盛大ならしむる良法で、今後は大《おおい》にその法によって進歩を図らねばなりますまい。一人一個に本づく農商の仕法ではその発達に限りが有り、また失敗倒潰の危さも有るものでございまする。今新《あらた》に商会を共力合本の法により取立《とりたて》ますとしても、固《もと》より本幹を拝借金によって立つることでござりまするから、その監督は御勘定頭に願いますこととし、ただその運用の枢機を自分に御任せ下されば、自分が実際の知識手腕ある者を地方商人中より撰抜して事務を取らせ、所謂《いわゆる》共力合本の能を発揮し、公私御為に相成るよう取計《とりはか》らいたいと存じまする。と仏国その他で学んで来た商会組織の事を説いた。商業上の組合のようなものは在来我邦にも存したが、欧羅巴《ヨーロッパ》諸国の如くには発達していなかったのである。今栄一は新知識を以て、金札貸渡《かしわた》されの場合に際し、これを運用しようというの計をすすめたのである。平岡は大概を会得したから、宜しい、熟考しての上に採用もしよう、その方法を委しく書面にして差出して呉れ、藩議に掛ける、との挨拶だった。そこで栄一は詳細に方法を認《したた》め、具体的の計算書まで添えて差出した。これが年末に果された、というのだから、栄一の敏才でも、然様《そう》早く出来る訳はない、前々から研究し準備されていたことに疑無い。

明治二年となった。平岡は藩議を決して商法会所を立つることにした。正月静岡の紺屋町に商法会所は設けられ、東京及び清水港《しみずみなと》にも支社が設けられた。資金は、藩庁が一万六千六百二十八両余を出し、別に石高拝借の金札三十八万五千九百五十一両余、正金に換算して二十五万九千四百六十三両余、士民の出資一万四千七百九十五両余、金札三千八百三十両、総計二十九万四千七百十七両余、これが会所の総資本だった。藩庁より支出せる元金一万六千余両の三分の一ほどは、民部公子在欧中に栄一が整理倹約して蓄《たくわ》え、持帰って藩庁へ引渡《ひきわた》したものだったという。

会所の仕事は、一面は銀行事業を扱ったのであり、一面は米穀・茶・蚕卵紙・繭・

油・塩・砂糖・紙・履物・肥料等の売買及び貸附であり、倉庫業及び運搬業をも聯属的に扱い、また救済及び紛議裁判等をも聯繫的にすることであった。藩士大村小四郎・平島直一郎・坂本柳左衛門・田中彦八・吉田徳左衛門*・黒沢隆蔵・服部平八郎*・前田重輔・伊藤三四郎*・黒柳徳三郎*・荻野健太郎*・渡辺源次郎等は会所掛りとなり、民間よりは北村彦次郎*・萩原四郎兵衛*・勝間田清左衛門*・宮崎五郎左衛門*を御用達肝煎《ごようたつきもいり》となし、なおその他御用達介・手附頭取・手附など四十余人あり、御用達には清水港・浜松・江尻・中泉・藤枝・島田・興津・大宮・沼津等をはじめ、駿遠二国内の豪商豪農を選んだもので、塚本孫兵衛*・松本平八・野崎彦左衛門*・野呂整太郎*等三十余人を御用達となし、会所経営の全責任は栄一これを負い、勘定頭平岡四郎・小栗尚三が監督し、その上に中老大久保一翁が綜理したのだから、官権なお強き時代において半官半民の姿を以て新組織の雄威を示しつつ、全静岡藩の商界・経済界に臨んだのである。栄一は甲斐々々しく働いた。効果は日に日に見えた。そこで班を進めて、御右筆格《ごゆうひつかく》にされた。二月中旬、栄一の妻子は新五郎に伴なわれて血洗島から静岡へ来た。紺屋町の商法会所内の栄一の新居は、文久以来中絶えたる家庭の熙和《きわ》の相を現じた。須永於菟之輔・武沢・熊沢*・芝崎*・高木なんという栄一の姻親、振武軍の人々等も、栄一方に寄食したが、彼の新五郎もまたこの地に留《とど》まって、商法会所の為に働いた。

会所の事務に鞅掌《おうしょう》せる中、六月に至って、在仏中取扱の事項に就いて政府の諮問《しもん》を受くるため、藩命によって東京に赴いた。これは昨年仏国出発の際、旧幕府の仏国商社に対する負債八万フランを徳川昭武に属せる経費中より支払いたるが、帰国するに及びてその債務は新政府より弁償せるを聞いたので、栄一は同年十一月、書をフロリヘラルドに寄せてその旨を通じ、八万フランの返却を要求したに対し、フロリヘラルドより日本政府よりの公然の命令なくては要求に応じ難き旨を言いたる等より、新政府において外国関係の事情不明に付き、静岡藩に問合せが来たので、栄一は出京して一々詳細答申書を呈した。事情はたちまち明白になって分ったが、なおその他博覧会出品跡始末《あとしまつ》等につき、種々政府では不馴《ふなれ》の小面倒な事をば、その取扱を挙げて栄一に命じた。小面倒なことも条理整然と合理的に運んでその終局を見るのは栄一の能くするところであったから、時間はかかったがこの事は八月に入って一切埒《らちあ》明き、フロリヘラルドよりの送金を待つのみの事となって、八月十五日静岡へ帰著した。これは蓋し栄一の人物及び才能を新政府の人々に知らるるの副作用を為したことだったろう。

しかしこの事に関して東京に在る間に、静岡では紛議が起った。それは金札と正金との差を政府では認めたく無い方針だが、実際においては静岡商法会所でもこれを認めぬ訳にはゆかぬことが一原因、その他の原因も加わって、厄介な紛議が起ったのであった。そこで帰ると直《すぐ》に大久保一翁の命によって調査した後、八月二十七日商法会所を廃し、九月一日常平倉《じょうへいそう》を取立てることになったが、常平倉とは云えその名が変ったのみで、実は用達の人選を改め、矢張り肥料の貸附《かしつけ》、米穀の売買というようなことは前々通り仕たのであった。会所廃止に際して存立中の成績を見るに、僅々の歳月中に、前記金三十万未満の資を以て、八万五千六百五十一両余の利益を挙げたというから、誠に好結果だったというべく、栄一の才は人々の称讃を得たことだったろう。しかし利益が挙がり過ぎているが、これは功を急いだ気味があったのだろう。かくて十月三日常平倉役所は常盤町に移り、次いで呉服町旧目付屋敷に移り、栄一は他念も無くその事に従っている中《うち》、十月の二十一日太政官の弁官から、早速東京へ出ろ、ということだと藩庁からの伝達であった。常平倉という名称は、大久保が名づけたので、漢の時か何ぞの古くさいものであるが、その実は欧羅巴《ヨーロッパ》風《ふう》の制度を取入れて、折角自分が新規模のものを盛立《もりた》て、いさか今後の経済界に尽そうとしているところであったから御用召で東京へ行きたいことは無い。そこでその旨を一翁に言うと、いや、それはならぬ、御召になったものを、藩士だからとて藩で何様《どう》なるものでも無い、早速東京へ行け、という厳命だ。

仕方は無い、十月二十六日静岡を発し東京へ出て、十一月四日太政官へ出頭すると、租税司《そぜいつかさ》の正《かみ》に補せられた。租税司は民部省に属していたもので、民部卿は伊達宗城《むねなり》、その下に大隈重信・伊藤博文の二人が居て実務は皆二人によって処理されていたのである。蓋し当時の政府は新規更張を主としたのであり、新知識ある人材を引いて用いたいのは固《もと》よりなり、分けても西洋先進国の振合《ふりあい》を知り、特《こと》に財務などに通じたものを得たかったのは当然過ぎる程であったから、この夏仏蘭西フロリヘラルドとの財事引合《ひきあい》で呼出した渋沢某というものについて有司の間に談《はなし》の有った末が、栄一というものの経歴を取調べた上に、召出しということになったのであろう歟《か》、栄一自身さえ何人が推薦したか当りが付かなかったと云っている。卿の伊達宗城は伊予の宇和島藩主だったが、実は幕府旗本山口相模守直勝*の次男で、伊達宗紀《むねただ》*の養子となりしより封を襲《つ》いだ人で、今年九月民部卿兼大蔵卿に任ぜらるる前は、軍事参謀禁闕警衛を以て外国事務を兼任していたのである。そして今年我邦始めて鉄道敷設の議定まり、英国より右入用の金銀借入方条約《かりいれかた》取結《とりむすび》の事が宗城に委任されたのである。栄一自身の談には何も無いが、それ等の事、及び何事に就いても、外国の事情を知り、かつ経済上の経験知識手腕ある者を致すを要するところから、栄一の名を知って、これを招致するに至ったのでは無いかと想われる。

鉄道問題は一時を衝動したもので、大隈・伊藤等は何でも旧式を排し新味を展《の》べ、所謂《いわゆる》文明開化の世として活気ある国家を建設しようとしている、その一端として鉄道を敷設し、蒸汽車を飛ばせ、人民の耳目を驚かせて、新時代の意気を鼓舞する如きは最も必要の事としたが、まだ昨日《きのう》までも今日までも、長棒《ながぼう》の駕籠《かご》が、下に居ろうの制止をかけて通っていた世だったから、外国に借金して強いてその様なものを敷設せんとするのは、国家の大計を誤るものだという議論は、朝官の側にも沸騰して、保守的の感情は穏健的の理論の皮を被《かぶ》って、革新突進側の者と相争ったのであった。鉄道ばかりでは無い、何事にも新旧思想の衝突は有って、幕府を倒して新政府が出来た際だから、革新派の勢威は強い訳ではあったが、また王政復古という建前《たてまえ》で新政府が成立ったのだから、搢紳《しんしん》流・国学者流・神主《かんぬし》流・攘夷流の勢《いきおい》も弱くは無かったのであった。そして新政府は出来たものの、実際の政治となると、旧制度を破るのは易いが、新制度は何様《どう》したのが宜いか、誰しも完全な規範を有していて、それに則《のっと》るというのでも無いから、いざとなっては皆困ったり苦んだりしていたのである。斯《こ》様いう世だったから、上に立つ智者は、智は人の智を用いるより智なるは無し、というところに料簡を決めて、材能徳行ある者は力《つと》めてこれを迎え入れたのであった。栄一の履歴はこの時において朝官たるべきに十分の資格が有ったもので、しかも革新派・急進派の側に喜び迎えらるべきものであったのである。

栄一は静岡藩の幽谷から出て、中央政府の喬木に遷った。しかし前後左右に知合《しりあい》も無ければ、事務の引継《ひきつぎ》も計画の課題も無いようなところへ引張《ひっぱ》り出されたのだから、未《ま》だ造作《ぞうさく》の入っていない新築家屋同様の当時の新政府の事とて無理も無いことだが、随分奇異な場合に立たされたものだった。これでは何とも仕方が無い、静岡の方なら仕事の将来もおよそ思い得ている、これはむしろ辞して還った方が宜い、と思わぬ訳に行かなかった。そこで大輔《たいふ》の大隈を訪《と》うて、自分の経歴を語り、実は駿河で斯々《かくかく》の計画を立て従事しているのであるから、いささかも経験の無い職務に居るのは迷惑するに依って御免を蒙りたい、というと、今は談論の時間が無い、十八日に来てくれ、ということだった。十八日になって再び大隈を尋ねると、大隈は胸襟を開いて談《かた》っていうよう、足下はいささかも経験の無い職務に居るのは迷惑し困却するというが、実は民部・大蔵の事に当っている者、足下のみでは無い、僕等だとて誰も事務に付いて学問も経験もあるべき筈は無い。理財でも、税法でも、工業・商業の法でも、貨幣・度量の事でも、公債の事でも、駅逓《えきてい》の事でも、皆何様《どう》したら宜いという事が胸中に成竹《せいちく》の有ろう者は無いのだ。しかし維新の政治を為し、国家の隆昌を希図するという大精神に本づき、非常の努力勉励を以て一切を打立てて行こうと念じ、荊棘《けいきょく》を拓《ひら》いて大道を造ろうとしているのである。足下も満身の力を尽して国家の為に働かるるが宜いでは無いか。協力同心して前途の成功を期するにおいては、それが出来ぬということは有るまい。創業の時に何処《どこ》に旧法の依るべきものが有ろう。駿河の新事業などという小なるものを棄てて、大なるものに力を尽す方が本当ではないか、と何様《どう》しても退引《のっぴき》ならぬように説得した。そこで栄一も思翻《おもいかえ》して、終《つい》に新政府の為に、いや国家の為に働くことに決心した。

大隈の言は事実であった。当時の廟堂《びょうどう》の枢軸《すうじく》は、薩長土肥の四藩の俊才等で有ったが、大概実務の経験は有していない壮年者流であったから、事に当って政を為すには、茫然として著手のところを知らず、已むを得ず幕府の遺臣を引いて各省に配して指導者としていた。民政・財政・海軍の如きは特《こと》に然様《そう》だった。さればと云って幕府の旧式を追うのみでは済まないから、一半は範を西洋先進国に取らんとしていたのである。そこで栄一は、旧の改むべきを改め、新の立つべきを立つる為に、特別の調査機関を設置し、人材を多くこの機関に集め置き、何事もこの機関に掛けて査定すべく為し、これを改正掛と称えんとして、大隈等の賛同を得た。当時は民部と大蔵とは一になっていて、民部卿・民部大輔・民部少輔《しょうゆう》は、同時に大蔵卿・大蔵大輔・大蔵少輔であったのだ。それ故この改正掛の議にかかることははなはだ多く、改正掛は有力な一機関となったが、その組織たる別に長官を置かず、掛員《かかりいん》は各寮司より兼務せしめ、そして何によらず研究合議して決定を得ることとし、卿・大輔・少輔も会議に臨み、会議に尊卑の別を置かず、十分に討論するを得るよう、御誓文の深衷《しんちゅう》を奉体すべし、という建前《たてまえ》で規程を定めたのだったから、明朗公平で愉快にかつ有力なるものとなった。そしてまた栄一は人才学識を網羅するの必要を説いて、旧静岡藩より前島密*・赤松則良《のりなが》*・杉浦譲・塩田三郎*等を推挙し、改正掛に登庸するもの、前後十余名に及んだという。かくの如くにしてその上に実際の論考の題目につき、参考たるべき外国の資料は塩田三郎・高島四郎*をして翻訳提供するようにした。それからまた改正掛全部の記録を留《とど》めるようにした。そこでこの改正掛という妙な名の掛りが組立《くみたて》られてから、一人が一人で苦んで制を立てたり務《つとめ》を執ったりするより、改正掛の名を以て、またその力を以て、勢《いきおい》好く進行することになって、各種の結果は敏捷に得られるようになった。調査機関にしてかつ長官の諮問機関たるこの改正掛の規程は、明治三年五月と署せられているが、これを栄一が提唱したその初は二年十一月下旬で、任官の後僅《わずか》に十数日であったという。栄一の才の敏なるもまた優《すぐ》れたりというべきである。

改正掛の設立は栄一の立案に成り、かつ栄一その掛長を命ぜられたのではあるが、改正掛の事業は固《もと》より栄一一人で施行したのでは無い。しかし百事草創の際、かくの如き掛りを設けたのだから、何も彼《か》も改正掛へ掩《おお》いかかって来るという状態で、所謂《いわゆる》八天狗の働きをするのでなければ応酬しきれないのであって、眼の廻るような忙しさであった。先ず第一に租税であるが、これは政府財政の根幹でもあり、また栄一が租税正《そぜいのかみ》たる職責からも合理的にかつ好調的に扱わなければならぬことであった。従来は物品貢献の制によっていたものであるが、それは余りに原始的であって、煩雑の手数と順序とを要するので、栄一は通貨を以てこれを収めようと主張したが、さてその換算標準の定めかたをはじめ、従来の慣例を新制に移す場合、特《こと》に封建的個別的であった後なので、その調査もはなはだ困難であり、非常の大事業であったから、成案を得るに勉《つと》むる時日を要せぬ訳には行かなかった。また駅逓の法も当時の難問題であって、駅逓の制の完《まった》からぬときは、国家の脈絡運行の不調であるから、困窘《こんきん》これに越したことは無いが、旧幕時代の、助郷《すけごう》・加助郷《かすけごう》の制度は、幕末において既にその弊に堪えなくなって居り、五畿七道、苦情の無い地は無いほどだった。そこでその改正は何よりも急務であったから、改正掛で研究の結果、駿河から出ていた前島密がその事に通じていたところより、前島の案を採《と》ってこれを実施するに決し、前島を駅逓権正《ごんのかみ》として担任せしめ、大《おお》いに功を奏した。度量衡の統一及び精確も急事であるから、その調査をはじめたが、これまた軽率武断は大《おお》いに忌むべきであるから、後に至りて別に度量衡改正掛を置きてその手に移した。日本全国測量も、著手の順序を定め、経費支出の方法をも調査した。貨幣の制度、禄制の改革、戸籍の編成、これらの事も調査論考し、賤民の称呼と差別取扱を廃し、国家に功徳あるものを賞して勲章・賞牌を授くるの制を立てる等、数年の後に至って行われたる諸般の議を立てた。電信・鉄道を興《おこ》すに就いては、外債を起すことに絡《から》まって、政府内にも異論の有ったのを、啓蒙的に大《おお》いに論破して、遂にその事を成立たしめたのには、改正掛の力はなはだ多かったのであった。

当時の海外輸出品中で蚕糸《さんし》及び蚕卵紙はその主座を占めていたものであった。そこでその品質を善《よ》くし産額を増すことは、貿易上の急務であった。改正掛では個人にのみ任せて置くことの不利を見て、各開港場に輸出品検査所を設けて、商品の信用を保つようにし、三年八月に至っては蚕種製造規則を政府より公布するに至った。省議の採るところとならずに終ったが、栄一はなお宝源局というものを設けて、農業・工業・鉱業等の発達を計り、実業実技の教育を施し、博物館・植物園・動物園を立て、専売特許法を立て、著作権法を設け、養育院を立て、職業紹介所を設けようなどと、文明の増進、産業の開発、国家の富強の為に、あらゆる施設を為そうと主張した。これ皆当時改正掛中の諸人等よりの企図を集めての立言ではあったろうが、栄一が諸外国において実際に観て来た西洋文明の華実芬芳《ふんぽう》を現ぜしめんと欲したのだと云っても差支無く、栄一の当時の意気の火の如くであったのを窺知《きち》すべきであった。

明治二年末より同三年七月頃までの少時間に、あるいは直《ただち》に用いられ、あるいは後に至って用いられ、あるいは用いられずに終ったが、栄一等の改正掛より案出したものは右の如くであった。三年七月に改革があって、一つになっていた民部省・大蔵省は分離して卿・輔等の兼任は解《と》かれ、すなわち栄一は大蔵省の人となり、同八月二十四日、大蔵少丞《しょうじょう》に任じ、従六位に昇った。改正掛はこの時はなお大蔵省に属し、四年八月官制改革によって廃さるるまでは省内にあった。

この時大蔵省は卿に伊達宗城あり、大輔に大隈重信あり、少輔に伊藤博文あり、大丞《だいじょう》に井上馨《かおる》・得能通生*・上野景範《かげのり》*あり、少丞に栄一・安藤就高《なりたか》*あり、造幣頭は井上馨これを兼ね、監督正は田中光顕《みつあき》*、租税権正は前島密・河津祐邦《すけくに》*、営繕正は平岡温熙*、通商正は中島信行*、出納正は林信立*等、概《おおむ》ね当代の俊才にして、大隈・伊藤は新政府の事実上の総理たる参議大久保利通《としみち》の信任を受け、二人の勢力は朝野に振い、従って大蔵省の勢力は他省を圧するの状があった。二人が共に築地に住んで居り、共に新施設に勇に、壮年気鋭、高論雄弁、天下の経営は我等の手に須《ま》つ、という勢《いきおい》であり、井上馨等と共に栄一もその一群の参加者となって、勇気凛然、聖治を輔翼し、偉業を世に貽《おく》らんとしていた。当時の人は呼んで築地の梁山泊《りょうざんぱく》と云った、その梁山泊中の一星として栄一も光を放っていたのであった。

　明治四年五月九日、栄一は大蔵権大丞に進み、七月三日制度取調御用掛兼勤を命ぜられ、大政最高会議の書記官役となり、廃藩置県の大議の時などは旨《し》を受けて議案を草したという。同月二十九日太政官制の更定となるや、栄一は枢密権大史《ごんのだいし》に任ぜられたが、大蔵省事務は引続いて執って居り、枢密権大史廃官となるや、八月十三日大蔵大丞に任ぜられ、命を受けて同省職制ならびに事務章程を起草し、退庁後に自宅に籠りて稿を属《しょく》して深夜に至り、三日間にして制定した、それが同十九日公布の大蔵省職制及び事務章程だったという。この事務章程の中、出納寮《すいとうりょう》の部に、およそ金穀を出納するには、その高の多少に拘らず、都《す》べて卿・輔承諾の証拠を徴してこれを領収交付す、とあった。これは当時我邦には未だ存せなかった伝票制度の始まりで、米国の式に倣い、伊藤・井上等と議定したものであった。ところが出納寮の官吏等この事に慣れなくて、屢々《しばしば》手続上の過誤や遺漏を為したので、戒飭《かいちょく》を受くることも多かったが、五年五月の頃、出納頭得能通生は栄一を訪《と》い、伝票制度の面倒くさき不便を論じ、かくの如き悪制度を立てたが為に、出納寮の吏員は度々過失を重ねるに至るのである、畢竟足下が入《い》らざることを立案した為だ、と怒罵《どば》した。栄一は騒がず答えて、事務章程は予が立案した所だが、上司の命を受けて筆を採り、上司の可決を経て行われて居るものである、足下の言によって今これを如何ともすべきではない。かつまた足下は不便なる悪制度と言うも、それは実際に通ぜざるが為である。と説諭せんとすると、得能は耳にも入れず、勃然として起《た》って栄一を突飛ばして一撃を加えようとした。栄一は突かれて二、三歩退いたが、色を正しくして、此処《ここ》は役所であるぞ、車夫馬丁に斉《ひと》しき振舞を為さるるは何事であるか、事の是非は議論で決すべきである、と云ったので、流石《さすが》に得能はその儘退去したが、時に大輔であった井上馨は、成規を罵詈《ばり》し、官僚に対して暴行を加えんとしたるは、捨置き難しとして、太政官に上申して、五月二十二日遂にその職を免ずるに至った。これはただ一小挿話に過ぎぬが、当時の官界の状態はかくの如きものであったし、また得能の如き旧薩摩藩系の者等が西郷・大久保を上に戴ける威燄《いえんか》を藉りて他藩の者に対せる麤豪《そごう》の態度も猜知さるる事であった。

政治の改善進歩は固《もと》より大功だが、商業・農業・工業等民業の進歩が真に国家を隆昌ならしむる所以であるとは、夙《はや》くより栄一の堅く信じているところであって、今より観ればそれは知れきった事であるが、当時はなお帯刀《たいとう》階級の人で丸腰《まるごし》階級の事に心を遣《つか》う者は少く、まして何様《どう》したら実業界が発達するだろうなどと苦慮してその指導の地位に立とうと思うような者はほとんど無かった。伝票制度が煩瑣だと云って僚官を撲《う》とうなんどという者が出納長官であった世だから、商業の事なんぞを論ずるのは鄙吝《ひりん》のことのように思われたくらいだ。この中に在って栄一は商界が狭隘《きょうあい》な旧套を墨守していて、活潑な新しい経営法に進むことを知らないのを慨《なげ》いて、その持論の合本共力によって殖産興業に偉力を発するの道を教えようと欲し、公務の余暇を以て『立会略則』を著わした。立会は会社を立てるという意である。また福地源一郎*に嘱して、『会社弁』というものを撰せしめ、前書と共に、改正掛の議を経て、太政官に伺《うかがい》の上、四年九月を以て官版として刊行した。これ等の事は歳月既に隔たった今では、むしろ可笑《おか》しいほどであるが、啓蒙時代の一挙としては非常に有意義のものであって、商業が本来一人一己《いっこ》の私利を図るべきものでは無く、天下の公益を図るべき性質のものであるという建前《たてまえ》から、実業界に対して官庁から啓発教育の手を差伸べたのは時に取っての賢《かしこ》い事であったし、ついで『会社弁講釈』などいう書の現われたのも、時代の要求が潜在していたのを栄一の慧眼が看破していた証であった。後年に至って各商事会社が勃興し、商業隆盛なるに至ったのは、何も栄一の力によるというのでもないが、これ等の事もまたその胞種になっていたと云うべきであり、少くも政府に実業に関心すべき事を教えたと云っても宜い訳だ。

民部・大蔵がなお一つになって居た時、即ち明治三年の事であった。当時の輸出品の大宗だった蚕糸の改良の議が省中に起った。というのは蚕糸を扱う横浜の仏蘭西八番商会主人ガイセン・ハイメル*という者が、大輔の大隈重信に、日本蚕糸は粗悪で優等商品とならぬ、と言った。大隈は省の改正掛に、仏人の言を伝え、改良の法は立たぬものか、と問うたが、当時の官員なぞ、誰が蚕糸の事なぞ知って居よう。しかるに栄一は農桑畎《けん》畝《ぼ》の間から出た人ではあり、仏国リオン等で感慨したこともあったものなので、これに関する知識は豊《ゆたか》だった。改良の方を講じたらば優品が得られぬことは有るまい、と云うと、大隈は大《おおい》に悦んで、それなら足下その方法を立てよ、ということになった。そこで栄一は屢々ハイメルを訪《と》うてその説を究めた後、遂に技師ブリュナー*という者を聘して、仏国式製糸場を設けたらば、その初は出費多からんも、結局は利を興すを得べし、という案を立てた。大隈はしからば実行すべしと断じた。これは官業ということの行わるるほとんど最初であった。しかしかくの如き新しい事は首尾好く功を挙ぐれば可《よ》し、もし不成功に終れば、徒らに民業を擾《みだ》り官財を費《ついや》して、公《おおやけ》の威を損し世の笑《わらい》となるに過ぎぬのであるから、これに任ずるの人その人を得ざればはなはだ危険である。ところが奮ってその任に当って必ず功を成さんとした者があった、それは尾高新五郎惇忠《あつただ》の藍香であった。

何様《どう》して新五郎が民部省に居てここに登場するに至ったかというと、実にこの世の事というものは、成るも成らぬも不可思議なる造物の微妙なる脚本によって遭遇際会のあやつりの糸が牽《ひ》かるるに因《よ》っているものである、というような感じを抱かせるに足ることであった。新五郎は静岡に居て、移住士族授産方法書一篇を著《あら》わして藩庁へ呈しなどしたが、その後は郷に帰って旧の耒耜《らいし》牙籌《がちゅう》を執る身になって居たところ、計《はか》らずも明治二年郷里榛沢郡に備前堀事件ということが起った。備前堀とは武州大里・児玉郡に跨《また》った用水堀で、慶長九年伊奈備前守が＊創《はじ》めたのでその名を得、烏川《からすがわ》の水を分って下流数村の灌漑に備えたものだったが、天明三年浅間山大噴火の際、噴出土砂利根川の流を塞《ふさ》いだ為、利根の河流が南に移って烏川の河身を奪ったから、備前堀の取入口は、利根の巨流に接することとなり、従って洪水数々《しばしば》至り、堀の北の村々は大《おおい》に苦み、寛政五年官に乞うて堀口を塞いだ。すると用水堀流末の村々は用水涸渇の厄に苦み、文政末年には身を牢獄の犠牲にして、埋堀を掘り破ったものも出た。爾来《じらい》この一条の水路は利害を異にする多数の村々の間の問題になっていたが、明治二年の冬、この地の管轄庁たる岩鼻県県令小室《こむろ》信太夫、*後に信夫と云った者は、不完全なる設計を採用して、児玉郡仁手《にって》の取入口を鎖《とざ》し、その下流榛沢郡中瀬字向島より新渠《しんきょ》を開き、手計・新戒《しんかい》・高島・高畑・沼尻を貫《つらぬ》きて、これを郡内に貫流する小山川に合せ、更に堤堰《ていえん》を設けて旧備前堀下流に通ぜんとする工事に取りかかろうとした。これが成就すれば仁手以下村々は田は皆涸《か》れて終《しま》い、また手計・新戒等の村々は自村に用も無い堀を造られて、恐ろしい大利根川の洪水を導き込まれる訳になるのだから、村民は大苦情を鳴らし、竹槍蓆旗《たけやりむしろばた》の騒ぎにも及ばんとした。そこで高畑村金井元治《もとじ》、*新戒村荒木翠軒*などは県庁に出て県令・参事を訪《と》い、その取止《とりやめ》を求めたが、官尊民卑の余習がなお強い時だから、反抗不逞の徒を以てこれを目し、ただ威圧するのみであった。金井は、上流・下流・南北各村が従前は別々に組合を立てて自村の利のみを計り害を避けんとし、堰堤《えんてい》・修繕・浚渫《しゅんせつ》の労働及び費用の負担をも己《おのれ》に軽く他に重からしめんとするより大局の困難紛糾を生ずるのである、開明の今日、各村合同して公平の処置を定むるにおいては、苦情も絶え、随って将来の危険測るべからざる新工事などを一方の言によりて一時の考から遽《にわか》に起すことは無くても済むのである、という穏健至当の案を立てて、これを以て県庁に陳情した。しかるに県では新取入口開鑿《かいさく》さえすれば良いことと、官庁気質《かたぎ》で圧制的の処置を取り、金井等の他出を禁じ、一面には手計・中瀬・新戒・成塚・高島・沼尻等各村の名主組頭を呼出し、新工事につき村方一同苦情無しという請書を、十手《じって》捕縄《とりなわ》の刑吏を以て脅迫して出させ、その翌日から中瀬村字向島を起点として新堀割筋に標杭《しるしぐい》を打った。そこで村民等は暴力を以て抵抗せんとするに至った。新五郎は彰義隊や振武軍にも首脳側に立った男であった。何で黙して居られよう。暴動しては理を以て非に陥《おちい》る、乃公《おれ》に任せよ、悪くはすまいぞ、と関係十四ヶ村人民の連印を取って、そして県庁を措《お》いて東京へ出て民部省にぶつかった。民部省は今の内務省同様であった。捨てては置けない。吏員を県庁にも派出し、民間にも出して調べ、尾高・荒木・金井の三人を本省にも召した。新五郎は備前堀の最初からの変遷、利害、県吏の妄断・脅逼《きょうひょく》、人民の憂患・恐怖・憤怒までを、雄弁滔々、理有り力有り、意気精彩有り余るまでに述べ立てた。この訴《うったえ》を聴いたのが後に明治の大法官として一世に仰視された大審院長玉乃《たまの》世履《せいり》＊だったから面白かった。訴状を読み、人物を見て、や、これは好い、これだけの材を民間に埋もれさせて置くよりは当局の用とすべきだ、と玉乃は思った。そしてその姓名の肩書に渋沢租税正厄介《やっかい》とあるのを見出した。

厄介とは当時の語で、其処《そこ》に寓居しているという意味で、東京ではその家に居るということになるのだ。そこで玉乃は栄一に尾高某は何様《どう》いう者だと問うた。栄一は有り体《あてい》に答えた。玉乃は訴訟事件判定の前に新五郎を民部省監督権少佐に任じ、聴訟・建白の二の掛《かかり》を担当させた。昨日《きのう》の民間訴訟人は今日は中央政府の判官になって終《しま》った。事件は合理的に捌かれ、新計画は停止されて、平和に結局した。

かくの如くにして尾高は民部省に在った。この年の春以来製糸改良の議は進んだが、遂に大蔵少輔伊藤博文、大蔵少丞渋沢栄一と仏蘭西人ヂブスケ等と議定し、同国人ブリュナーを傭入《やといい》れ、民部大輔大木喬任《たかとう》＊と同人との間に約束締結を見、栄一等四人が製糸場主任仰付《おおせつけ》られたのは十月七日であった。

製糸場の実務に当ったのは勿論新五郎だった。仏人ブリュナーを伴なって上野の高崎・前橋・下仁田等を巡歴し、富岡の陣屋跡を適地と見定め、その地を買上げ、続いて我邦に始めての大規模の大工場建設にかかった。今から見れば可笑《おか》しいような事だが、政府が民業に手を出すということが第一に当時の人民には奇異なことだったので、上役《かみやく》人《にん》なぞが糸取りの事を知っているのかと嘲笑《あざわら》うのが一般の状で、真面目《まじめ》に相手にする者も無く、山師者めらがと、反対感情を以てこれを迎え、妨害をさえ試みんとするものも有り、第二には外国人を忌む習《ならい》がなお強かったから、ブリュナー夫妻を宿泊さすることすら峻拒するという訳で、尾高も随分無益な困《くるし》みをせねばならなかった。工場・事務室・倉庫・乾燥室・役宅・教師洋館・工女合宿所・病舎まで建てようというのに、富岡は武州本庄《ほんじょう》から信州追分に至る信濃別街道中の小駅だから、材料を得るにさえ困難で、木材を得んとして妙義山の森林伐出《きりだ》しにかかると、天狗様の御山の木を夷人等の為に伐るなんぞとは途方《とほう》も無い事だと反対して、立退《たちのき》請求をする者すら有った。新五郎は仕方が無かったから、いや、天狗様はその土地を繁昌にし、土地の者を幸福にするを本心とする霊神に疑無いから、人々の手に金銀の落つることを妨《さまた》げる訳は無い、と諭したりして、幸《さいわい》に伐出しの日が天気和朗だったので、漸く民衆の納得を得たというような事だった。さて木材は得たが、西洋風工場を建つるに必要な煉瓦は無かった。いや煉瓦という言葉さえ無かったのだ。そこで新五郎は郷里附近の明戸《あけど》村の韮塚《にらづか》直二郎*に命じ、同村の瓦師を同道して富岡に来させ、ブリュナーから煉瓦の講釈をさせて、それからその原土を捜した。幸に富岡の東一里の福島町に土が有ったので、そこで焼出《やきだ》した。煉瓦は出来たが、セメントが無かった。教師のブリュナー及び建築師バスチャン、*器械師ベラン等の教によって自分の考案も加えて折角出来た設計図は有ってもセメントが無くては組上げられないからまた困ったが、新五郎は手計村から堀田鷲五郎*及びその子千代吉*という左官の上手を呼び出して、我が日本の漆灰の新製優等品を工夫《くふう》せしめて、遂に洋館三棟を組上ぐるを得るに至った。これはほとんど我邦における煉瓦建造物の最初だった。それで、明治五年になって、製糸工場一棟、長さ三十六間幅八間のものから繭置場二百坪、その外に三百人の工女を置くべき部屋、倉庫・乾燥場・貯水池等も漸次に出来、そして機械も据付《すえつけ》られた。

三百坪近い大工場に一本の柱も無くて巌のように堅く出来て、初めて見る大煙突から黒煙が噴上《ふきあが》り、何とも知れぬ機械が風の如く動いたのだから、田舎《いなか》の人々はただ呆れたが、呆れたのは可《い》いとして、その次には恐怖に捉《とら》われた。そしてたまたま西洋人の葡萄酒を用いるのを見て、彼等は血酒を飲む悪魔で、その為すところはすべてキリシタンの魔法だと云囃《いいはや》し、これに近寄る者は知らぬ間に生血《いきち》を吸取《すいと》られる、と信ずる者が多かった。その為に工女を募集しても誰一人応ずる者なく、堂々たる大伽藍の中、森閑として人無く、繭を繰り糸を製する者は傭聘《ようへい》した仏国工女ヒエーホール、モニエー、シャレー、バランの四人のみであった。血酒の妄談は辺僻の地に在っては明治十年頃まで存したことであり、かつまた動力の本源が見えなくて幾条の調革《しらべがわ》で機械の急動する場に臨めば、始めてその光景に接する者は心動きて神悸《しんおのの》くより、これを暗々裏に血を吸い奪わるると感じたのも無理では無かった。しかし工女が得られなくては何様《どう》にもならぬから、新五郎は自分の娘の十三歳だった勇子というを呼寄せて製糸を学ばせ、親戚知友の女子達を勧誘したがなお十人許《ばかり》しか得られぬのであった。その間に武州小川町在の青山村の豪農青木伝二郎の母照子が三十名を引率して工女となって呉れ、また手計村の松村鶩子、同族尾高治三郎妻若子等が働いて呉れたが、初期の工女等が皆豪農・鉅商《きょしょう》・士族・地方官等の娘で、時代を解釈し得る因縁ある者達であった事に照らしても、当時の世状が伺《うかがい》知《し》られる。上州附近ではかくの如くであったが、その中に遥《はるか》に距《へだた》った長州・防州等から何百里の山川を越えて、山口藩士族等の女子二百名が一団を成して来て業を執るに至ったので、工女は十分になった。この一団中には井上馨の姪女《てつじょ》の鶴子・仲子という二名が加わっていた、ということから推考えて、栄一の主管の官業の最初の模範工場に工女を得難いという困難を救わん為に、この事にあずかった井上・伊藤が自己等勢力の及ぶその地方女子を奨励して駆催《かりもよお》したことが知られる。実にこの新興工場が失敗に終れば、一切の新興工業は頓挫蹉躓《さち》して、欧風文明の移植に少からぬ歳月の遅渋は免《まぬ》かれぬことだから、当時の民を新《あらた》にし国を開くの勇気に満ちた人々は陰《かげ》にも陽《ひなた》にも力を尽したのであったろう。

さてそれで一切は漸々に成立って来たが、機関運転の主要用材たる石炭というものがその頃はまだ世間の常識に上《のぼ》っていなかった。外人教師の言によって、石炭は遥《はるか》に仏蘭西から将来され、横浜から三十里を人馬に搬《はこ》ばれて富岡まで来たのである。今から言えば虚誕としか思われぬほど馬鹿げた談《はなし》で、我邦でも石炭は「うに」と呼ばれて、既に芭蕉の俳句にさえ見えていたのであったが、実際未だ広く石炭は知られていなかったのである。欧羅巴《ヨーロッパ》から石炭を買って製糸をしたとて、経済上に何の利益が有り得よう。尾高は仏蘭西炭に代うべき燃料を得るに苦心した。辛《から》くも富岡を距《さ》る七里、高崎在の乗附山から褐炭を得てこれを用いんとした。品質下等なので教師等の反対は有ったが、押切って採掘と応用を進め、これを用いて採算上の不利を除去した。それから明治八年に至って、教師の雇傭約束の期満つるに及び、衆人の疑懼《ぎく》を排してこれを解傭し、邦人のみの手を以て優秀なる製品を得、中外の大喝采を博し、貿易上にも大利を獲《え》、他地方にも富岡に倣《なら》って製糸場を起すものが続々として起るに至った。

富岡製糸場の功を収むるに至ったのは、栄一が官を去った後であり、また栄一が自身経営に当ったのでも無かったのだが、大隈・伊藤・井上等の経国の新派を奮発させて、官業を以て民業の模範を示し、幕府時代の旧型を破り、以て明治の百般商工業発達の先鋒となり、随って日本の社会全体を新意気に燃え立ちて進歩するに至らしめたのは、実に栄一のこの挙が先《せん》を為したのであり、製糸場収功の時の長官松方正義《まさよし》*をして、尾高に対して、君の面《かお》も立派に立ったが、予の器量も為に上《あが》った、と悦ばしめるに至ったのである。

貨幣制度の改革は明治初年の大事業であった。安政五年、幕府と英米諸国との通商条約には、各外国の貨幣は日本貨幣と同量同価を以て互に通用すべし、とあったのだから、それで宜い訳であったが、当時我邦内では金一に対して銀十強、諸外国では金一に対して銀十五乃至十六だったから、外国人は我が金を買いて、彼の銀を入れ、我邦の正金は激しく流出した。米国公使ハリスは幣制を改革すべきことを幕府に忠告したが、幕府では国事多難だったから容易に著手し得ず、安政六年から新貨を鋳《い》ったが、それは金銀貨の品質を貶《おと》したに過ぎなかったから、金貨の輸出を防ぐことにはならず、国内物価の変動を来《きた》し、財界混乱を致すに過ぎなかった。各国公使は合理的幣制改革を幕府に逼ったので、幕府は慶応二年改税約書に幣制改革を予約したが、未著手の間に幕府は亡びて終《しま》った。そこで明治元年四月、貨幣制定の議が定まり、造幣寮が設立され、従来の両《りょう》・

分《ぶ》・朱《しゅ》・文《もん》等の制に由らず、円・銭・厘の十進法を取り、国内画一の新貨幣を鋳造流行せしむることとなった。もとより幣制改革は一世の大事であったし、それに関聯して国家の緩急に応ずる公債発行の制度及びその措置等も十分に考究せねばならぬので、明治三年十月、伊藤博文は芳川顕正《あきまさ》*・福地源一郎を従えて亜米利加《アメリカ》へ行き、公債・銀行・紙幣・金本位・銀本位、及び官庁の職制章程の事等を歴史と理論と実際とに就きて視察調査しては報告し来り、改正掛に居た栄一は頻りにこれを長官に伝え、かつ評議した。四年に伊達正二位は大蔵卿を辞し、当時最も勢力のあった大久保利通はその後を受け、井上馨は大蔵大輔となり、伊藤は帰朝して、経済上の新施設・新条例の必要急務なるを強調したから、大蔵省の勢威の拡張と事務の繁忙は言うばかり無かった。そこへ維新政府が是非とも乗切《のっき》らねばならぬ廃藩置県という大問題の処置が、西郷・木戸・大久保などの間に意見の和熟が欠けていたため今に至っていたけれど、自然の大勢で、終《つい》に四年七月十四日を以て愈《いよいよ》発令になって、完全に封建制度は亡びて郡県制度は成立つに及んだのである。が、これに関聯して処置の煩瑣であり困難であり、而も重要であるのは、各藩の経済上の引続《ひきつぎ》であった。各藩は各藩で藩債を有し、また藩の紙幣即ち藩札を発行していた。その藩債・藩札を中央政府の公債と貨幣に引換える場合に、新旧価値の判断が正当に、かつ円滑に実行されぬ時は、その藩府と人民とは非常な危険に曝《さら》されねばならぬのであり、経済上より引いて政治上の混乱をも惹起する虞《おそれ》が有った。井上の命によって、栄一は七月十三日は休日であったにも関《かかわ》らずその調査と処置とを定め、廃藩布告の政治的発令と相応じて藩債・藩札の経済的移行を無理の無いように取計《とりはか》らう実務順序を立てた。そしてこの一大事は順当に行われた。勿論その功を栄一のみに帰すべきでは無いが、夙《はや》くより官民の間の経済事情に能く通じて、兼ねて常識に富める栄一の周到なる考慮と穏和なる処置とが、種々の摩擦扞格《かんかく》の起るべき場合を平夷《へいい》に済ませたに力の有ったことは誰も認めたことであったろう。栄一は翌八月十三日には大蔵大丞に任ぜられた。

この年の五月十日を以て公布された新貨幣条例及び造幣規則、尋《つい》で同月二十八日制定された造幣寮事務取扱規則・事務施為方法概略・成貨試験分析定則等は皆栄一の手を経て出来たものであった。そして造幣頭には井上馨・伊藤博文等が歴任して、伊藤の東京へ転任するに及び、造幣権頭馬渡俊邁《としゆき》*その局長となった九月の末、栄一は命を以て大阪に赴いて事を督した。造幣諸機械買入、外国人技師雇入《やといいれ》、熔解所建築、伊藤博文建議にかかる古金銀預り証券発行、新貨幣為替座《かわせざ》を三井組に命ずる事、地金及び製貨の廻漕手《て》続取極《つづきとりきめ》等の事を処弁し、十二月十日を以て古金銀納入証券渡方規則は公布され、十二月二十日を以て新貨幣為替座を三井組に命ずることは、井上大蔵大輔・吉田同少輔*の名を以て達せられた。

十一月十五日を以て栄一は東京へ帰ると、思いも掛けぬ運命の変はその夜を以て栄一を驚かした。それは故郷の父が十三日を以て大病を発したという急使の到著したことだった。栄一は翌早朝に大阪の事務を復命し、井上大輔に請いて賜暇《しか》の許可を得、即刻に東京を出発したが、当時は未だ交通機関が発達せず、東京横浜間の鉄道さえ翌年九月に至って初めて通じたほどであったのだから、乗物は駕籠《かご》ではあり、大雨を凌《しの》いで行を急がせても漸く夜の十一時を過ぎて血洗島へ著くことを得た。著いて見ると家の前は盛砂《もりずな》をして番手《ばんて》桶《おけ》が据えてあり、親族の人々が慇懃に出迎えるという有様であった。砂を盛り水を備うるは徳川時代に貴人を迎うるの作法で、これは昔気質《むかしかたぎ》の父が、吾子《わがこ》とは云え今は有位顕官の身となった栄一を待つには相当の礼を以てすべきだという存念《ぞんねん》から出た事だった。栄一は恐縮もし、また感慨もして、手の届く限り看病をした。思えば文久三年に父の膝下《しっか》を辞してより今既に九年、始《はじめ》は家を累《るい》せんことを恐れて勘当廃嫡を請うたこともあったが許されずしてその儘になり、中頃は明治元年の暮、安部藩は前年一橋家へ貰請《もらいう》けられたとの故を以て村方別帳より栄一を除くべき旨を伝えたれば、藩命抗し難くて終《つい》に血洗島の人たらざるに至った。しかし父はなお栄一に家を譲ろうとする心を捨てなかった。その後栄一静岡藩に仕え、それより大蔵省の官となって郷里の家を襲《つ》ぐには不適当の事情となったので、今年四月戸籍法が新《あらた》に制定されたに際し、六月二十日東京府平民に編入されんことを弁官に願出でて允許された。そして父の意を空しうするの嫌《きらい》はあるが、家は妹に養子を迎えて業を承《う》けしめようとしている中に、終《つい》にこの大患を見るに至ったのであった。老病の事で再起の望《のぞみ》は薄かったが、鍛錬の加わった身体《からだ》であったから、小康を得たる際には、心識はなお健《すこ》やかであったので、父に対《むか》って栄一は養子を迎えることを謀った。父はこの家は汝《そなた》の承《う》くべきものなのであるから、我が亡き後はそなた次第である、という答だった。そこで栄一は父の妹のきいが須永伝左衛門*に嫁して出来た才三郎*を、人品も宜しく年齢も恰好なれば、妹の貞に婿として迎えて家を襲《つ》がすることを進言して、それでは宜しく頼むという、老人の安心を得させた。栄一は本系だが、分家となって別に東京に栄ゆる一家を興し、血洗島の家は佳婿《かせい》を得て安泰に続くことになったのだから、父市郎右衛門は家門の繁昌を胸に描いて満足したことであろう、十一月二十二日六十三歳を一期《いちご》として溘焉《こうえん》として長逝した。親子の恩愛、特《こと》に一世の為とは云え自分の料簡から多くの物思《ものおもい》を父にさせた栄一は、悲歎に暮れたは勿論であるが、まだしも現在身やや栄達して、しかも自ら湯薬に侍し、易簀《えきさく》に及び得たことは、いささか心のくつろぎを得たかたも有ろう。しかし孝思篤厚、追慕已む能わざるところから、身は東京に在った当時の情勢上、帰郷展墓も意の如くなるを得ざる故、翌五年十一月、東京谷中《やなか》の天王寺墓地に渋沢家塋域《えいいき》を設け、尾高惇忠《あつただ》に嘱して文を撰み、当時の名家である日下部《くさかべ》東作*の書、巌谷修*の隷額に成る荘厳の招魂碑を建てて、歳時の饗祭を致す便《よすが》にした。郷里の墓碣《ぼけつ》は初のは泐滅《ろくめつ》したので、明治三十一年一月再建されているが、これも文は尾高惇忠の撰で、書は栄一自ら書している。これ等の事は取立てて言うべきほどの事ではないが、栄一父子の間の一時は相睽《あいそむ》けるが如き痕《あと》を遺しても、慈父と孝子と、終始相愛敬して人道の美を成せるを知るべきである。

父の永逝は身心上に堪え難き打撃ではあったが、しかし直《ただち》にその家を襲《つ》ぐというのでは無し、幼沖《ようちゅう》の身でも無し、また行掛《ゆきがか》り上の責務を遺されたというのでも無し、自然の推移で、まことに円満な大往生を遂げられたのであったから、既に自立の年を過ぎていた栄一は、悲念は中《うち》に動いても壮心は屈せず、世に立っている自己一身上には何等の変化をも蒙《こうむ》らなかった。やがて除服を命ぜられて、黽勉《びんべん》して公務を執った。で、十二月十二日には従五位に叙せられ、同十八日には紙幣頭に兼任した。明けて五年一月十四日には、その立案に成る開拓使兌換《だかん》証券の発行を布告し、また函館の役に罪を得た同族の喜作の赦《ゆる》されたるを迎えなどし、二月十二日には大蔵大丞を免ぜられて、大蔵省三等出仕となり、大蔵少輔事務取扱を命ぜられ、なお旧に依って紙幣頭を兼ねた。これは大蔵少輔吉田清成《きよなり》が英国において公債を募集する為に差遣《さけん》されたからその後を襲《つ》いだので、公債募集は華士族の禄制を設けてこれを給与し、以て国庫永年の負担を除かんとし、兼ねて外債によって将来せる正金銀によって紙幣兌換の制の確立を得んとする井上大輔の立案によったものであった。よって吉田少輔出立に際し、栄一は少輔事務取扱を命ぜられたので、当時大久保大蔵卿は、前年末、岩倉大使欧米に差遣さるるについて、木戸と共に伊藤等多数の人々を従えて出張し居られたるを以て、大蔵省事務の全幅は井上大輔と渋沢三等出仕の肩の上に在るに至ったのである。井上も勉強した、まして栄一はなお更努力した。旧弊未だ除かず、新制なお完《まった》からず、百事草創、施設の急を要するものははなだ多き中に在って、貧弱なる大蔵省に立って強いて応酬せんとしたのである。鄙俚《ひり》の言を以てするははなはだ当らずといえども、譬えば井上はなお貧家の主の如く、渋沢はなおその婦の如く、主もまた苦み、婦もまた苦んだのである。しかも当時は封建制度の後を承《う》けていて、一国家としての経済機構がほとんど未だ成立っていず、金融機関たる銀行さえ出来ていないのであったから、遣繰《やりく》りの道を講ずるにしても、その道路からして開いて掛らねばならぬという困難に面して居り、上へ向っても下へ向っても、東西南北へ向っても、一々折衝応酬するばかりで無く、啓蒙的立場を取らねばならぬのであったから、常に二重の苦を喫していたのであり、二人は各省に対しては大蔵省の権能職掌を確立し、一般社会に対しては進歩せる経済機構の成立を招致するように誘導しなければならなかったし、また工業の新興の如きは手を垂れ耳を提《ひっさ》ぐるまでにせねばならなかった。

五年の五月二十一日井上大輔が、三井八郎右衛門*・小野善助*及び両人の番頭手代等を自邸に呼寄せて、両組共同で国立銀行を創立せんことを勧め、六月両組より国立銀行設立願書を大蔵省紙幣寮に提出するに至らしめた如きも、また旧来は存せなかった洋紙の製造事業の如きも、井上馨・上野景範と連名で一方は正院に建議し、一方は資力ある者を慫慂《しょうよう》せねば、その成立を見るべき予想さえ立たなかった。また関西鉄道会社を三井八郎右衛門等が起して、京都大阪間に鉄道を敷設《ふせつ》せんとし、正院に出願して許可を得、株券七十万円の発行及び全株式に対し年一割の利子を政府より与えらるることを大蔵省に託したところ、工部省ではその工費を百三十一万四千八百余円と定めて、その経費支出を大蔵省に求めた。かくの如き過程を来したのは今日より看ればはなはだ奇異にして有《ある》間敷事《まじき》に属するが、一割利子保証の七十万円資本にてこの事を成し得るという予想にも理拠の無いでは無かったろうけれど、また工部省を除いてはかくの如き新様式工事を担当し得る者が絶無の時において、工部省から会社全株金の二倍の工費を劈頭《へきとう》に要求されては、会社も大蔵省も工部省も三方共に出来ぬ相談の中に何の理窟も無く解消するよりほかは無かった。しかし会社は更に七十万円を、応募者の便宜を図りて十円以下の小券発行によって得んことを発案したり、また工部省は山尾*少輔が正院に上書して、鉄道会社金は当省において年七朱の利付として借上げ、建設工事致遣わし、追《おっ》て竣功開業に至りたる節は、運輸入金の内より七朱の利ならびに運輸・修繕その他一切の諸費を除きて、全益金の三分の一を右会社へ下渡《さげわた》したし、との案を立てたりして、十月十四日正院は山尾案を許可した。栄一は、それでは鉄道経費収支の権を全く工部省に収めんとするもので、人民合資にかかる会社、ならびにこれを監督する大蔵省の権限を冒《おか》し、経済の経路を紊《みだ》るものとして、正院に抗議してその容《い》るるところとなった如き、実に困難を極めたものであった。この問題は粘《ねば》り強くて重厚な栄一が何とかして成立せしめんとしたところだったが、六年五月の井上・渋沢辞職の日までも持越した末、同年十二月、大隈重信の大蔵省事務総裁の時、支持者の無くなったので終《つい》に流産して解消して了った。

　鉄道事業は蹉躓《さち》したが前に述べた製紙事業は順調に成立った。初め明治政府が紙幣を発行するや、太政官札・民部省札・大蔵省兌換証券・開拓使兌換証券等は皆邦内で製したが、在来の日本紙は烈《はげ》しき摩擦には堪えぬもので、かつその抄法も容易で材料も得易いところから、贋造が頻りに興った。そこで新紙幣を独逸に注文したり、金札引換《ひきかえ》公債証書を米国に注文したりしたが、その他郵便切手だの各種の印紙切手類だのの需用もはなはだ多いのに、一々その製紙印刷を外国に依頼して居ては、第一国家の文明が低度であるようで体面も宜しからず、また経済上にも不利であるので、新規製紙印刷業を政府自ら創《はじ》めるか、もしくは民業として奨励すべきであると、井上・渋沢・上野の連署で、その意見を建議し、添うるに開拓使雇米人アンチセル*の機械買入見積書《かいいれみつもりしょ》を以てした。この事業は資金も甚大なるを要せず、時勢の必要も明白であったので、民間有力者はこの慫慂を受けると各々《おのおの》競って自己一個の業とせんとして相争わんとするの状をさえ呈した。栄一は利益を公平に、かつ事業を有力ならしむるため、その持論たる合本共同経営を取らしめ、終《つい》に三井次郎右衛門*・小野善右衛門*・島田八郎左衛門*・三野村利左衛門*・古河市兵衛*等を出資者とし、五年十一月を以て会社設立願書を大蔵省に呈し、同六年二月に至り、認可を得て、成立せしめた。かくの如くにして呱々《ここ》の声を揚げた抄紙会社は政府保護の下に開業したが、これが後年鉅大なる王子製紙会社の前身であったのである。

米と油との如き重要商品の限月取引《げんげつとりひき》の起ったのは何時頃《いつごろ》よりの事なるか不明だけれど

も、蓋し商業の発達に際して即時取引にあらざる取引の起るは自然の勢《いきおい》にして、これによりて商業は円滑流利に行わるべきものである。しかし限月取引、即ち今日定期取引と称するところの取引は、その利の有る代りにはその弊もまた無き能わざるところで、窮屈に解釈する時は、その物現在せざるに将来においてこれを売買しこれを受授することを約束し、その代料の金子の現存せざるもこれを将来において買取ることを約束するが如きは、はなはだ不確実性の事にして、商業その物を理解すること少き者より看るときは、社会を危険に曝《さら》すが如く感ぜらるるを免《まぬか》れない。故に米油限月取引は明治二年六月、貿易商社に対して一旦許可せられたが、間も無く禁止され、また大阪堂島の米市場も、徳川氏早期より許可されていたが、明治二年には禁止された。これは百事維新を主として、旧弊芟除《さんじょ》を念とした新政治家が商業事情に通ぜざるよりの施為《しい》で、一応は無理からぬことであったが、四年四月には何《いず》れも再び許可されるに及び、大阪の油相場会所、京都の米油会所、兵庫の米相場会所等も四年・五年頃に許可さるるに至った。大蔵省の井上馨と渋沢栄一とは勿論限月取引を許可せぬ如き物解《ものわか》りの悪い人では無かったから、これを許可したのだが、当時政府部内に、限月取引即ち相場を立つるは賭博である、断然禁止すべし、というような論が中々強くて、その主張の有力な者が、司法界に英明俊敏の誉のあった司法権大判事玉乃世履、後には大審院長たり、明治の法律を築き上げたと云っても可《い》いほどの人なのだったから、時代の差には驚かされる。斯様《こう》いう草創時代に在って、玉乃等と論戦して大蔵省は大蔵省の立場として力を尽したのは栄一であり、かつはなお一歩を進めて、相場の取引は必ずしも米油のみに限るべきではない、公債株券の売買取引機関を設けるのも今日の急務で、以て経済界の流通運転を敏活にし、諸事業会社の経営発達に資す可きである、というような主張を為したのであるから、貞正を以て自ら任ずる頑固な人々からは異端視されたのは已むを得ざることであった。後には玉乃も仏人法律家ボアソナード*より学び得るところがあって了解し、栄一退官後一年ではあったが、七年株式取引所条例が制定公布さるるに至ったのだから面白いし、また誠意坦懐の玉乃は、一日栄一を訪《と》いて、曩日《のうじつ》の不明を慚謝したという佳話を遺している。一面にはかくの如き事もあったのであるが、また急速に社会状態が新旧交錯した時であったから、四年より五年六年となった六年一月の事である、東京において長清五郎という者が取引所設置を願い出たところ、大蔵省令によって東京府がこれを許可しなかったので司法省裁判所に出訴した如き事件もあった。当時公認の取引所は東京商社というものであって、それ以外には類似の者を建つることを許さない方針であったから、長は初め明治三年十月出願したるにかかわらず、その後の出願者たる東京商社は許可を得て自分は許可せられぬという道理は無いとて、裁判所へ出訴したのであった。裁判所は長の出訴を有理なりとして、司法省から法理論的に大蔵省へ交渉して来た。これに対して大蔵省令を支持した者は栄一で、経済界における施為は時勢の緩急に応じて機構に弛張《しちょう》を定むるに十分の参酌《さんしゃく》を加え、既に正院の許可を得て取計《とりはか》らった事であるから、普通理論により今これを変更することは出来ぬと答え、更に正院に対して、限月取引商法所の如きは、汎濫軽佻《はんらんけいちょう》の弊を生ずるにおいては、信用鞏固《きょうこ》を以てその重要精神とする商業上の大害である、故に大都会繁昌の地のみに限りて、各一ヶ所を公許すると規定したので、現在においては已むを得ざるの処置である、人民の権利を論拠として、限月商業機関の増設を許さんとする如きは、行政施為を乱さんとするものであり、司法省と大蔵省と論議交渉する如きは無用の事である、と主張し、正院遂に大蔵省の意見を是認してその事落著したが、斯様《かよう》の事も有ったのである。

火事は江戸の花という諺《ことわざ》は明治に至ってもなお用いられていた。五年の二月二十六日、和田倉門内兵部省の附属舎旧会津藩邸から火を失して、丸の内の官衙《かんが》邸宅を焼き、堀を越えて京橋以南民家を灰燼にし、築地に至って辛《から》くも熄《き》えた。そこで正院は防火性ある不燃質家屋の築造の要を感じて、工事を東京府に、資金支出を大蔵省に命じた。栄一は井上と図って、罹災民救助と兼ねては煉瓦家屋新築費の一部にと、大蔵省官吏の応分義《ぎ》捐金《えんきん》六千余円を得て、これを東京府に沙汰あらんことを正院に伺い出た。主意書は栄一の筆に成ったのであった。政府はこの刺激に会して太政大臣三条実美《さねとみ》以下各省各官皆義捐金をした。引いて官辺に関係ある各会社等も、皆義捐の挙に出づるに及んだ。両陛下の御下賜金を首《かしら》に戴いて、この金の総額は数万円に達したが、しかし皆救恤《きゅうじゅつ》の費に当てられて終《しま》った。別に煉瓦家屋建築の方は初め東京府によって経営され、その年七月大蔵省の取扱となり、建築局を設けて専管せしめ、九月土木寮に移し、六年五月、井上・渋沢退官の前数日、その一部は成りて居住者に引渡すに至り、京橋新橋間全部は十年五月に至って完成した。江戸の旧観を改め、東京の新興の意気を示現したのは、実にこの銀座通りの出来たのから始まって、次第に徳川文明の靡爛《びらん》に代る明治時代の潑剌《はつらつ》さを生ずるようになったのであるが、その創始経営は実に五年二月の火災を機として栄一の大蔵省時代に成ったものであった。火災保険の如きも、栄一は仏国において徳川昭武の賃借家屋にこれを附したる実験あれば、この時に井上とこの事を談論して、他日保険制度の我邦に興《おこ》るに至るの基《もとい》を為したと伝えられているが、如何にも然様《そう》有りそうなことで、義捐金の事と云い、煉瓦家屋建設の事といい、この事といい、すべて皆事功を立てんとするよりも、栄一の世に尽さんとする仁恕《じんじょ》の意志の発露であると解して不当では無いのであった。

栄一が在官中の事績は政体変革、百般の更新と草創との時に当れるを以て、その鞅掌《おうしょう》するところはなはだ多く、かつまた公事の故を以て、もとより一人の功としては論じ難き場合多く、必ず上司の認可と同僚の翼賛と下吏の運営とを須《ま》って、そして僅《わずか》にその事は進捗《しんちょく》し継続し得たのであるのみならず、当時の人々皆英明俊敏の材多く、加うるに薩長土肥等藩閥の力もまた暗に明に相援《たす》くるあり相排するありて、委曲微密《びみつ》の事情は後よりこれを知悉《ちしつ》すべからざるものが有ったのである。そこで栄一自身が、過去の経歴を語った際にさえ、官途にあった時の事は、遠慮もあり忌諱《きい》もあった故かこれを語らざらんとしたことが『雨夜譚』等に見えている。これは道理なことである。それを今において複雑な事情を強いて明白に記せんとするが如きは、真を失うに至るべき過失を敢えて冒すものである。故にここに輪郭的に、栄一が如何なる人々の間に如何なる地位に在って献替の誠を如何なる事情の下に致したかを総記して、在官中の記事を終らんとする。

最初の任官は明治二年十一月四日租税正に拝命。民部省と大蔵省とはこの年八月より両存一併されて、民部卿兼大蔵卿は伊達宗城、民部大輔兼大蔵大輔は大隈重信、民部少輔兼大蔵少輔伊藤博文、民部大丞兼大蔵大丞井上馨、造幣頭井上勝*、出納正林信立、監督正田中光顕という顔触《かおぶれ》で、実務の枢軸は大隈・伊藤であった。よって大隈に進言して、改正掛を置き、前島密・赤松則良・杉浦譲・塩田三郎等を挙げ用いた。これ等の人々及び先輩は大抵皆各才能をあらわし功を立てて昇進した。栄一もまた短日月の間に昇進して、後には大蔵省三等出仕少輔事務取扱にまで至った。伊藤少輔は三年の十月亜米利加《アメリカ》に行って、公債貨幣・経済法規等の事を調査した。芳川顕正・福地源一郎はその随行者だった。その本省への具申書は改正掛で取扱って、調査もし研究もした。四年に伊達宗城は大蔵省を去り、大隈も参議に転じて、大久保利通が大蔵卿になった。大久保は当時の権力者だったから、重要な大蔵省へ来たのであった。井上馨は大蔵大輔になって、実際事務の担当者となった。その五月に伊藤は亜米利加から経済法規等の新知識を齎《もた》らして帰った。廃藩置県はこの七月に行われた。吉田清成は大蔵少輔となった。伊藤・井上の後を受けて馬渡俊邁は大阪造幣局長となった。大久保大蔵卿は岩倉大使に随って欧米派出となり、伊藤もまたこれに随った。五年の二月井上の案によって公債募集の為に吉田少輔は欧羅巴《ヨーロッパ》派遣を命ぜられた。その故に栄一は少輔事務取扱となり、紙幣頭を兼ねた。井上大輔・上野三等出仕と、栄一とは大蔵省の枢軸であった。前に租税頭だった神奈川県令陸奥宗光*は租税頭となった。権頭は松方正義だった。陸奥は四月神奈川県令であった時、田租改正の議を上ったのから復《ふたた》び大蔵省に用いらるるに至ったのである。六年五月、大隈重信は大蔵事務総裁となり、井上・渋沢は連袂《れんべい》辞職したのである。

栄一在官当時及びその前後の大蔵財務事情を概記すれば、実に盤根錯節に当って利器もまた数々《しばしば》任うる能わざらんとするほどの状に在ったことが知られる。随って伊達・大隈・伊藤・井上・渋沢等が如何に旧弊の余を承《う》けて新政の功を樹《た》てたかもまた解せられるのである。第一皇政復古武門屏息《へいそく》の功は成っても、それは一時の政権移動の成就であって、我が国体が威力的に本来の相貌を現わしたというに止《とど》まり、未だ必ずしも直ちに万民の慶福となった訳では無かった。元弘・建武の時と同じとは云えぬまでも、ほとんど相似たる事情であったのである。しかるに建武の末は彼の如くになり、逆賊が却って一世の支持を得た観を呈し、終《つい》に長い長い闇黒期を現ずるに至ったのに、明治の聖代は何百年の積勢を覆《くつが》えして、しかも短日月に国運隆昌の実を現じ得たのは、聖徳の深厚無極なるに因《よ》ることも勿論であり、また輔弼《ほひつ》の臣の忠義徹底せるに本づくことも勿論であるが、蓋し建武の新政は多数士民の生活の実際に福利と安穏とを与うること薄くして、却って不便と不安との脅威を与えることが多く、明治の新政は一般人民を大御宝《おおみたから》として愛育したまう我邦の優美なる宏謨《こうぼ》の精神により生活の実際に幸福あらんことを期図したまうことが深かったので、懸隔相異なった結果を生じたことと想われる。生活の実際というのは端的に云えば生きて行かれる行かれぬで、なお一層俗的に云えば財を奪われる奪われぬである。建武の史実は詳しく分らぬから強くは論じかねるが、藤房卿の痛く悲まれたのは、何も千里の馬が重んぜられたによるのでは無く、万民の汗が軽んぜられた青公卿共《あおくげども》の政治にあったことは疑無く、尊氏が戦争は拙であろうとも能く大軍を得たのは、武士及び農民の実際生活を利益し安定する側《がわ》にその身を立たせていたのに本づくのであったろう。この意味からして明治の初年は実に皇政復古に取って危険を孕《はら》まぬとも限らぬ大切な時であったのであり、そしてその時において前記諸人が措置経営その宜しきを得て建武の二の舞《まい》を演ぜずに済んだのである。

幕府は潰《つい》えて明治政府は成立った。しかし何をしようにも先立つものは財である。貯蓄準備等が有って、それを背後にして新政府が出来た訳ではない。また幕府から引継いだ財が有った訳でもない。もとより財政窮迫がむしろその一原因で奉還された政権であったから、そこで政府は明治元年閏《うるう》四月を以て布告を発し、同五月十五日より太政官から所謂《いわゆる》太政官札を発行した。その布告には皇政更始の折柄、富国の基礎建てさせられ度《たく》、衆議を尽し、一時の権法を以て金札御製造仰出され、世上一統の困窮を救助被遊度《あそばされたき》御思召に付《つき》当辰年より来辰年まで十三ヶ年間皇国一円通用可有之《これあるべく》候、とあった。

そしてその金札は十三ヶ年にて上納済切の事という約束で、各藩へ石高《こくだか》一万石に付一万両ずつ拝借被仰付《おおせつけらる》、という事であった。表面の辞令はかくの如くであったが、事実は各藩へ一万石一万両の割合を以て、紙と印刷とを以て成立ったに過ぎぬものを背負わせたのである。各藩というのは即ち旧称の大名等である。即ち地方における政権分有者たる大名等に十三ヶ年賦回収約束の不換紙幣の流通を強いたのである。換言すれば不換紙幣を発行して政府自体の急を済《すく》うたのである。栄一が静岡藩に用いられた時は、あたかもこの太政官札五十三万両が藩に貸下《かしさ》げられた折であったのである。聡明なる者がこの札の始終する所を見透《みとお》さざることは無い、そしてその善処の道を発見せざることも無い。栄一が藩の為に謀《はか》って、この金を都《す》べて別途の経済として、殖産興業の為に運用するの策を、勘定頭平岡準蔵に献じて、終《つい》に商法会所を設くるに至ったのもその時であった。後年の渋沢子爵談話等には自ら諱《い》んで詳しく語られなかったものと思われるが、官札を以て貸下されたこの金を、藩の経済と引離して、別途のものとしたのは、実に栄一の聡明を見《あら》わしたもので、新政府の基礎未だ確立せず、引換《ひきかえ》準備も無く、発行制限も無き紙幣を発行して、それでその紙幣の価値と政府の信用が維持し得らるべきか得らるべからざるかは明白の事であるから、この官札の価値の低下と物価の騰貴とを予想して、商法会所では所員や用達を遣《や》って大阪で大に米穀を買入れ、東京へは栄一自ら出て大に〆粕・乾鰯《ほしか》・油粕等を買入て、相応の利を得たのである。官札はもとより流通困難で、驚く可し三府においてすら正貨に対して六割余の下落《げらく》となり、地方では授受せられぬのであった。既に発行のその年において、政府は官札の価値を支持せんが為に、租税金納の分は官札を用いるべきを命令し、また官札の相場を立つるを禁じ、また官札と正貨との交換に際して打歩《うちぶ》、即ち相場の差金を取った者は禁錮の刑に処したりしたが、そんな事で官札の威を保てる訳のものではないから、終《つい》に十二月四日には政府自らその流通に時の相場を以てすることを許し、禁錮した者を解《と》き、政府へ金員上納の場合には正貨百両に対し、官札百二十両の割合を以てすることを許したりした。しかし其様《そん》な委順の道を取っていては仕方が無いという意見が勝って、二年四月二十九日には、また硬化した命令が出で、正貨と官札の間に差を立つるを禁じ、もし違《たが》う者ある時は、本人は勿論、本人所属の府藩県長官・領主共に曲事《きょくじ》たるべきことを令したのである。こういう圧制が長く続いたら、明治政府も何様《どう》なったものか測《はか》られないが、十三ヶ年通用の筈のを五ヶ年に短縮することを示し、また二年の五月二十八日には、製造官札の成行を布告を以て示して一般の危惧を解こうと力《つと》め、右既発行官札の内、千三百万両余は府藩県石高に応じて貸付《かしつけ》、千四百万両余は昨夏以来の政費に用い、残った五百万両は今年の貢税収入期までの政費に当てる筈とし、右計三千二百五十万両の外は製造発行せぬこととした旨を布告した。そして別紙を以て、当年冬より新貨幣鋳造、来申年までの間御引替下《おひきかえ》さるべく候、もし右年限中引替相残り金札所持致候者は一ヶ月五朱の利息を以て七月十二月両度に割合御払下《おはらいさげ》仰付られ候、と布達し、官札価値を保つべく、一般の理解を求めた。その代り他の一面には、正金と金札引替に打(差金)を取り候者はその打金だけの罰金を差出さすべく、ただし打ち出し候者はその半高の罰金を差出さすべきこと、再度打を取り候者はその打高を倍し、罰金差出さすべく、打を出し候者はその打高罰金を差出さすべく候事、右の通罰金法立置《たておき》かれ候に付ては、素《もと》より役筋の者広く吟味探索等致候えども、下方においても見聞致候者は用捨無く白封を以て訴え出づべく候、しかる上はその罰金高の八割を以て訴人へ御褒美下さるべく候、という法律と警察と賞金との三ツにかけて官札流通を強いたのであった。経済上の趨勢というものは、水の常に流れて平らかならんと欲するが如く、落著くところに落著こうとするものであるから、此《こ》様な小刀細工《こがたなざいく》で何《ど》様なるものでも無く、政治権力の強く行わるる三都にのみ官札は集まり来って、正金は地方へ持ち去らるるの状を呈した。そこで同年六月六日、政府はまた各府藩県に、石高一万石に付金札二千五百両の割合を以て下渡《さげわた》し、右金高だけ正金を上納すべし、と命じた。しかし以上の諸令は皆満足に実行せられかねたのである。かくの如きの時において、市郎右衛門を父とし、平岡円四郎を先輩とし、一橋藩に藩札を仕立てた経験も有り、欧羅巴諸国の経済情状をも窺知した履歴もある栄一がこの政府の態を横から見透していたのだから、随分奇異に見えたことで有ったろう。前に記した通り栄一は商法会所の大額の官札を東京へ持って来ては肥料などを買ったのである。ところで二年の八月末、静岡藩庁から、藩の資本で商業をするのは朝旨に悖《もと》るから取止《とりや》めろ、という内意が下って、商法会所は常平倉と改まった。藩庁が前に自ら喜んで仕始めさせたことを、朝旨に悖るからとて取止めさせるに至ったのは、中央政府から何か内意が有ったからに疑無く、また政府の官札流用に利有らざる結果を致すこと明らかなる大袈裟の官札東京持込《もちこみ》をする商法会所の所業を政府の小吏が見逃《の》がそう訳も無いから、正面から詰責《きっせき》したでも無かろうが、一体その藩の商法会所というものは何であるか位の問合《といあわせ》が有ったのであろう。然《さ》無《な》くとも政府から注意されてい、政府に気兼《きがね》している静岡藩が、そこでたちまち表面だけにせよ商法会所を取止めるに至ったのであろう。そしてその商法会所を立てた渋沢某という者の名は少くとも民部・大蔵に知られたろうと思われる。さなくともその年六月六日、東京へ呼ばれて、清水昭武仏国滞在中の会計残務結了の為、外国掛官に事情説明等をして首尾井然《せいぜん》と手際好く事を済ませたが、八月中旬まで官辺と応酬したのだから、栄一の経歴・人物・材能の、凡庸でないことは知られた筈なのである。静岡へ帰ったのが八月十五日、商法会所の廃止が同月二十七日、名を改め実を同じうした常平倉を立てたのが九月一日、常平倉役所を徙《うつ》したのが十月三日、そこで太政官へ召され、静岡藩から引抜かれたのが、十月二十六日である。だから政府の経済上の手際は重々不手際千万で困りぬいたところ、渋沢某の経済手腕は一橋家士の時、在仏国の時、現在静岡藩士たる際、その功観る可き者がある、これを捨置いて用いないのは愚であるというので、そこは風呂敷の大きい大隈大輔が引張り出したのだと思える。栄一自身の談では、誰が推薦したのか明らかには分らぬが郷純造《ごうじゅんぞう》*とか云うことであったと余所々々《よそよそ》しく語ってあるが、郷純造ならばこの時はまだ大官などでは無かったろう、後年に至り大蔵省国債局長を長く勤めて、能吏の称を得、老を以て円満辞職をして文雅に遊び、聴雨荘何やらという配り本の雅冊には暗に范蠡《はんれい》*に比せられている五三居士その人で、輪郭大ならざるもまたこれ一個の人物である。しかし松方正義でさえ井上・渋沢退官の明治六年頃まではなお微官であったのだから、郷の当時の地位は測り知るべきであったので、これは推薦などというよりも、何人かの命を承《う》けて、渋沢某の人となりや経歴才能を取調べて報告したというところがその真相であったろうと考えられ、そしてその言によって、然様《そう》いう人物ならばこれを静岡藩に置こうよりは、中央政府で使ってその材能の力を致させようということになったものであろう。大久保・大隈・伊藤・井上等は皆有能の人ではあったが、経済財務の事はまた別途の才能と練達とが無くては能くし得ぬもので、元年官札発行以来の度々の布告を見るに当時政府の窘窮《きんきゅう》は知るべきである。そこで自分等の手下にこの際善処し能うべき人材が無かったから、今まで敵視した徳川家の士を余り好ましくは思わなかったに相違無いが、迎えて以て吾が用となすの賢明の途に出たのである。この故に栄一は孤立無援の身を以て官に在ろうよりはと、最初は辞意を有していたにかかわらず、大隈は切に引止めて、静岡藩の為にするより日本全体の為に力を尽すのが当然だろう、と栄一を放さなかったし、またそれからその言によって改正掛を置き、前島その他静岡藩人をも援《ひ》いて用いたのであった。されば端的に云えば、明治新政府の財務上の困難と、渋沢栄一の財務的履歴及び才能とが、両者を結びつけたのであった。

この太政官札は元年五月より同十二月までに二千四百万両余、二年一月より同年十二月までに二千三百九十万両余、総計四千八百万両を発行し、その中拾両札・五両札合計二千六百万両余は八年五月三十一日に至って通用を停止し、壱両札以下二千百万両余は十一年六月三十日に至りて漸く通用を停止するを得たもので、四千五百六十万両、即ち大部分は、五年三月、即ち井上・渋沢在官中、新紙幣との交換によりて、その消却を開始したのであった。

太政官札の外に政府は民部省札を二年九月十七日布告によりて発行した。布告によれば、小取計《とりはからい》の困難を済《すく》うために弐分・壱分・弐朱・壱朱の小札を発行するというので、その発行高だけは壱両以上の太政官札を引揚げて消却するということだったが、それは空言に終って、事実は政府の急を救うために総計七百五万両の不換紙幣を出したのに過ぎなかった。この省札は、すべて太政官札に準じて、同様に取扱われ、主《おも》に新紙幣に交換されて消却された。

太政官札・民部省札は、発行の理由は如何に布告されたにせよ、その実は政府の財政窮乏を救うために已むを得ず製造された不換紙幣で、政府の信用を賭した不良性のものであったことは争えない。しかし四年十月十二日の布告によってその年及び翌五年に亙りて発行された大蔵省兌換証券六百八十万円は、兌換の事務を大蔵省監督を以て三井組に託したるも、兎に角兌換の形式を以て世に現われたのである。ただこの券は拾円・五円・壱円の三種であったが、製造粗拙にして贋造を防ぎ難い弊があったので、八年一月十五日布告してその年五月末日限りに通用停止し、悉皆《しっかい》新紙幣と交換されたのであった。

開拓使兌換証券二百五十万円は、五年一月より北海道開拓使と大蔵省と訂約して発行された。これは大蔵省兌換証券と同性質同形式を以て、同じく三井組の手により発行し、小券は六年十二月末限り、壱円以上の券は八年五月末限り、十二年三月に至り全部新紙幣との交換を了えた。大蔵省及び開拓使兌換証券は、名は兌換であったが、結局は新紙幣と交換されたのだから、矢張り不換紙幣となった訳だった。

新紙幣は藩札・太政官札、及び諸種の紙幣を画一にし、贋造を防ぎ、経済統制に便ならしめんため、三年十月独逸国フランクホルト府ドンドルフ及びノウマン商社に命じ、一億三百五十三万余円を製造せしめ、四年十二月二十七日布告を発し、五年四月より流通せしめた。この紙幣は用紙の裂け易かりしと、各種大小幣の紙幅及び金員の字様の率《おおむ》ね同大なりし等の欠点ありしも、この出現によりて従来の各紙幣を廃し、紙幣統一を成し、後年我国印刷局において完全なる紙幣を製造するに至る段階となったし、また世間の信用を牢固にするの大功を成し遂げたのである。

政府発行の五種の紙幣は右の如くで、新紙幣に至って、従前四種の紙幣を滙会《かいかい》して一と為し得たが、溯《さかのぼ》ってなお一の困難至極の事は、明治以前より発行されていた藩札の事であった。藩札というのは越前福井藩で寛文年中に国用の不足に苦み、嘗《かつ》て幕府が越前家に約したる増封を履行せざるを口実とし、その許可を得て藩内に発行したのを最初としたと云われているが、その事実の如何は知らず、支那あたりの交鈔《こうしょう》・宝鈔等の制に本づいたものか何か分らぬが、諸藩で財政困難の場合は、幕府の許可を得て、各藩で藩札を発行し、その藩内でこれを通用したのであった。それは経済界を混乱に導く場合もあり得ることであるから幕府は勿論これを悦ばず、引揚《ひきあげ》年限を指定したり、または禁止令を発したりしたが、何時《いつ》も実際には行われず、晩年に至っては各藩皆疲弊していたから、愈《いよいよ》藩札を増発するに至った。その果に明治維新となったのだから、手の付けようも無い乱脈であり、加之《しかのみならず》四年七月十四日廃藩置県となって、同年十二月十八日、藩札は悉皆政府においてその消却の方法を立つることを令せざるを得なくなった。しかるに政府へ引揚げた藩札の準備金は、正貨・政府発行紙幣・米、はなはだしきは同じ藩札を以て成立していて、しかもその額は僅に三百四十五万両余に過ぎなかったのであり、諸藩より政府へ報告せる藩札流行高は、四千三十六万両余であり、藩札種類は金札・銀札・米札・銭札・永札《えいさつ》・綛糸札《かせいとさつ》・轆轤札《ろくろさつ》等の各種類中に数位の異なるもの大小種々あり、合計千六百九十四種もあり、発行者たる藩は二百四十四、県は十四、旗本領は九であったというから、取扱も煩雑にわたり、額面も巨額であり、かつまた五銭未満の小札さえ三百二十一万両余も有ったのだから、始末が悪かった。それ等を交換消却にかかったのは、明治四年からで、十一年になって漸く整理し尽すを得たのであった。元来藩札は皆窮乏より生じた欠陥を掩《おお》うため貼付《ちょうふ》した無理な膏薬であったが、無理な膏薬だけに合理的に引剝《ひきは》がして取捨《とりすて》なければならぬもので、無理に引剝がせば到る処に血が湧き痛《いたみ》が生ずるわけであったし、新規に出来た中央政府対地方的の割拠の余勢がなおそれぞれの習慣や愛情を支《ささ》え存していた時だから、実に一髪で千鈞《せんきん》を引く危い事情であった。廃藩置県は本より宜い事であったが、藩札は実に厄介なものであったに疑無い。

正貨の方もまた面倒な事情があった。正貨は金なら金、銀なら銀で、それだけの価値を有しているのだから、政府が変り、政体が変じても差支無い筈だが、その貌は正貨の如くにして、その質ははなはだ不良なるもの、即ち贋造または劣悪の金銀貨は、これまた一箇の難問題であった。幕府末期においては、貨幣の改鋳によって、悪貨を多く作りて自ら救ったし、諸藩もまた自ら窮乏を救わんとして私鋳の策を取ったし、明治政府もその初は江戸・大阪の両金座において弐分金・壱分金・壱朱金の宜しからぬものを鋳造せしめた。私鋳にかかるものは特《こと》に劣悪のもので、所謂弐分金であって、名は金貨であるが銀胎に金鍍《めっき》、はなはだしきに至っては銅胎金鍍であった。この劣悪極まる貨幣は、東北鎮定の為に行軍した諸藩兵士の運動と共に流布《るふ》したのであった。良貨は駆逐されて、悪貨は世にはびこった。太政官札は初め流通が良くは無かったが、弐分金は官札百円に付て五円以上の打歩をしなければ人民は交換を肯んじなかったといい、また外国人は厳しい談判をして政府に交換を引受けさせたということで、この改鋳もまた当面の厄介なことであった。

紙幣の方でも贋札《がんさつ》発行という厄介な事情が存在した。贋札はもとより論ずるにも及ばぬ不法のものであるが、当時において贋札の世に出たのは、少し別な事情があった。それは維新前後に諸藩が大抵財政困難であったので、前述の貨幣を贋造したり、次《つい》で政府の許可をも得ずして藩札の新造や増発をした、それに慣れた風習から、今また政府の紙幣を贋造したもので、藩によっては新政府を悦ばないところから、然様《そう》いうことをしても関《かま》わぬというような気味合《きみあい》も有ったかと疑われる。そこで三年六月には政府から各府藩県に密諭してこれを滅絶せんとし、贋札改所《あらためしょ》を三府諸藩に設け、罪の軽重を論じて犯人及び管轄官庁の吏を罰した。かかる世態であったから、単に邦内のみでは無い、狡《こう》黠《かつ》なる支那人は上海《シャンハイ》において大量贋造をして、たださえ混乱状態にあった我邦の経済界を濁すことさえした。よって我政府は官吏を上海に派遣して、犯人呉吉甫・曹松甫・李子根・張栄昶等を発見し、同国官の陳福勲に照会詰問してこれを処罰せしめ、贋版十面を没収したという奇談さえ生じたのである。

通貨の上だけでも上述の如き紛乱錯雑の時に当って経済本幹の大蔵省に立って、弊を去り乏を救い、国家をして漸く整いかつ漸く固《かた》からしめようとしたのであるから、当局人々のその労苦は実に一通りでは無かったのである。何よりも苦んだのは経済機関たるべきその機関さえ無かったのであり、紙幣一つ造るにも製紙事業から起さねばならぬというのであり、日本銀行・正金銀行はもとより、普通銀行というものすらなお一も無かったのであり、その融通機関の頼む可きものも無く、備変備荒等の準備も無く、あたかも焼原に立った空屋の如きものが新政府その者なのであった。そしてその柱石たる人々が、戦陣や政治の上には雄偉聡明の人々では有ったろうが、会計度支《たくし》の事には意を用いること篤《あつ》からずして、一切の根原、国家人民の真生命を把握せる経済の上の事にはその智の疎なる人々であったのは、実に恐るべく危ぶむべきことであった。それでも伊藤・井上・渋沢その他の、政府の為に謀《はか》って忠なる遣繰《やりくり》の結果、二年から準備正貨蓄積の策を立て、五年には千四百七十万円余、八年には二千万円足らずの正貨を積むことを得たのは、後日から見れば数字こそ僅少《きんしょう》であるが、実に飄風《ひょうふう》一たび到らばたちまち飛ばんとするの空屋をば克《よ》くも充実重厚ならしめたものであった。それで内に充《み》つるあるものは外に観るべきあるの道理で、不換兌換の論なく紙幣は漸く正貨と同価に通用するに至り、即ち政府の信用は全く出来上って、十年西南の乱の数年前には空屋も終《つい》に空屋たらざるに至ったのであった。

六年五月三日、あるいは云う四日午前十一時頃の事であった。大蔵大輔井上馨は苦《にが》りきった顔色《かおつき》をして政府から大蔵省へ帰って来た。少輔事務取扱即ち今の次官格であった渋沢栄一をはじめ省内の高官等は招かれて井上の前に集まった。井上は後に雷公爺と云われたほどの癇癪持であり、特《こと》にこの頃は齢《よわい》も壮《さかん》であったから、蓋し烈気当る可からざるものが有ったろう、自分はこの度辞職いたす、と云切った。そして栄一に向って、今申した通り辞職するに決したからは即刻此処《ここ》を退出いたす、就いては跡の始末は足下を始め一同に宜しく御頼み申す、と云って早くも退出しようとした。そこで栄一は日頃井上と同意見同主張で何事も為し来ったのであるから、急に引留めて、貴官が御辞職なさるる上は拙者も辞職いたす、拙者の辞職の念は御承知の如く今に始まったことではござりませぬ、既に再々その意を申出たことでござるが、貴下の御引留をこうむり、かつまた貴下と意見を同じうしたるにより、微力を尽して今日に至ったのでござりまする、しかるに貴下の御意見行われずして職を辞せらるる以上は、何を以てか貴下の後に残り居りましょうや、拙者も辞職と決心いたしました、と井上と袂を連《つら》ねて大蔵省を退出して終《しま》った。丁度十二時やや過ぎた頃であった。やがて両人共式に随《したが》って辞表を呈出した。

井上の辞職は予《かね》て政府の財政を鞏固に順当にすることは今の最必要であるという立場から、他の各省の要求する政費を、然様々々《そうそう》は応じきれぬと、削減したり否認したりする、と各省ではまた必要政費を大蔵省で出さぬというのは何事だ、何様《どん》な遣繰《やりくり》をしても要求に応じて呉れるこそ大蔵省の役目ではないか、と攻め立てる、その争《あらそい》の妥協点を見出し得なくなっての破裂であった。それ故その日より前に既に井上・渋沢は内談して、飽《あく》までも大蔵省の意見を突張《つっぱ》って、それでも政府の同意を得ぬときは、是非ないことである、職を去るまでだ、と決定して而して三日の議に井上が一歩も譲らず戦ったが、多勢に無勢で全く敗《やぶ》れて終《しま》ったから、自分の主張に殉じて男らしく職を去ったのである。当面の敵は司法省・文部省の増額請求であって、既に前年十一月にも井上は辞職の意を決して大蔵省へ出勤せざるに至った。それでは困るというので、三条実美公は憂慮の余り再三渋沢の宅を訪《と》いて、出勤を勧誘するように、かつまた渋沢にも辞職などせぬようにと懇説せられた。そこでその年は何様《どう》にか折合ったが、此方《こちら》が強ければ彼方《あちら》にも強い男が居た。それは翌七年に内乱まで起したような性格の持主の江藤新平*であった。藩閥の故もあったか、詳しいことは知れぬが、江藤は井上とは元来そりが合わなかったので、江藤は井上を、怪《け》しからぬ奴、大蔵の要地に拠って増長跋扈すると悪《にく》み、井上は井上で、地位が低いからとて江藤に圧《お》されてはいなかったから、おのずから軋轢は月日と共に烈しくなったのであった。叛乱者と雷公爺とでは相争いもしそうなことだった。渋沢は井上よりまた一段低い官であったし、江藤と相容れぬなどということも無かったのであり、却って四年の七月に僅々一ヶ月ほどの間であったが、枢密権大史に任ぜられた事があったが、その推薦者は江藤であったということが伝えられている。その内面の事情と理由とは不明であるが、八月には大丞となって大蔵省へ復《かえ》ったのであるから、強いて深く考えれば何か事情も有ったか知らぬが、大蔵省の方で財務の専官にその手腕有る渋沢を要したからその人を取戻したというに過ぎず、そしてその時大蔵大丞に昇官させたのであった。井上・渋沢は性質は違うが俗に言う馬が合ったもので、親しく提携しあっていたのだし、井上の意見を渋沢が輔《たす》け、渋沢の意見を井上が用い、互に諒解し合い是認し合って今日に至ったのだったから、仮令《たとい》渋沢に前々から辞任の意が無かったにしても、一鴈飛び去って一鴈留《とど》まるようなことは本より無かるべきであった。

大蔵卿大久保利通が外に在ったので井上・渋沢は大蔵省を肩にしていた、それは自然の事であったのに、この年参議大隈重信に大蔵事務総裁という名が与えられて、二人の頭上に置かれた。これは大隈が自ら望んで然様《そう》いう地位に就いたのか、何人かが計謀籌画《ちゅうかく》して、大蔵の二鯁骨《こうこつ》を抑えるべき重力あるものを据えたのか、財布を握っている大蔵省が兎角思うようにその紐を緩《ゆる》めて呉れぬので、衆議の結果が、度量洪大で、やや開け放しの気味さえある一偉物の大隈が前に大蔵に居たのを便宜に、其処《そこ》へ衝《つ》き出したのか、それは分らぬが、当時においては先ず番頭格で切《しき》りに誠実に働いていた二人の上に、後見職のような顔つきで大隈の出て来たのには、二人に取っては遣り難《にく》かった事だったろう。元来明治政府は国家の最高至尊を奉戴していたことは犯すべからざる強味《つよみ》であったが、その実は英俊揃いであったとは云え、実際政務に経験は少い公卿と浪人の集合であった。そこで自然と出来たものは、内治を主とする一派と、国権を重んずる一派とであった。いずれも国家に忠なる立派な意見で、それを甲乙すべきではないが、内治派は公卿及び聡明的の人々で、国権派は武人及び精神的の人々であった。三条実美はただ至忠至誠でむしろ偏倚《へんい》せぬ方であったが、右大臣岩倉具視《ともみ》、参議木戸孝允、同大隈重信、大蔵卿大久保利通、工部大輔伊藤博文、大蔵大輔井上馨等は前者に属し、参議西郷隆盛、同板垣退助、同司法卿江藤新平、外務卿副島種臣《そえじまたねおみ》＊等は後者に属していた。前者は王政の完成を希望して、幕末時代の標語であった勤王の方から系《すじ》を引き、後者は国威の宣揚を図りたくて同じ時代の標語であった攘夷の方から系を引いた気味があって、敵視した将軍政治の存在した間はほとんど一体であったが、幕政存せざるに至っては、おのずから力を致さんとするところの相違から相背《あいそむ》き相争うの情無き能わざるに至り、双方とも悪くも無く無理も無い意向ではあるが、実際の事に当ると、ややもすれば東西に睽《けい》離《り》して親和する能わざるに及んでいたのであった。それに藩閥の異同の感情も絡《から》まないという訳には行かないのが、血肉を有している生身《なまみ》の人間の是非無いことであり、薩州と長州とは幕政存在時代にさえ軋轢《あつれき》したほどであるから、木戸と西郷とは智者と大人《たいじん》だった故、醜い争《あらそい》などは為《し》なかったにせよ、腹の中では互に面白く思っていなかったろうことは、後に西郷が兵を挙げた時、病中に在った木戸が奮ってこれを討たんとした折の言葉でも推知される。ましてやや狷介《けんかい》の性情の所有者だった江藤・板垣・副島、また識見手腕においては群を抜いて居て而も峻厳な大久保、また木戸の翼の下の者であったにせよ漸く頭角をあらわし来った伊藤・井上、また腹を見せぬ上に妙に腹の大きい大隈、これ等の薩長土肥、さまざまの人物が頭を揃えて居て、しかも封建時代の余情がなお存していた時であるから、何時《いつ》の代にも有勝《ありがち》な勢力争い意見争いの暗闘というものが無い訳は無かったのである。それに丁度この時、岩倉・木戸・大久保等は海外に出でて居り、西郷・板垣の勢力は廟堂を圧するの概あり、そこへ極力長州・薩州の勢力を殺《そ》がんとして腐心していた江藤新平が、自分所管の司法部の予算を取ろうとして直接問題で衝突して来、文部卿の大木民平までを同勢にして掛って来たのだから、井上が何程《いくら》抗論しても敵《かな》うわけは無かったのである。それのみでは無く、大隈は大蔵事務総裁として、三条太政大臣の命により財政実際を調査した結果、当時の財政は井上・渋沢等の上申せる如く窘迫《きんぱく》せるものにあらずして、融通の余地は優に司法・文部両省の要求額を支出し得るものとした会計予算書を正院に提出したのであるから、井上・渋沢二人の意見は丸潰《まるつぶ》れとなったのである。西郷・板垣がかねて井上を悦ばずして、財政の説に無頓著であるのは前々からであったが、大隈は財政の局に当った経歴もあり、その理解も有るのだから、二人を支持すべき筈ではあったれども、司法・大蔵両省の確執は本年一月江藤及び司法大輔福岡孝悌《たかちか》*が辞表を提出するに及び、痛く三条公を憂慮せしめたのを見て、廟堂全体が井上側を援《たす》けざるに鑑《かんが》み、然様《そう》いう意見を出したのであるから、井上等の立場は無くなり、井上は偽らざる自己の信念に殉じて辞職するより他《ほか》は無い訳になったのである。従って同意見で、同戦線に立っていた渋沢が官を退《しりぞ》くに至ったのも当然の事であった。もしそれ藩閥の余情、各人の性質等、裏面の観察までを詳《つまびらか》にすることは、ここに省いた方が却って宜かろう。

かかる事情で井上・渋沢は退いたが、これは本より今日起った事ではない。渋沢はこれより先き時事に感じて、自己の意見を那珂梧楼《なかごろう》＊に口授《くじゅ》して起草せしめてこれを建白せんとしていた。辞表提出の翌日栄一は井上と会した際にこれを示した。座には芳川顕正も居合せた。井上はその稿文を読んだところ、全く意見を同じうするから、両人の奏議として三条公を経て奏上しよう、という事になって、五月七日を以て連署で提出するに至った。病気の故を以て退いたというのでも無かったから、一面においては辞職の理由を述べたようにも取られ、あわせて自己等の意見の正当であり忠実であることを主張したようにも取らるるもので、実にそれは論旨堂々として事に切《せつ》に時に適したものであった。しかしそれが英国人ブラック＊が当時我国に在って発行していた邦字新聞の『日新真事誌』に掲載され、尋《つい》で『曙新聞』にも転載されたので、政府に反対するが如き大議論の世に現われたのはほとんど最初の事であったから、朝野震駭沸騰《しんがい》し、士民囂然《ごうぜん》として、賛非《さんぴ》区々《まちまち》、中々の騒動になった。政府は右建白書中の事実相違の点を指摘し、「右等申出の儀不都合の次第に付《つき》、書面その儘差戻候事」と朱批して、建議を却下し、また人心を鎮撫せん為に、世間から疑惑さるること無からんことを期し、六月九日を以て、歳入歳出見込会計表を編製したのを大蔵省から公布した。歳出入会計見込表の公布はこの年より始まって、爾後《じご》の例となったが、これ実にこの時の刺激より出たことで、財政法の

発達を促《うなが》した結果を得たのである。当時栄一に詩あって曰く、

官途幾歳誤㆓居諸㆒
解㆑印今朝意転舒
笑我疎狂尚未㆑已
献芹留奏万言書

官途　幾歳　居諸を誤るも
印を解き今朝意転《うたた》舒びたり
笑う　我が疎狂のなお未だ已まざるを
献芹《けんきん》のため留め奏せる万言の書

忠言容《い》れられずして身は野に下りながら、精誠已む能わずして、献芹の意より万言の書を留め奏せる、その意見の是非は姑《しばら》く論ぜず、操持貞固態度巍々《ぎぎ》大臣の風格ありと云うべきものであって、蓋し意転《うたた》舒びたりというものも、また決して偽飾の言では無く、井上はいざ知らず、栄一においては実に却て快然たるものが有ったろう、健鶻《けんこつ》もとより樊籠《はんろう》のものでは無いのであったから。

その代りに江藤等は怒った、大隈も不快に思ったろう。五月十四日(あるいは云う五月二十三日)依願免出仕という辞令は下った。しかし栄一はなお御用滞在被仰付《おおせつけらる》ということであった。これは当時事務引継の詳確を期する為に官省所在地に滞在し、遠隔の地

へ去る勿《なか》らしむる為であって、十二月十三日に至って滞在もまた免ぜらるるに至った。井上は政府の秘密を世間に漏泄《ろうせつ》したという廉《かど》で、罰俸を課されたということであった。栄一の退官に就いては司法権大判事玉乃世履、同松本暢など小川町の居を訪《と》いて翻意を求めたが、この時栄一は予《かね》ての官を尚《たっと》び民を賤《いや》しむ邦俗の陋習《ろうしゅう》を非とするの説を吐き、古人論語を以て政《まつりごと》を為せるあり、予《よ》まさに論語を以て商業界に尽さんとす、という気燄《えん》を揚げて両人に将来を語ったということである。如何にも然様《そう》であったろうと思われる。

井上・渋沢連署の奏議は実に万言の書で、臣馨臣栄一憂懼《ゆうく》の至りに堪《たえ》ず、誠恐誠惶《せいきょうせいこう》、昧死《まいし》以聞《いぶん》、と結んだ大文字である。それは切《しき》りに手強く予算額増加を欲した各省文武を向うへ廻して、財政の大本から論じて、無理である、危険である、御控えめされずば国家の御不為《おんふため》である、と突張《つっぱ》ったもので、今ここにその概略を挙げずば、二人退官に至った経緯が不明になるから、簡単にこれを記することとする。先ず第一に国家の進運と時勢の趨帰とを説いて、旧を去り新を成すに今専ら大切なる時なるを論じ、次いで更新開明隆治の世を現ぜんとするに、政理上の空《くう》に馳《は》せて多端の形式的の備わらんことを求むるも然《さ》ることながら、民力上の実に貼《つ》きて精神的の強からんことを急なりとするを説き、数百年の封建政体を更《あらた》めて一旦王道政治を布《し》ける今日は、たとえば劇剤を用いて疾病を駆《か》れるが如くなれば、宜しく次いで温補《おんぽ》の薬を施して、漸く健康を復し気力を増し、以て秩序的に勇壮有為の民たらしむべきである。しかるに今遽《にわか》に政理上の完を欲するの余、多端の経営の具備を求むる時は、これが為に財を要することはなはだ多く、而して財足らざればその勢は課税に頼《よ》らざるべからず、疲憊《ひはい》せる民に対して、温補の道を与えざるのみならずして、これに苛重の労作を強いんとするに至らば、これ豈《あに》善政と云うを得べけんや。今全国歳入総額概算四千万円を得るに過ぎず、本年予算を推計するに、一の変故無からしむるもなお五千万円に及ばんとしている。しかれば一歳の出入、既に一千万円の不足を生じている。加之《しかのみならず》維新以来国用繁急、毎歳負う所の用途もまた一千万円に超えんとしているし、その他官省旧藩の楮幣《ちょへい》及び中外の負債を挙ぐるに、ほとんど一億二千万円の巨額に近からんとする。故に政府現今の負うところ通算一億四千万円にして、而して償却の道未だ立たざるものである。これ速《すみやか》にその制を設けて、逐次にこれを消却せざるべからざるものである。しからずんば人心の信頼を維《つな》ぐに足らず、万一一朝不虞《ふぐ》の変あらば、如何ともすべからざるの場合に至ろう。政務はもとより多端にして、各々その精全を期せざるべからずといえども、為政の大本は能く民を保つに在り。民をして蘇息せしめ、健康ならしめ、気力旺盛ならしめて、而して文明に進み、而して国家富強の実を挙げしむるに在り。今の我が民はなお未だ欧米諸国の民の如くなるを得ず。古人言あり、曰く、民を視る傷《いた》むが如しと。今や政府の民を視る傷むが如き能わざるのみならず、却ってこれを法制に束縛し、旧習と新規との間に民迷惑してその嚮《むか》う所を知らず、凋衰《ちょうすい》に赴《おもむ》く者もまた多いことである。それ入るを量《はか》りて出づるを制するは古今の通規である。歳出をして歳入に超ゆる無からしめ、序を逐い実に拠りて国力を長じ、民情を安んじ、以て聖代の懿徳《いとく》を成すべきである。臣等無似《ぶじ》といえども、また久しく乏しきを理財に承《う》けており、親験躬履《きゅうり》、未だ必ずしも見解無しとも存じ申さず、臣等の見る所では、今強いて政費を巨大にして政理の完備を求むるときは、その憂うべきもの遠からずして至らんと存ずる。というので各省の予算分取りを斥《しりぞ》け、財政確立を強調したのであった。議論はもとより正しいし、事実に触れて数字まで記出されていた。そこで二人の去った後の大蔵省は黙ってはいられぬから、一応その論旨を是認して置いて、さて「しかるに歳出入を概算し、一千万円余の不足を生じ候等の儀書載《かきのせ》候えども、右は米価一石二円七十五銭を以て算当候積《つもり》にて、かつこの内には逐年繰戻《くりもどし》に相成候分《ぶん》、または廃藩置県の如き非常の入費、あるいは一時の費のみにて年々例算すべからざる者も有之《これあり》、その上政府現今の負債を論じ、実に一億四千万円に下《くだ》らずと有之《これあり》、これまた計算上大《おおい》に相違の廉《かど》不少《すくなからず》、彼是《かれこれ》実事に徴し勘合候えば必ずしも毎年一千万円の不足を生じ、また一億四千万円の巨債を負い候訳に無之《これなく》、旁《かたがた》右申出の儀不都合の次第に付《つき》、書面その儘差戻《さしもどし》候事」と朱批したのであった。大隈が吏僚に命じて反駁させたことは明らかである。しかし井上・渋沢の当時の功は没す可からざるものが有ったから、明治十二年に至り、時の参議兼大蔵卿大隈重信が、明治元年正月より八年六月に至る八期間の歳入出決算報告書二冊を太政官に呈せる時、その書中に特書して「当時廃藩置県の日に際し、会計の事務太《はなは》だ多端にしてその整理に苦む、井上大蔵大輔この紛淆《ふんこう》の計度を査定し、鋭意百事を処弁し、財務漸くその緒に就くを得たり、今日上下二編の報告書を通覧するあらば、また以て当時会計の最も困難にして同氏担当維持の功績を回想するに足るべきなり」と記してある。井上の功を渋沢が分ち受くべきものであったことは勿論分明であり、大隈がこれを認めていたこともまた勿論分明である。公論は敵にありということは実にこれである。

栄一が官に就いたのは明治二年十一月四日、免官となったのは六年五月十四日であって、ここで一転湾《てんわん》しての後は、大道坦々として砥《と》の如き一条を終生また一抹角《まっかく》することもなく歩み通したのであった。さればこの退官の時を界《さかい》として、始めて渋沢栄一は自己の真生涯に入ったのだと云っても宜く、その伝記はおのずからにして、今その前半部を終り、後半部の始めを開いたといってしかるべきなのである。勿論退官の意はこの年に遂げられたが、この年に起ったのでは無く、抑《そもそも》就官の日からして既にその念の在ったことは、当時大隈を訪《と》うて面談した時のことによって示されている。その後四年の夏、大隈・伊藤・吉田清成などと大阪造幣局に出張した帰路、当時の東京及び大阪の商工業者等の腑甲斐無いことを痛感して、これでは国家隆昌に至るには未だはなはだ遠い、商工業者は皆はなはだ卑屈で、在官の人に対すればただ平身低頭するのみで、当業の発展を期する為に邁往《まいおう》勇進する気象などは薬にしたくも無い、官尊民卑の旧習の故とは云え、これでは何ともならぬ、成不成はいざ知らず、むしろ自分みずから官を辞し、商工業界に入りて、存分に働いて見たいと思ったのである。これは官たることをのみ栄誉と思っていた当時の風を欧羅巴《ヨーロッパ》に居た間に蟬脱《せんだつ》して終《しま》って、人民が進歩発達して而して国家も進歩発達するのだということを身に染《し》みて理解して帰って来た栄一の眼からは、卑屈に慣らされて陰性になっている当時の商工業者を見ては、実に然様《そう》いう感慨を起したことで有ったろう。その頃栄一は大蔵権大丞で、その前年から通商司の跡始末《あとしまつ》を命ぜられていたが、通商司というのは明治元年に大蔵省中に置かれて、東京・大阪の有力の商家を協力させて、為替会社・商社・開墾会社等の諸会社を慫慂創立させたのであるが、官民共に無経験の事では有り、管理する者は事に暗く、従事する者は能く自ら任ずるの意気が無いので、損耗が多くて衰頽《すいたい》に及んだ、それを整理し立直す為に兼任を命ぜられていたのであった。その為に数々《しばしば》東京・大阪の商業者に接近して見て、実際、これではならぬと痛感したのであったのである。

それからその年の八月、大丞になっていた時のことである。廃藩置県の大事、漸く大久保利通等の決断によって行われて間も無い一日、当時第一の利け者《きけもの》であって、しかも大蔵卿であった大久保が、陸軍省歳費定額八百万円、海軍省同二百五十万円を是認しようとするが何様《どう》だという問だった。問われたのは谷鉄臣《たにてつおみ》＊と安場保和《やすばやすかず》＊と栄一と三人であった。大久保は大蔵の卿ではあったが、事の是非の判断には明敏であって、その事が捗《はこ》べるか捗べぬかには余り注意せぬ人で、各省から要求することが有ると、是《ぜ》なりと見るや直ちにこれに応じて終《しま》う人であった。切れる人ではあったが、勘定には暗く、所謂《いわゆる》「握《つか》み出し勘定」で捌《さば》いて行くのであった。渋沢は当面の責任者だったから、宜しうござると快《こころよ》く答える訳には行かなかった。歳費定額認定と申すことは軽率には計らい兼《かね》まする、本省において全国歳入額を明瞭に致したる上、各省定額を相立つるよう、精々努力調査致し居る最中でありまする、今直ちに定額御決定ということは暫く御見合せ有りたい、遠からず正確に歳入予想出来ましたる上、御決定相成りまするよう願わしい、と答えた。

井上・渋沢は始終この方面に頭を悩ましているので、この答は実に理の当然であった。しかし大久保は大久保の気象である。極めて不興気《ふきょうげ》に渋沢を見て、しからば歳入統計が明瞭を得るまでは陸海軍へ経費を支給できぬというのか、と反問した。いや反問よりは詰問であった。弱ったのは大丞だ。イヤ本より然様《さよう》な意味ではござりませぬ、しかし未だ入るところの如何をも知らずに、巨額の歳費支出を決定することは会計の法においてははなはだ忌むことでござりまする故、腹蔵なく愚見を述べたのであります、御取舎《ごしゅしゃ》は固《もと》より大蔵卿の御考にありましょう、と答えて退席してしまった。渋沢大丞は弱らざるを得なかった。国家の巨柱であり、しかも現に大蔵卿である人が、財務にかけては彼《あ》の程度の了解では、何とも当惑する。井上如何に拮据《きっきょ》勉励しても、省中の者もまた大久保の意を奉ぜんとする方が多い。到底働こうとしても働けぬ、むしろ民間に下って国家に尽そう、と決意して、海運橋の井上の居を尋ね、辞職の成るように頼んだ。しかし井上は何様《どう》しても大蔵から離さぬ、この際大阪に往って造幣局事務を監督しろ、というので、是非無く曲げて一時思止《おもいとど》まったのであった。

　大久保のはなはだしい不興を蒙って辞職とまで考えたその年の冬、十一月末の頃、突如として参議西郷隆盛は渋沢の私宅を訪《おとず》れた。西郷は当時大久保と対峙した薩摩出の巨《きょ》擘《はく》で、勿論その威望赫々《かくかく》として廟堂を圧していたのであった。権貴の身たることを忘れたるが如く、平服単筇《たんきょう》、飄然《ひょうぜん》として身分の低い者をも訪《と》うが如きは、その坦率《たんそつ》な性格から、西郷に在っては本《もと》より何でも無いことであったが、特に一人で私宅を訪うたのは奇で無くもないことだった。そして何事の用事かと思えば西郷の言うところは更に奇であった。曰く、幕末二宮《にのみや》尊徳の興国安民法は誠に良法だと思われるに、今や藩と共に廃絶に帰せんとするは惜むべきことである、足下は大蔵省中に在って、専ら廃藩後の処分を取扱えるよしであるが、何とかして、二宮の法を存続するよう配慮せられたい、との事であった。二宮の報徳法を良法と信ずる者の有ろうことも首肯できる、その法を存続せんと欲する者の有ろうことも首肯できる。しかし二宮の法は各藩対立の時、ある藩の侯伯がこれを用いるには適していた。廃藩の今日如何にして何様《どう》いう機関でその法を行い得るか、中央政府が統一の施政を為してこそ廃藩の意義はあるのである、何として二宮法を旧某藩に存続するということが出来よう。また中央政府に二宮法を採用させようとならば、それは地方事情の相違というものの存在する限り、何として二宮法を可とするもののみが有り得よう。畢竟西郷は何様《どう》いう意味で此様《こん》なことを懇談的に申込んできたか、今から想像しても更に解釈のつかぬことである。もっとも栄一は折田要蔵の処にあった時、西郷を知りもしたろうし、また枢密権大史の時、相見ても居たしするから、西郷に私宅を訪われたとて不思議は無かった訳である。西郷・大久保は同じ薩摩出でも、一は武人派、一は文治派の頭目で、自然と相善いという間柄では無かったのであるが、西郷が真に自己の望むところを実現しようとならば、微力卑官であり、旧一橋藩臣である渋沢に懇談など為さんよりは、直《じか》に大久保に打突《ぶつ》かった方が宜しかろうように思われ、また世に伝えられている西郷の性格にも似合わしいように思われる。勿論西郷のこの日来談の真意は何であったろうとも、それを精《くわ》しく考えることは差措《さしお》いても宜い。ただ威権赫々たる大久保に抗してその不興を得た時より幾干《いくばく》も経ぬ一個人の渋沢某を、同じ高位高官の西郷がその草廬に就いてこれを訪《と》うたということは、渋沢某が西郷の眼中に無い人でなかったということを語るまでの一事実として伝えて宜いまでのことである。栄一は西郷の言を何様《どう》味わって答えたの歟《か》、否、ただ正直に思った通りを答えたのだろう、答えて曰う、閣下参議の貴きを以て駕《が》を草廬に枉《ま》げて御懇談あるにつけては、直《ただち》に貴命に応ずべきでありまする。しかし二宮の法は、二分之一という限度を立てて財穀を積むのであります。しかるに今の政府の為す所は、これと相反し、微官等は入るを量《はか》りて出づるを為すの方針によらんと苦心致し居りまするに、太政官の評議は常に各省の要求を容《い》れ、大蔵省に逼《せま》りて巨額の支出を求めて已まぬのでありまする。閣下もし二宮の法を善しとしたまわば、願わくは旧藩の為に図るの心を以て、先ず現政府の為に顧慮していただきたい、と云放った。栄一の言は表裏一枚で、二宮法を存続する存続せぬに係《かかわ》らず、平生の意見を打出《うちいだ》したのであった。西郷も投げられた塊を逐う狗では無かった。予はただ足下に懇談せん為に参ったのである、議論を承《うけたまわ》らん為ではござらなんだ、さらば御暇申そう、と云って帰って終《しま》ったということである。この談はこれまでであるが、これもまた栄一が薩摩系と相容れざる一条であった。

前に記した得能通生、後に良介といった者が、五年五月の頃、少輔事務取扱であった栄一に対し暴行を演じて、その月二十二日免官になったことは、瑣事といえば瑣事であるが、またその間に当時官界の藩閥的情勢の一の現われとして見ることも不当では無い。得能は井上によって免官されたが、井上・渋沢去った後は復《ふたた》び大蔵省に入り、紙幣頭となり、種々歴任して明治の半世に循吏たり得た人で、経済家と云おうよりはむしろ精神家で、狩谷棭斎《かりやえきさい》*の『和名抄箋註《わみょうしょうせんちゅう》』の如きも、この人が大蔵技監だった時、大蔵省印刷局の緒余《ちょよ》の仕事として出板されたのであって、学問は尊んだ人であったが、計数に明るい人というのでは無かった。この人は何処《どこ》の人であったか、曰く薩摩の人であったのである。栄一は自然の廻り合せというものであろうが、何様《どう》も薩摩系とは折田要蔵以来不思議に相善く無かった。その代りに血洗島以来、京都で窘《くるし》んだ時は長州の多賀谷勇を手《た》寄《よ》ろうとしたり、官については伊藤博文、特《こと》に井上馨とは相提携して、不思議に長州系とは相善かったのであったから、在官当時は薩長土肥の世に在って準長州系の者と他からは見做《みな》されていたかも知れないし、これ等の雑情もまた栄一をして官に在るを悦ばしめない一小原因になっていた気味もあったろう。

五年の十一月、太政大臣三条公邸において、台湾征伐の議は論ぜられた。これは前年十一月、琉球宮古島《みやこじま》の民台湾に漂著し、同島蕃民の為に殺されたるもの五十四人、免《まぬか》れて帰れるもの十二人であった。ここにおいて西郷・板垣両参議、外務卿副島種臣等は膺《よう》懲《ちょう》の師を発せざるべからずと主張し、琉球王を藩主に封じてその名を正しうし、陸軍少佐樺山資紀《かばやますけのり》＊を台湾に派して形勢を視察せしめ、また台湾事情に精通せる米国リシェンドル＊を政府に傭入《やとい》れ、着々事を進め、愈《いよいよ》征台の師を出そうというのであった。しかし当時台湾は清国版図に属していたから、情勢の及ぶところ、干戈《かんか》旌旗《せいき》が一孤島に止《とど》まる能わざるに至れば、関係甚大であるから、三条公等は憂虞《ゆうぐ》せられたも道理で、しかもこの時岩倉・木戸・大久保諸公は外遊中であったから、武臣派の勢《いきおい》ははなはだ強いのであった。それで各省長官の意見を徴して、実際的に善策を得んとするのが三条公の意であった。時に財務には井上大蔵大輔が当って居たのであるが、偶々《たまたま》母の喪に丁《あた》りて籠居していたから、渋沢少輔事務取扱は井上に代って出席し、大蔵の実状と能力とに拠ってその意見を述べたのであった。勿論、幕末騒擾の後を承《う》けて百政更張の際、費多く財匱《とぼ》しく、民力疲弊し、休養を急とする折柄、清国との関係、容易ならざるべき大事を今において発することは、はなはだ以てしかる可からず、と主張して、大《おおい》に副島等の論の、今日の良図にあらざるを説破したのであった。この時は清国との関係の悪変について見透《みとお》しの著《つ》きかぬるという点に同感を抱く者が多くて、副島の議は一時束閣《そくかく》されて終《しま》ったが、財政困窮、井上大輔等が困りぬいている際にさえ斯様《こう》いう論を立つる人々が有力者間に多かったのだから、井上・渋沢は嫌気《いやき》さささざるを得なかったのであり、また渋沢少輔事務取扱ぐらいの身を以て、重厚にして秩序あって、大有力の者といえども遽《にわ》かに摧破《さいは》し難き一流の論弁の歩武を進めたのが豪傑連中に大《おおい》に悪《にく》まれたろうことは分明であった。

征台論とほとんど同じ頃である。前に記した如く司法卿江藤新平、文部卿大木民平が、請求予算を削減されたので、正院に抗議してこれを動かすに至ったのである。そこで正院の風向《かざむき》が変ったから、井上は籠居して出勤せず、辞職するまでだ、と腹を定《き》めたのであった。翼々たる三条公の誠心によってその時は済んだのであるが、井上さえ辞そうとしたのであるから、渋沢も内心に辞意を抱いたのは勿論であった。当時我が意の通らなかったので、今度は江藤・福岡が六年一月に至りて長文の意見書及び辞表を三条公にたたきつけ、引続いて大隈が大蔵省に事務総裁となり、終《つい》に五月井上・渋沢の連袂《れんべい》辞職となったのである。故にかくの如くに前々からの種々事情が有ったから渋沢の退官は、退官する方が当然で、むしろ能くも今日まで堪え忍んで来たものであると認めて宜い位であったのである。しかし渋沢の官を退き野に下ったのは、かくの如きの種々の事情の有ったが故だと云っては当を得ない、それは渋沢にはそれらの事情よりなお大きなものがあったからである。それは何かと云えば云うまでも無く、民間の諸事業の発達が国家の真の発達であり、その発達を図るためには身を挺して働きたい、という予《かね》ての意向と信念が火の如くに燃えていたからであったのである。

渋沢大蔵少輔事務取扱の在官中の事蹟は既記の如くであるが、なおその在官当時の大きな事で記了せられぬものがある。それは何かといえば、その事がむしろ重大で、在官中には決定発表に至らず、辞職後において事実となって世に現われたものであるが、その成立は主として後の当局者よりも前の当局者即ち渋沢等の懐裏掌中において為されたものである。その一は藩債の処分であった。藩債は幕府時代より明治に及び、各藩において藩札発行の外に、一時の窮を救わんとして起債し、また租税前納を命じたりしたもので、金銭も有れば米穀も有り、種類名称も種々なれば、借入《かりいれ》償還の方法も期限も区々《まちまち》で、煩雑極まったものであった。そこで政府は三年九月、各藩をして自ら藩債償却に任ぜしめたけれども、容易に埒の明きようは無かった。その中に廃藩置県を断行するとなったから、債権者は弁償を旧藩主に逼《せま》って遂には地方庁に出訴する者もあるに至った。政府は是非無くも面倒な調査をした後、天保十四年以前の藩債は切捨てる事、弘化元年より慶応三年までの藩債は公債として、昨五年より無利息五十ヶ年賦で償還する事、明治元年より五年までの藩債は公債として昨五年より二十五年賦、元金三年据置、年四分の利割を以て償還する事、その他附則数ヶ条を以て処置制定をした。これが我邦最初発布の公債証書条例で、これによって過去の紛紜《ふんうん》を除いたのであった。当時藩債申請総高は七千四百十三万円余であったが、大蔵省で精細弁別し、三千九百万円を除去し、三千四百八十六万円を政府負担すべき者とし、明治以前の分の旧公債、明治以後の分の新公債、計二千五百四十一万余円を公債としてその券を交付し、他は現金にて一時に償還した。前計七千四百余万円中、四百万円余は外国人に対しての負債であったが、これは論弁談判の結果、百万円余を削り、二百八十万余円を公債とすべきことになったが、渋沢等の意見が用いられて、現金を交附して清白に打切り了《おわ》ることとなり、ここに藩債全部は始末せられたのであった。

藩債と似通《にかよ》った性質の者で、それとも小異のものに宮方負債というものがあった。宮家の経費は、元来が維新前は極めて少額であったところ、維新前後宮家においても各般の事情から不足を生ぜざるを得ざるに至り、宮家諸侍も自然に負債を以て一時を弥縫《びほう》していたのである。皇政の御世になってその儘には差置難《さしおきがた》いから、これも藩債処分に準じて消却の道を立つるに決し、宮内省をして調査せしめた結果、公債として処置すべきだったが、その額も甚大ならざれば速《すみやか》に決済して終《しま》う方が宜しいという議を立てた。瑣細《はんさい》なことではあったが、その議は実に宜しきを得たものであった。それで井上・渋沢退官後になったが、大隈によって実行されてその事は済んだ。

廃藩行われて、士人の常職は解かれた訳になったが、同時に在来の家禄・賞典禄等は支給を廃さるることになるので、これに換《か》うるものを与えなければ、一時に華族・士族・平民の生活を脅《おびや》かすことになるので、これは急務でもあり大問題でもあった。これは明治六年十二月の秩禄公債証書の制定、同九年八月金禄公債証書の制定によって決行せられたのだから、井上・渋沢退官後の事にかかるが、二人在職中の研究審議が方針を定めたのであったことは分明で、六年四月二日付、渋沢が井上と連名で在米の大蔵少輔吉田清成に寄せた書に、「禄制の事は種々廟議ありて先ず大概は決定せり、されど確定施行するまでにはなお時日を要すべし」とあるので、二人在官中既に成案の得られてあったことは知られるのである。勿論伊藤博文等も前々からこの問題に苦心尽力したことは言うまでも無いのであった。

租税の改正はこれもまた大事であった。抑《そもそも》渋沢栄一は最初に租税正として徴されたのである、栄一が国家の為に終始この事に尽瘁《じんすい》したのはもとよりであった。ただこの事は全国の民庶の頭上に直接に当ることであり、また一面には歴史の長い存在によって習慣づけられている強い力がある、他の一面には政情の変革によって、地方々々の諸侯に地方々々の民庶が物納・賦役《ふえき》を以て済ませていた如き形式は何様《どう》しても改正せねばならぬ場合に逼《せま》っているということがあり、もし税政にして民庶の容《い》るるところとならざる時は、維新の大業も崩潰せぬとも限らぬのであるから、それこそ戦々兢々《せんせんきょうきょう》として深謀精慮せねばならぬことであった。そこで明治元年以来、政府は租税の賦課徴収に関しては旧慣に率《したが》うほかは無く、二年六月諸大名の版籍奉還の挙があっても、直《ただち》に何様《どう》改むるということも出来なかったのである。三条・岩倉の両公、木戸・大久保・西郷の三傑といえども、大義名分上の国体理義から政権を収めはしたが、経国治民上の実際制度に就いては実は知識が豊富であったとは云えぬのであったから、明治三年七月になってから、わずかに旧制に沿うて府・藩・県に対して大蔵省から、「検見《けみ》規則」を頒布《はんぷ》したのみであった。二年の冬に突然静岡藩から引抜かれて栄一は租税正に任ぜられたのであるが、慶応三年十月徳川慶喜政権奉還から、明治元年、二年となって、二年六月諸大名版籍奉還の挙があっても、翌三年七月まで政府は租税に付《つい》ては何の指令一つ出し得なかったのを見ると、おかしいと云ってははなはだ異様に聞えるが、御公卿様や田舎武士・素浪人共が政治の実際実務の上には流石《さすが》に手を出す分別も持合せて居ないので、ただその儘に日を過したのであったらしく、定見予謀が有ったものなら、何とかしようとしたに相違無い。しかし旧法をその儘何時《いつ》まで襲用することの不可なのは眼に見えていることだったし、また働いて見ようにも船頭も舟子《ふなこ》も山家《やまが》育ちで、舵《かじ》を按じ艣《ろ》をこぐことには途方に暮れるのみであったのである。そこで然様《そう》いう実情から農家の出で、旧来の我邦の仕《し》来《きた》りも知って居り、西洋諸国の様子も見て来て居るだろう、従って新案も得られるであろうというところから、渋沢に租税正という役が押被《おしき》せられたのであって、誰もその場に坐り手が無かったのである。それで渋沢だとて何もこの大船の操縦の術を知悉してい た訳では無く、ただ我邦の物納・賦役の旧法を、欧羅巴《ヨーロッパ》の金納の新法にする方が宜いと考えて居た程度であって、その大改革を何様《どう》して何様《どう》捗《はこ》び得るという心算が十分に成立って居よう筈は無かったと思われる。で、大隈に対して辞意を表したのであるが、その時大隈が、足下は学問も経験も無き故に職を辞さんというも、予とても同様なり、独り足下と予とのみならんや、政府の者ことごとく皆しからざるは無い、と云ったのは、流石《さすが》は大隈で、真実ざっくばらんの談《はなし》をしたのであった。租税を何《ど》の様にして収めるのが宜いかなどということは誰にも解っていなかったのであった。たとえば駅逓の事も実際政務の一大目であったが、これも堂上方や田舎侍《いなかざむらい》などには、何様《どう》して宜いものやら全然見当さえ付かなかったものだった。そこで渋沢の推薦で静岡から前島密を喚《よ》んで漸く目鼻がついたのであった。それと同じように租税の事は問題が絶大なだけに中々処理し難い。渋沢が就官の初に建議して、改正掛というものを置き、俊才の各官を網羅し、また前島密・赤松則良・杉浦愛蔵・塩田三郎等を招き入れたのも、畢竟衆智を尽してこの難題を解決せんとしたのであった。

旧来の地租は何様《どう》して収めたかというと、検見《けみ》ということによって、土地の広狭、地味の沃瘠《よくせき》を検し、それ等級を定めて、収穫の石盛《こくもり》を算定し、そして課税の標準となしたものであった。検見は毛見の古いあて字で、毛見は稲の毛、即ち稲の出来を見るというのから起った語であるが、稲作のみでは無く、棉でも蠟でも調べたのである。武家時代から始まった制らしく、徳川氏の時には、所謂《いわゆるじ》地方《かた》の書として、検見の事を記した書も多く、これを詳説すれば驚く可き広汎に渉《わた》る繁瑣なものであり、地域の異なるに従って慣行法も異なるものであり、民庶の負担もややもすれば平衡を失い、情弊も少からずして、特《こと》に窮乏の世に在っては宜からぬ制度となっていたのである。されば新政施行に際しては、封建の代では無いから、少くとも全国に対して法の画一を期さねばならず、また殺納等の煩《わずら》わしい手続《てつづき》を廃して金納の便利なるに改めねばならぬのであるを以て、二重の工夫をせねばならなかった。かつや人の情は慣れたるに安んじ、慣れざるに疑い危ぶむものであるから、余程好いことでも、新しい法規などは兎角これを便とせざるものである。これも顧慮せねばならぬ。されば如何に渋沢等の聡明を以てしても、最初は手の著けようが無かったであろう。ただし画一と公平とは先ず何よりも必要条件であるから、就任の劈頭《へきとう》第一に、全国測量の議を立てたのも、よって以て土地の検査を行い、石盛の不平均を正さんとするにあったろう。三年七月に至って検見規則を廃したのも、幾年かの検見によりて、その取箇附《とりかづけ》、即ち所得の量定を為し、そして均一の税率を定めんとしたに疑無い。この事は経世に心ある者は、誰も皆頭を悩ましていたから、その年六月衆議官判官神田《かんだ》孝平《こうへい》*は田祖改革の議を太政官に上り、検見石盛の弊を除かんとせば、宜しく土地の売買を許し、土地所有者には地券を交付し、地租は地価に応じて金納せしむべし、地価は土地の良否によりて定まるべければ、これ尤も自然にして公平を得るの道である、と論じた。孝平は何処《どこ》からこの論を得たか知らぬが、その説くところの如くに事能く行われれば、画一と公平と金納の便利と、三条一時に解決せらるるのであるから、廟議大《おおい》に動き、遂に地租改正の動機となった。四年七月廃藩置県が行われ、全国悉皆政府の直轄となったから、愈《いよいよ》租税法改革の期は逼《せま》った。そこでその九月大久保大蔵卿、井上大蔵大輔は、「地所売買放禁分一収税法施設」の議を正院に稟議し、地所の永代売買を許し、各所持地の估券《こけん》を改め正し、全国地代金の総額を点検し、しかる後簡易の収税法を定めんとするのであった。それからまた同年十月、井上大輔、吉田少輔は、「内国税法改正見込」を正院に上申し、土地売買の禁を解き、地券税法を設け、農民貢租の偏重を除き、いやしくも地を有する者は地租を納めしめ、以て政府の歳入増加を致すべし、と論じた。正院はこの議を納《い》れて、施設の方法を研究して、漸くこれを行うべしとしたから、その年十二月東京府下、従来は武家地・町地の称があったが、爾来これを停《とど》め、一般に地券を発行し、地価に準じて地租を上納せしむるの令を布《し》き、五年正月に至り、大蔵省達示《たつし》を以て「東京府下地券発行地租収納規則」を頒《わか》った。これが地券発行の最初であって、その結果ははなはだ順当に好かった。この時大久保・吉田は海外に在り、井上・渋沢が、租税頭陸奥宗光、租税権頭松方正義等の手によって執行したのであった。新法施行が好結果を得たので、太政官は、地所永代売買の儀、従来禁制の処、自今四民とも売買所持候義被差許《さしゆるされ》候事という令を発し、土地所有権を認めると同時に、納税義務を規定し、また、七月四日に至り、土地の売買譲渡の場合と否とを論ぜず、一般に地券を授けて、その所有権を確認すると共に納税額を確測するを得、六年二月に至っては全国の市街地無税なりし分もまた地券を授け、地券面地価に応じて地租を徴する旨を達した。これ等の改正中に在って、五年七月二十五日、大蔵省租税寮中に「地租改正局」を設け、全国祖庸に属する一切の旧規を更革し新法を創肇《そうちょう》する所と規定し、八月五日租税寮事務章程を定め、成規無之《これなき》分は卿・輔の判決により、成規有るものは、頭・権頭の指令次第と事務進捗の道を定めた。税法改革は本より大事であったから、中々一時には行われなかったが、改正論者の中の急先鋒は陸奥宗光であって、陸奥は租税頭であった時にも意見を立て、五年五月の頃は出でて神奈川県令となっていたが、更に田祖改正の議を上り、「従来の石高《こくだか》・段別《たんべつ》・石盛・免《めん》・検地・検見等一切の旧法を廃除し、現在田畠の実価に従い、その幾分を課し、年限を定め、地租に充《あ》てる」の議を立て、その七月復《また》入って租税頭となり、井上・渋沢の令により各地方官に通牒して意見を徴した。終《つい》に六年四月に至り、各地方長官七十余名を大蔵省に会し、井上大蔵大輔が議長となって、地租改正の方法を議し、論議全く定まって不動のものとなった。そこで議員中若干人を委員に選び、地租改正法の法文を起草せしめ、井上・渋沢よりまさにこれを正院に提出して允許《いんきょ》を得てこれを公布せんとするに及んだのであった。しかるに五月十四日井上・渋沢は連袂辞職したので、同月十九日、大隈は右法案を具して正院に上申し、その裁決を得て、七月二十八日、上諭を頒下し、また太政官よりも布告を得、ここに始めて明治政府は政府たるの実体を成すを得て民庶に臨むに至ったのである。明治の最大事であった地租改正は六年七月二十八日に成ったというべきである。しかし事は成るの日に成るものではない、その年の四月の大会議に成ったのである。否、渋沢栄一、明治二年十一月租税正の命を拝してより同六年五月辞官の時に至るまでの間に成ったと云うべきであろう。大河はもとより衆水を会して成る、大隈・伊藤・吉田・井上・神田・陸奥・松方諸人の力の加わって終に海に到るに至ったこともまた勿論である。

明治六年五月を以て官を退き、同六月を以て第一国立銀行総監役となり、以後の長き歳月の間、渋沢栄一は復《ふた》たび官に就かず職を転ぜず、大道砥《と》の如き上を、転湾抹角《てんわんまっかく》することなく、操履貞固、我邦実業界の発達と全社会の文明との為に力を尽すことを怠らず、遂に所謂《いわゆる》士魂商才の一個の大丈夫、善男子、好紳士、渋沢栄一を成就したのである。故に栄一の真生涯はむしろ六年六月を以て始まったと云っても宜いのである。が、それにしても五月を以て前生涯の変化多き幕を閉ずると、直《ただち》にその翌月を以て新しき舞台に立つに至ったことは、余りにも手際が巧過《うます》ぎて、人をして奇異の感を抱かせぬでも無く、あるいは第二舞台に立たんが為に第一舞台を脱出《ぬけだ》したのであるというようにさえ思わせる。世には実際然様《そう》いう人も無いことは無い。しかし栄一の場合は其様《そん》なことでは無かったのである。勿論身を民間に置いて出来るだけの事をしたいとは早くから考えていたことでもあろうし、藩閥的感情から来る尖鋭な刺激を蒙《こうむ》る不快さから脱出したい願《ねがい》も無かったでは無かろうが、それ等の心理的事由によってこの実際世界の経緯は巧く合期《ごうご》するものでは無く、やはり時勢というものが支配している実際世界の事情の方がその必要ある人物を吸引してこれよりかれへと迎えたのだと見た方が宜しかろう。大蔵省から第一銀行へと、するりと身を移した素早さは、この栗の樹からかの栗の樹へと枝遷《うつ》りした栗鼠《りす》の捷《はや》さにも似て、大概の人が浪人となると、短い一場にはせよ浪人の生活を現ずるのに、そういう場も見せずに済んだことは、何という自然的の情形だったろう。しかもまたこの遷移は一生涯を二分するに足るだけの線を飛超ゆることであったのに。これを観てこの跳躍または遷移が極めてかくあるべき自然的のものであったことを思わせられる。*井上と共に万言の書を留めて政府を去ったところなどは、他人に在っては、少くも劉玄徳の騎馬の的盧が澶渓《せんけい》を越ゆる時のような気味合《きみあい》のあるところだが、何の事も無く平然と、官尊民卑の世のその卑微の世界に身を落して夷然《いぜん》たるところは、如何にも栄一の好いところを見せている。

しかし斯様《かよう》に自然的に栄一の運命が搬《はこ》ばれたのには、またおのずから斯様《こう》なるべき訳があった。元来銀行というものは第一銀行以前には無かったのであり、バンクを訳して銀行と撰定したのは栄一であったのである。銀は必ずしも銀のみをいう意にあらず、なお金銀というがごとく、行は元人《げんじん》の百二十行といい、明人《みんじん》の三百六十行といえる行のごとく、鋪《ほ》といい、業といい、糸屋・米屋・石屋という屋の義の如くである。これより前に銀行の称の間々《まま》用いられたることが無いのでは無かったが、ナショナルバンクを訳して国立銀行と撰定したのは、その第一国立銀行の創始者に出たのだから、終《つい》に我邦に銀行の称が成立つに至ったので、この事は銀行の称呼と実質とが渋沢栄一によって現出されたということを一時に物語っているものである。ただしそのかくの如くなるに至ったのは、もとより時勢の自然に出たもので、一切を挙げて渋沢某の善良なる意思もしくは聡敏なる才能等に基因するとしては、却って事実に遠くなってその人を累することにも当ろう。人が銀行を造ったにも相違無いが、時勢が人を働かせたにも相違ない。時勢の善良なる児、聡敏なる児が、何の時にも偉大なる美果を収めるのであった。

我邦には名実ともに銀行のようなものは無かったが、それでも三百年の太平と文明とが社会の必要に応じて銀行のようなものを成立たせずには置かなかった。御為替組《おかわせぐみ》とか、御掛屋《おかけや》とか、大両替《りょうがえ》とか、札差《ふださし》とかいうものがそれであった。御為替組とか御掛屋とかいうのは資産のゆたかな、世の信用の厚い商家が、中央政権、もしくは地方政権の所有者のために、金銀融通の事を為したものを云うのであり、両替は各種貨幣及び地金銀の交換融通の事に任じたものを云うのであり、そして札差は江戸浅草の蔵前、即ち米廩《べいりん》の所在地前に一団を為していた富商で、幕府の士人の給米を取扱いて、金と穀との融通を為し、またその予定給米を根抵当《ねていとう》として士人に対する当座貸越《かしこし》の道を開きて生活の便利に供し、玉落《たまおち》と称《とな》えて毎年その給米の渡る時、これを売捌きて決済する等の、銀行様の業務を執れるもので、世俗に伝称する大口屋暁雨《おおぐちやぎょうう》*・村田春海《はるみ》*等はこの種の富家で、その中の伊勢四郎*の如きは維新変革の後もなお巍然《ぎぜん》として家を保っていたのである。しかし斯《こう》様いうもののみで明治からの経済機構が足りる訳はなかった。封建制度の崩壊と共に当然に新しい一機関が興るべきであった。即ち欧米諸国に在って経済上重要な地位に立っている所謂《いわゆる》バンクなるものが我邦にも生出づべきであったのである。

我邦の銀行成立の史的事実を一瞥すれば、渋沢が退官後直《ただち》に銀行業者となるに至った経緯は何等の解釈を須《もち》いずしておのずから分明する。はじめ明治政府はその成立を告ぐるとほとんど同時に、商法司というものを会計官中に置き、元年十一月貿易商社をその監督下に設け、三井八郎右衛門を総頭取とした。貿易商社の執った事は後に通商会社に移ったが、翌二年に商法司を廃して通商司を置き、尋《つい》で会計官を廃して大蔵省を置くに及び、通商司は同省に属した。やがて民部省に属したが、三年七月再び大蔵省所管となり、四年七月に至って通商司もまた全く廃せられた。通商司設立当時に、政府から委任せられた権限は、ほとんど経済全面に亙るもので、「物価平均流通を計るの権、両替屋を建つるの権、金銀貨幣の流通を計り、相場を制する権、開港地貿易出入を指揮する権、廻漕を司《つかさど》るの権、諸商職株を立つるの権、諸商社を建つるの権、商税を監督するの権、諸請負《しょうけおい》を建つるの権」等であった。でその通商司監督の下に、通商会社・為替会社・廻漕会社を置き、各々其業《しぎょう》を経営せしめた。

通商会社は東京・京都・大阪・兵庫・大津・堺・小浜の各地に店を置き、内地商人の合資により、外国貿易の衝に当り、かつ貨物抵当貸付《かしつけ》を行い、諸国物産供託販売を取扱い、関聯して倉庫業をも営んだ。

為替会社はまた同じく各地富豪を勧誘してその合資で成立したが、政府はその資本の不足を補う為に、通商会社にもこの社にも巨額の紙幣を貸与した。これは前に太政官札の上に就いて記した如く、保護貸与というのを他の面から観察すれば、多額の官札を押付けてその流通を計ったのである。この会社は東京・横浜・新潟・京都・大阪・神戸・敦賀の数ヶ所に起り、主として通商会社に助力し、あわせて民間金融の便を図り、両替・為替・預金・貸付・洋銀及び古金銀売買を業とし、かつ紙幣発行の特権をも附与された。ほぼ今日の銀行業と同様な業務を執ったのであって、これが銀行の濫觴《らんしょう》といっても宜いものであったのである。

廻漕会社は、二年十二月政府の慫慂《しょうよう》によって、廻航問屋・飛脚問屋・運送問屋等の合同により、東京霊岸島に拠り、三年正月より東京大阪間定期航路を開き、資本金は為替会社の融通を得たのである。以上の三会社は政府の極力保護せるもので、貸付金延滞の場合に政府が為替会社に対してその処分を引受くるが如き、また通商会社に対しては無抵当でも為替会社より資金を貸渡すが如き、濫溢《らんいつ》に傾くまでも助成して大《おおい》にその発達を期したのであった。しかし最初からして無理が有った、というのはそれ等の会社に資金として貸与した巨額のものは太政官札であって、兌換の制度によって保証されたものでは無く、一面より酷論すれば、むしろ政府がこれ等の会社の名によって官札を有価に流通せしめんとしたのであったから、官札がその額面の価値を保ち得ないで、世間においてはなはだしく歩引《ぶびき》さるるに至っては、何でそれ等の会社が有利の功果を挙げ得る道理が有ろう。それで四年三月になっては大蔵省の困難その極に達して、「商社の義は……是まで通商司において管轄いたし候え共所詮地方官にて取扱不申候《もうさず》ては不都合に付、夫々《それぞれ》その地方官へ引渡可申《もうすべく》と存候」という意見を太政官へ届出るに及んでいる、商社の仕事を分けて各地方に肩代りさせようというのである。しかも商社を通商司より地方庁の所轄に引移《ひきうつし》することになっても、維新政府の母体地たる京都府の如きは、京都の同会社の内容が余りに好くないので、容易にその引継《ひきつぎ》を肯《がえ》んぜざるような事実さえあった。通商司のかくの如き困難、為替会社の大失敗は、経営の無経験に本づく拙劣さもその一因では有ったろうけれど、何にせよ如何ともすべからざる状に陥《おちい》って、同年七月二日通商司は廃せられて終《しま》うに至り、為替会社は出納司監督の下に立つに至ったのである。

この通商司の設けられたのや、三会社の成立したのは、皆渋沢就官以前の諸官吏の為《し》た事だが、丁度これ等の諸機関が崩潰滅亡の一路を辿っている最中に、栄一は大蔵少丞から段々と省中の要地に立つに至り、我邦経済の全面を見渡し得るようになり、日々に何様《どう》いう機構の成立が経済界に必要であるかと考察しても居たろう。人の為に謀《はか》って忠ならんとするのは曽子《そうし》＊の美徳であったが、渋沢栄一という人は実にその一生を能く忠なり得た人であった。慶喜に仕え、昭武に随い、静岡藩に寓して、何時《いつ》も為に謀って忠ならざること無き人であった。明治政府の草創のこの埒も無い混乱の中にあって通商司の下の為替会社・通商会社が醜い屍《しかばね》となって行くのを見て、いろいろさまざまに物を思ったことであろうが、その心裏の消息は今詳《つまび》らかにする材料が乏しい。この時に当ってなお一人、明治政府の為に謀って忠なるの人があった。それは大蔵少輔であった伊藤博文で、大蔵の官員であった当面の責任からばかりでは無かったろう、何人も疑わぬ忠誠なこの人は、何様《どう》も国家の経済状態がこの儘ではならぬ、何とかして健全有力な状態にせなければばと痛感したのであろう、自ら請うて米国に渡航し、先進国の経済事理の実際を観察し学得し、以て我が邦治《ほうち》に資せんとしたのであった。伊藤が米の合衆国へ行ったのは流石《さすが》に伊藤で、同国は我が慶応元年を以て、文久元年よりの長い南北戦争を終り、それまでの間の創痍《そうい》未だ全く癒えずといえども、同国上下新興の意気を以て疲弊困憊《ひへいこんぱい》の中に漸く前途の栄春に臨まんとするの時に当っていたので、あたかも我邦の幕府倒れて王政新《あらた》なる当時の状況に肖《に》るものがあったからである。そこで伊藤は米国の経済機構及びその運用を熟察した後、本国政府に向って、三条の建白をした。それは第一に貨幣の信用の大切なることに本づいて、金貨本位を採用すべきこと。第二には公債証書を発行して、明白なる態度により政府に資を得ること。第三には紙幣発行会社を設立することであった。この紙幣発行会社という名称は今においては異様に聞えるが、即ち今の銀行であって、紙幣発行の特権を有する当時の米国ナショナルバンク式の銀行を指したのであった。そして伊藤は千八百六十四年出版の米国紙幣条例をも建白書に添えて政府に提出した。伊藤のこの建白は実に機宜《きぎ》に適したもので、千八百六十年頃、多額の不換紙幣を発行したその弊を救いて自ら新《あらた》にせんが為に国立銀行制度を起して経済整理に努力せる合衆国に範を取って、我邦を救わんとせる伊藤の考案は、あたかも為替会社等の施設ほとんど失敗して困危に際せる時においては救命の神丹たるに相違無かった。しかし我邦には未だ有らざる国債法・銀行法等を直《ただち》に行うことには、その理解も不十分なり、また国体の差異も考慮に余るところ有って、大蔵卿伊達宗城、参議大隈重信、少輔井上馨及び渋沢栄一等も速断是認に躊躇したのは無理も無いことであった。ただ栄一は既に欧洲にあって銀行の如何なるものかをも窺知していたから、衆人よりは地位こそ低けれ、伊藤の案により多く賛意を寄せていたに疑無い。伊藤は五月を以て帰朝し大《おお》いに自説を主張し、啓蒙的に働いたが、ナショナルバンクよりもゴールドバンク即ち金券銀行の組織を取り、兌換制度を採用すべしとする吉田清成等の論も有り、省議紛然、適従するところを定め兼ねている間に、七月十四日廃藩置県の断行に絡《から》んで終《つい》に伊藤案採用に傾き、十一月に至ってナショナルバンクの方法を採ることに決した。蓋し両論互に譲歩して、論はとにかく、事実上に出来ないことは何様《どう》しても出来ないのだから、紙幣銀行論者はその主張にかかる紙幣兌換主義を改めて正貨兌換となすべきことを是認すると共に、金券銀行論者もまた公債証書を抵当として銀行紙幣を発行する計画を是認することになったので、畢竟米国紙幣条例に英国の金券銀行制度を加味折衷することになったのである。

渋沢栄一は紙幣頭を兼任させられ、権頭芳川顕正と共に、米国紙幣条例を基礎として欧米諸国の貨幣に関する法規を参酌し、我国の実情に扞格《かんかく》すること無きよう調査研究すること数ヶ月、条例の起草に従い、五年六月十七日を以て井上・上野と連署して正院に稟議し、その十一月十五日裁可を得て、太政官から公布さるるに至った。国立銀行条例、同成規がそれで、条例は二十八条百六十一節より成っていた。その条例の大綱は、国立銀行は資本金の少額たらざるを要し、その資本金の十分の六をば官省札及び新紙幣を以て大蔵省に納付してこれと同額の公債証書を同省より受取り、更にその公債証書を抵当として同省に納《い》れ、同省より同額の銀行紙幣を受取りてこれを流通すること。その資本金の十分の四は本位貨幣を以て銀行に積立てて発行紙幣の交換準備に充《あ》つること。この準備金は常に紙幣発行高の三分の二を下るべからざること。銀行株主は銀行開業以前に少くも資本金の五割を銀行に入金すること。他の五割は資本金の一割を以て月賦額と定め、開業免状を得たる月の翌月より入金すること。紙幣の種類は、壱円・弐円・五円・拾円・弐拾円・五拾円・百円・五百円の八種となすこと。この紙幣は諸官庁・銀行・商会、その外を論ぜず、日本国中いずれの地においても一切公私の取引に都《すべ》て正金同様の通用を得べきこと等であった。そしてまた国立銀行成規には、国立銀行の頭取・支配人・取締役等一同の心得として申諭す諸件という諭告を附載したが、その諭告は紙幣頭の名を以て縷々《るる》数千言、手を取って幼者を扶《たす》け導《みちび》くが如く、親切懇到、至れり尽せるものので、前後官庁より発せるものにかくの如きものは蓋し見ざるものである。今その概略を云えば、銀行は叮嚀《ていねい》・精細・確実に自行の記録を留《とど》むべきこと、事務取扱は慎重と無遅滞とを眼目とすること、頭取以下役人を定むる道の事、行員は必ず確実なる受人両人以上を要すること、貸附金の心得、証文書替は空文的なるべからざること、巨額一口の貸附金を忌むべきこと、得意先の繁昌を祈るべきこと、商略的に過ぎること無く、国立銀行は日本全国の為に存在するものなることを強く意識すべきこと、銀行行員の生活華奢なる者は用いざるを可とすること、銀行元金《もときん》は必ず実額たるべく、空名のみを擁すべからざること、銀行は堅固を以て生命とすべきこと、銀行発行の紙幣は永久通用すべしと思うべからず、速《すみやか》にこれを正金に引替畢《ひきかえおわ》らんと祈望すべきこと等を諄々《じゅんじゅん》として教諭してある。

公辺の事はかくの如く進捗して具体的になって来たが、実際においてこれを成立《なりた》たしめこれを経営せしむるには、民間経済界に有力な者を得なければならぬのは自明の理である。啓蒙時代の面倒なことは、後世からの想像以上である。その面倒千万な場合に処して、新規の制度及び事業に対しては慎重の余りに自《おのず》から怯懦《きょうだ》なるを常とせる者等を慫慂してその局に当らしむる下準備をせねばならぬ。そこで五年五月二十一日、商豪三井八郎右衛門・小野善助、及びその番頭・手代等を井上馨の邸に招き、両組共同して一の国立銀行創立を勧めたるを最初とし、六月に至ってこれを願出させて、八月十五日これを官許し、第一国立銀行と称せしめ、十一月十五日国立銀行条例を発布し、同月株主募集に著手し、六年五月十四日栄一免官後幾日ならずして、六月十一日第一国立銀行株主初集会に出席し、取締役に推薦せられたるもなお御用滞在中の身分なるを以て受けずして、翌十二日総監役となり、七月二十日仮免状を得て開業、三十一日本免状を得、翌八月一日紙幣頭芳川顕正・渋沢栄一の祝辞を以て開業式を挙げ、かくして我邦に始めて銀行なるものは成立し、同時に渋沢栄一は時代の要求に応ぜる純粋なる新形式・新風格の人として世に立ったのである。

商人は古《いにしえ》より存在した。しかしそれは単に有無を貿遷《ぼうせん》し、錙銖《ししゅ》を計較《けいこう》して、財を生じ富を成すを念とせるもののみであって、栄一の如くに国家民庶の福利を増進せんことを念として、商業界に立ったものは栄一以前にはほとんど無い。金融業者も古より存在した。しかしそれも単に母を以て子を招《よ》び、資を放って利を収むるを主となせるもののみであって、栄一の如く一般社会の栄衛を豊かに健やかならしめんことを願《ねがい》とせるものは栄一以前にはほとんど無い。各種の工業に従事したり事功を立てたりしたものも古より存在した。しかしこれまた多くは自家一個の為に業を為し功を挙ぐるを念として、栄一の以前には其業《しぎょう》の普及、その功の広被を念としたものは少い。栄一以前の世界は封建の世界であった、時代は封建時代であった。従って社会の制度も経済も工業も、社会事象の全般もまた封建的であった。従って人間の精神もまた封建的であった。大処高処より観れば封建的にはおのずから封建的の美が有り利があって、何も封建的のものが尽く皆宜しくないということは無いが、しかし日月運行、四時遷移の道理で、長い間封建的であった我邦は封建的で有り得ない時勢に到達した。世界諸国は我邦よりも少し早く非封建的になった。我邦における封建の功果は既に霉爛《ばいらん》して、その弊は漸くに人をして倦厭《けんえん》を感ぜしむるに至った。この時に当って非封建的の波は外国より封建的の我国の磯にも浜にも打寄せて来た。我国は震撼させられた。そして漸くにして起って来たものは尊皇攘夷の運動であった。尊皇は勿論我が国体の明顕に本づき、攘夷は勿論我が国民の忠勇に発したのであった。あるいは不純なる動機を交《まじ》えたものも有る疑《うたがい》も無きにあらずといえども、それは些細のことで、大体において尊皇攘夷の運動は誠心実意に出で、その勢《いきおい》は一世に澎湃《ほうはい》するに至って、遂に武家政治は滅び、王政維新の世は現わるるに及んだ。これは外国に対する幕府の処置が宜しきを得ざるために人心が睽離《きり》してかくの如くなるに至ったとも云えるが、また幕府の権力・兵力・経済力が局に当って自ら任じて料理する能わざるがためにその処置が左支右梧《さしゆうご》して遂に自ら保つ能わざるを致したとも云える。が、大処高処より俯瞰的に論ずれば、樹には樹齢というものが有るが如く、封建的統治が終らざるを得ざる時期に到達して封建的統治は終ったのであった。三百余年の生活の平和と人文の発達とは、既に自体をして封建的統治の下に在るには余りに広大ならしめていたのであった。全社会の思想も解展し、感情も遷移し、形態も長育して、まさに他の規式の下に統治さるることを要せんとするに至って居たのであった。即ち封建的よりは包容力の洪大なる、割拠的よりは整理性の便宜ある規式の下に統治さるることをば、無意識的にせよ、または微意識的にせよ、一世は自然に要求していたのであった。そこへ封建時代は既に卒業して、一国全体主義の繁栄富強を致した外国の波濤は連続的に我邦の磯に浜に打寄せたので、琴と琴とはその体を別にして居ても、音と音とは相感ずる道理で、かの絃はかれに鳴ったのであるが、この絃もこれに応じて鳴り出すが如くに、非封建的の形勢は、此処《ここ》に盛上《もりあが》った。当時の所謂《いわゆる》先覚の士というものは、その自覚から云えば、国体の本義より眼覚めて尊皇を呼び、愛国の至情より発心して攘夷を唱え、あるいは江戸幕府を悪《にく》んでこれを滅ぼさんとしたのでもあろう。またそしてその結果が幕府傾覆、皇政維新を致したのでもあろう。が、封建的時代が既に去って、次の規式の時代がまさに来らんとするを、無意識的または微意識的に覚り知り、かつは琴絃感応の理によって、自然に非封建的形勢の世の来らんとするのによって自《おのず》から鳴り出し動き出したものと云っても宜いのであった。かくの如くにして錯綜と分離の種々の作用が行われて後、退《しりぞ》くべきものは退き、起るべきものは起り、封建的・割拠的の世は消去って、王政の朗らかな統一的な世は来ったのであった。しかし社会の上層は、かくの如き変化を遂げたが、その中層及び下層は、既に変化すべくしてなお未だ変化するに至らず、旧圧力によって賦形されたまま歪曲《わいきょく》して存在していた。民衆は既に行詰りを感じた者があったにしても、その多数はなお個人的・一家的・一邑一市的・割拠的・封建的の習慣の旧殻《きゅうかく》の中に蜿屈《えんくつ》していたのであった。この割拠的・封建的の状勢が引続いて固陋狭隘《ころうきょうあい》の畛域《しんいき》の中で発達するのでは、その発達は限り有るものであった。五指の代る代る弾ずるのは、一拳の直ちに撃つにしかざる道理であって、一般実業の大発達は固陋狭隘の畛域の除き去られたる、即ち非封建的の、朗らかな統一的・王政的の広大な疆場《きょうえき》において将来し成就さるべきであったのである。そして国家制度において既に封建的状態が除去されたのであり、実業社界においてもまさに割拠孤立の旧習は破壊され倒潰され、自由自在の新しき広き天地において大発達の将来されんとする時勢に向っていたのである。この時において渋沢栄一は非封建的の外国の実業の盛大繁栄を目睹《もくと》して学び来ったところから、我邦の実業界をもまたかくの如くならしめんとする愛国愛民の精神に燃え立ったのである。その極力主張した合本共力ということは、即ち封建的・割拠的・孤立的の旧形式を破り去り、各人の小資本を合して大資本を成し、微力を併せて強力となし、以て時に応じ世に臨みて、業を広くし功を挙ぐるを期したものであった。即ち西郷・木戸等の運動が政治制度において封建的割拠的の世を一新して、王政的・統一的の開明の世を成した如くに、栄一は実業社会においての封建的・割拠的の固陋の旧式を破って、合本共力の大旆《たいはい》の下に広大なる発達を遂げしめんことを企図したのであった。西郷や木戸等が勤皇運動の為にその藩を脱して一浮浪人となったのに心中何の罣礙《けいげ》するところも無かった如く、栄一が官界を去って民間に下ったのには、蓋し何の事も無かったのであり、むしろその本懐を達するの道に一歩二歩にせよ近づいたことを喜んだであろう。かくして栄一は封建時代の商人ではない、公共の福利を念とする商人となり、封建時代の事業家ではない、公共の福利を念とする事業家となり、身を以て範を示して、その後に輩出せる多くの俊才の先頭魚となり、そして我邦民衆生活の大発達に貢献することはなはだ大なるの偉業を成し得たのである。抑《そもそも》大蔵省出仕の頭初よりして既に辞意を抱き、またこの後の数十年を経て死に至るまで、終《つい》に復《ふたた》び官に就かなかったのを見ても、栄一が区々《まちまち》たる一身の功名富貴などに心を囚《とら》われている如き小さな人物で無かったことは明らかであり、そしてこの退官の時をもって栄一の一生は既に定まったと云っても可であり、またここに栄一の一生の前半は終り、後半はこれより初まると云っても可なるのである。栄一は実に時代の人であったのである。

民間に下ってからの栄一の生涯は、あたかも坦々たる一条の大路に駿馬《しゅんめ》を駆って安車《あんしゃ》蒲輪《ほりん》で千里を突破するが如く、傍観者の羨望を値《あたい》するほど順調に経過して、而して遂に大限に到達したものである。故に栄一伝は仮に此処《ここ》で終っても宜い位で、この後は渋沢栄一事功記として、別にその関与した事業の一箇一箇に就き紀事本末体の一部の書を編成した方が明瞭になるほど、事は多端でかつ長年月に跨《また》っているのである。蓋し栄一は明治六年退官下野の時、その年三十四、聡明の資を養うに閲歴の富を以てし、英邁の意気精神に加うるに深刻の修省鍛錬を以てして、ほとんど完成せる一大丈夫となれる身を以て、既に社会における地位と勢力と威権と信用とを具して、而して気力方に旺《まさ》なるの齢《よわい》に乗じ、その自ら立たんと欲するの地に立ち、その自ら為さんと欲するの事を為すに至ったのであり、しかも時代の潜在意識が渇者の飲を求むるが如くに要求せるものに応じてこれを与えんとするのであったから、万事が順調に運んで、大河の汪洋《おうよう》として進み流るるが如き観を成すに至ったのも異とするには足らぬのであった。

しかし然様《そう》は言っても勿論全部順調にばかりは進まなかったのである。春の日に当って沃土《よくど》に種子が萌え生ずるにも必ず屯屈《ちゅんくつ》して生ずるものであるから、第一銀行の初期にしてからが、容易に順調に行かなかったので、そこを凌ぎ徹するところにこそ真実の人の力というものはあるのである。最初からして三井組も小野組も合同するよりは独立して営業したい意は有ったのである。即ち封建的の情操及び形式の力が残存してである。それは固《もと》より合本共力の大旨に背《そむ》くものであるから、両組及び他の資金をも合して銀行は成立ったが、翌七年十一月に及んで、小野組は破産し、銀行は小野組への貸金百三十万余円を抱いて大《おおい》に苦まなければならなかった。その決済のために銀行は二百五十万円の資本を百五十万円の資本とせねばならなくなった。三井組の三野村利左衛門は第一銀行を三井組の支配に属せしめんことを提議するに至った。元来第一銀行は主として三井・小野の出資によって成立したものであるから、小野が銀行に対する債務決済の為に自家の株券を銀行に渡して終《しま》った上は、銀行は三井の資金のみを以て経営するも同様であって、三野村の提言は三井家の為に取っては至当の言であった。しかしその言に従えば銀行は解消したも同様の事になる。開業の翌年に当ってかくの如き危険の運命に遭遇したのである。栄一は固より三野村の言には従おうようは無い。却って勇を振《ふる》って第一銀行と三井との関係を改め、第一銀行と小野との関係の如き覆轍《ふくてつ》を復《ふたた》び踏まざるように為し、紙幣頭得能良介の了解を得て、銀行条例の改正を敢てし、飽《あく》まで銀行は社会の公器としてのその公正なる独立を保ち得るようにした。初め三井・小野の資金を以て銀行は成り、三井は頭取、小野は副頭取であり、行員は全部ほとんど三井組・小野組の者を以て成立っていたのであったから、栄一の監督の力及ばず、封建的では無くても、両家は封建制度下の聯盟のようなものであって、自然かくの如き困難事情は発生したのであった。この時の栄一の艱苦は蓋し測るべからざるものがあって、あたかも源頼朝が兵を挙げると直《すぐ》に石橋山の一戦に敗れたようなもので、ここで銀行が解消するに至ったなら、実業界の新発達は何年後《おく》れることになったか知れぬのであった。栄一は流石《さすが》に真骨頭ある偉器であった。力足《ちからあし》を踏んで踏堪《ふみこた》えた。自分が在官の時に制定した銀行条例の諸処を、自分が否認してこれを改正し、そして政府に請いて改正の案の発令を求めたのである。その処し難き場合に立った苦しさは想像に余り有るが、如何に苦しくても義理の正しきに拠って当《まさ》にしかるべきところに万事を落付けて行き、そして一毫も希望を捨てずに、初志を成さんとしたのである。栄一は両肌《りょうはだ》ぬぎになって奮闘したのである。総監役などという生ぬるいことは已《や》め去った。全責任を一身に負いて、第一銀行頭取になった。資本金二百五十万円であったものを、百万円減資して百五十万円となし、確実公明の銀行実体を大蔵省に示して、新《あらた》なるその営業振を一世の模範たらしめるようにし、九年一月に至って改革の局を結び、英姿颯爽たる第一国立銀行の旗幟《きし》を天下に仰視せしめた。これはこれ栄一一生中の一大戦で、しかも禍を転じて福となし、能く銀行というものを社会に確立するに至ったのであった。

しかし銀行に取っての試練はなお已まなくて、政府は小野組破綻に惧《おそ》れを懐き、多額の官金を委託するを欲せざるに至り、八年十一月大蔵省に納金局を置き、九年二月に実金局を設け、尋《つい》で二局を廃して新《あらた》に現金納払局を置き、政府の預金引上げを策した。これがまた銀行に取っては大打撃で、もとより銀行は多額の政府預金を金庫中に閑居させている訳は無いから、一時に引上《ひきあげ》を図られてはこれに応ずること能わず、銀行は閉鎖するに至るより他は無い。これが九年三月の事であって、辛《から》くも難関を乗切って、本年一月報告では業務の好成績を見たばかりのところへ、また新にこの危難が来たのである。栄一は今度は政府と戦百事草創の際だから、政府の経済策も種々に変化したのである。栄一は今度は政府と戦ってこれを破らねばならなかった。栄一はそこで、官庁において巨額の金を吸収して、ある期間にせよこれを死蔵するの結果は、恐るべき不融通状態を世間に来《きた》して一般経済界を枯渇に陥《おとしい》れ、銀行閉鎖を致すの弊を数字的に論じて、得能紙幣頭・大隈大蔵卿を屈服せしめ、官金完納は六月までに延期し、かつ特典を以て逆に七十五万円の貸与を受けて、そして処分を急遽的でなく完了することを得た。が、明治七年上半期には九百九十余万円の預金総額が、九年下半期には二百二十余万円に減じたに照し合せて、その受けた打撃の甚大だったことを思わせる。こういう事情の上に、政府の不換紙幣発行高が年々巨額に上《のぼ》ったので、漸くに紙幣は下落《げらく》して底止《ていし》する所を知らず、銀行紙幣もその影響を受けて、第一銀行発行の五種紙幣の流通も減殺し、九年九月に至っては流通高驚くなかれ二万二千円余の少額となったという。かくの如き情勢で、銀行条例の精神は喪失した。政府が華・士族、平民に給与せる家禄及び賞典禄の制を改めて、総金額一億七千四百余万円に達する予算を以て、金禄公債証書発行条例を発布したのが八月であり、これに適応するよう銀行条例を新規にするに至った。即ち旧条例の正貨兌換の制度を廃棄したのであった。そこで第一銀行も新条例に従って営業することを大蔵省に出願して許可を得、十月一日より新《あらた》に営業した。これ等の事実を詳しく伝えることは我邦経済史上の事で、この篇の期するところでは無いが、ここにはかくの如き変転の目まぐるしい多端多事の世に際して、栄一が能くこれと応酬してその措置《そち》を過《あやま》たず、不屈の勇気と智略とを以て逆風逆浪を乗切り乗切りして、今までに無かった銀行という新造船の信頼すべきものであるということを示したところを看取せしめんとするまでであり、また栄一の下野後は、一路平安、ただ好運に恵まれて大功を成し得たのだというようにのみ多くの人の解釈し勝《がち》なのを、事実に拠って、然様《そう》ではない、努力善戦して功を成したのだと証明したまでである。栄一の経済上意見と正反対なる佐野大蔵卿、*大隈参議の処置のため紙幣の下落の最もはなはだしかった明治十四年四月は、銀一円に対して一円七十九銭三厘の相場を現わすに至り、栄一が京浜間銀行者集団たる択善会と謀って政府方針反対の建議を為さんとしたる十三年夏の如きは、大隈等官威を以て圧逼《あっぱく》して栄一の地位をさえ奪わんとするに至ったことさえあったのである。一路平安どころか、明治十四年十月松方正義が大蔵卿となりて、栄一の意見と軌を同じうせる紙幣整理案に著手したまでは、政府も民間も経済上の一起一伏、実に不安極まる情状に置かれたのであり、そして金融業者は一浮一沈を余儀無くされたのであった。而してこの間に在って常に先覚者指導者の任に当りつつ、かつ相当の利益を得ながら、自他の銀行業を護《も》り立てて進歩発達の道程を取るを得せしめた栄一の困勉は一ト通りのものでは無かったのである。

銀行成立初期における栄一の功はそればかりでは無かった。常に事物の順当な発達を希求し、私的のみで無く、公的に利益を貽《おく》ることを念とせる栄一は、当時未だ全くその影さえ無かったところの完全なる銀行執務員というものを得ることの必要なるを感ずると同時に、その教養を得せしむるの道を開くことが何より大切なことを悟った。今日より観察すればかくの如きは知れ切った事であるが、当時に在っては世はただ官吏の尊いことを知るのみで、商業者などは四民の最末席者とされていたのである。そこで商業者の教育は所謂丁稚《いわゆるでっち》奉公をした者が、その大小商店の余暇において不規則な店内教育を受けるのみに止《とど》まっていたのであり、大福帳・仕入帳・売揚帳・当座帳等の不完全なる帳簿記入を行《おこな》って、帳合《ちょうあい》の道理さえ余り善くは知らずに、自然の記憶と多く異なることの無い方法で済ませていたものである。それでは新しい商業の進歩発達を致すには不都合であるに知れきっていた。そこで栄一は英国商業学士シャンド*というもの等によって、商業に従事せんとする者を教育させた。そしてシャンドの教育を受けた者を自らも採用し、社界にも送り出した。新商業教育を受けた者は、旧来の丁稚上《あが》りとは勿論比較にもならぬ優秀な見識と手腕とを具し、執務の成績もおのずから良好であった。従って新教養あるこれ等の人は、進歩を志す有力なる商業者に用いられ、新式営業振・新式簿記法等は漸くにして世に広まり、旧式の番頭・手代などという者よりは社会の地位も高められ、商業その者もまた卑視さるるの旧習を脱し、商界全体の高上と繁栄とを致すの大原因となり、後には商科大学・商業学校等の研究教養の機関を世に発生せしむるに至るの胚子となり得た。栄一と森有礼《ありのり》*が一家塾を以て商法講習所を創《はじ》めたのが明治八年、それが府の管理となり、矢野二郎*が所長となったのが九年五月、それより変形して高等商業学校は出来、更に進んで商科大学は出来たのである。この商業教育を創めた栄一の功は我邦商業の発達に何程の寄与を為したか実に測るべからざるものがあって、一例を挙ぐれば、後に至って大銀行となった第一銀行の頭取として栄一に代って名誉のあった佐々木勇之助*の如きも、初はシャンドに就いて学んだ一青年であったのである。銀行その者がなお揺籃《ようらん》に在った初期において、早くも商業教育を起して一般の進歩を促《うなが》した如きは、必要に逼《せま》られての故であったには相違無いが、栄一の著眼が好かったからのみでは無く、抑《そもそも》存心の正大さから自然と公利公益になることを致したのであろう。

財政処理の才においては松方正義は実に勝れた人であって、その見解及び信念はおよそ栄一と相似たものであった。明治十四年九月内務卿たりし時、既に中央銀行設置の議を建て、大蔵卿に転じたる後は白耳義《ベルギー》中央銀行の制度と我国情とを参酌して、日本銀行条例を公布し、政府より半額、公衆より半額、合一千万円を以て日本銀行を設立し、十月十日開業、兌換銀行券発行の特権を有し、金融制度の統一を図った。これに関聯して国立銀行条例は十六年五月改正され、各国立銀行は開業許可を得たる日より二十ヶ年間営業継続、満期の後は紙幣発行の特権を失い、私立銀行に変形すべきこととなった。栄一はこの間に立って、第三国立銀行の安田善次郎*、三井銀行の三野村利助*と共に御用掛心得となって、中央銀行設立の手続《てつづき》を遂行し、また東京銀行集会所の決議を提《ひっさ》げて、各国立銀行の銀行紙幣消却問題を円満に解決した。日本銀行が成った頃から、漸次紙幣と正貨とは価値の差違無きに至り、二十年五月松方大蔵卿の功徳を東京銀行集会所の議によって頌《しょう》するに及んだ。これは何も栄一の功という訳では無いが、官に在っては松方、民に在っては栄一が、大体同意見を有し、しかも栄一が民間の指導者代表者の如き地位に立って、能く私を捨て公に殉《したが》えて、力を翼賛に致した功も少くはなかったのである。

明治九年国立銀行条例が改正せられてから東京に国立銀行の設立せらるる者も多く、また地方に設立された銀行が東京に支店を置く者も多くなった。栄一は平素から衆と共に利を亨《う》けんとするを念とせるものであったから、同業相親み、一致進歩するを図るの機関にと、第二国立銀行の原善三郎、*第三国立銀行の安田善次郎、三井銀行の三野村利左衛門等を同意せしめて、十年七月択善会なるものを起した。『論語』の択二其善者一而従レ之の語に取って名づけたので、銀行の業たる、元来彼此《ひし》諒解し、相互通同するを以て、その確実と敏捷とを増すものであるので、共同機関の設置ははなはだ機宜に叶ったことであった。十三年八月、この択善会は銀行懇親会と併合して、銀行集会所となり、十五年三月規則を修正し、十八年七月日本橋坂本町に新築し、銀行業者の機関雑誌として、十二月より『銀行通信録』を発行し、集会所は一般銀行の為に有力有益なる作用をするものとなった。

商業界における手形《てがた》取引の敏活は、商業を発達せしむる所以の重要なる一件であるが、これの発達もまた栄一の手によって遂げられた。明治十四年七月東京銀行集会所会員一同の連署を以て、手形法規制定の請願を大蔵省に提出し、十五年十二月、為替手形・約束手形条例の発布を得、有力実業者を指導して、その使用、信用取引の方法を教え、またあるいは大蔵省官吏田尻稲次郎＊をして手形の講話を為さしむる等、誘導備《つぶ》さに至り、遂に二十年十二月に入っては、同盟銀行十五行と協議して東京手形交換所を創立し、二十四年三月に至って漸くに不備の点を修正し、交換所の組織、及び交換の方法等を完備し、二十九年銀行集会所より交換所を日本銀行内に移し、遂に活潑なる商取引を為すを得るに及んだ。手形交換制度の如きは今日において論ずればほとんど言うまでも無い事では有るが、その制度の無かったところから有るに至るに及んだ頭初には、必ず公益を念とする先覚が有って、始めて賢い便宜の道が拓《ひら》かれたのだということを認めなければならず、そして安坐して餅を喰《く》う人は汗を流して餅を擣《つ》いた人の有ったことを想うべきである。栄一は杵臼《しょきゅう》の間に労作した人であったのである。

我邦の旧制度から、封建的高圧の下に、商工業者の集団的代表的の者の無かったことは、自然の勢《いきおい》であったが、これは分明に商工業者の無力と、真に所謂《いわゆる》国家なるものの一部分が健全体を成して居らぬことを語るものであった。大隈参議・伊藤参議等はこの事に関して英国使臣パークスの毒言に動かされてという訳でも無かったろうが、商工業者の代表機関を設けんことを栄一に慫慂し、政府も相当補助を与うべきを約した。栄一も予《かね》てその志があったから、益田孝＊・福地源一郎・三野村利助・大倉喜八郎＊・竹中邦香《くにか》＊・

渋沢喜作・米倉《よねくら》一平*等と謀《はか》って、商法会議所設立を東京府知事楠本正隆《くすもとまさたか》*に請願し、翌十一年三月許可を得た。内務省勧商局からは年々一千円ずつ下附し、京橋区木挽町《こびきちょう》に家屋を与えるというのであった。そこで会議所は成立し、栄一は選挙されて会頭となり、前記のほかに、岩崎弥太郎*・吉村甚兵衛*・川崎正蔵*・岸田吟香《ぎんこう》*・堀越角次郎*ほか数名を委員として、規則を議定し、十二年より要件録を刊行頒布し、十三年よりは森村市太郎*・津田仙*・小松彰*等の委員を増し、半途にして十四年五月政府が農商工諮問会を設くるに会いて会勢は挫折したが、十五年芳川顕正府知事に任ぜらるるに及び、栄一は東京商工会創立委員となりてこれを設立し、全国に多く同性質の団体の成立を誘発した。それからその継承発達して欧米各国の商業会議所と同一の地位を得るに至らんことを希図して、二十三年九月商業会議所条例の発せらるるや、栄一は人々と共にその設立委員となり、二十四年五月、東京商業会議所設立を了し、推されて会頭となった。当時商工会の解消して東京商業会議所に継承さるるに臨み、商工会員全員一致の決議を以て、栄一の功労を謝したる謝辞は、商業団体の発達変遷、及び終始これに尽したる栄一の功績を語って詳細なるものがある。東京商業会議所はかくして真に商業界を代表する有力有能の者となって、三十五年商業会議所法の制定を経て、今に及んでいる。その商業界に益し、延《ひ》いて国家に益したることは云うまでも無い。

株式取引所が商業界の機関として存在することの公益は論を須《ま》たざることであるが、これの設立も栄一が在官当時からの意見であり、第一国立銀行経営の傍《かたわら》、その研究を遂げ、政府が明治七年十月東京大阪両地において各一ヶ所の株式取引所設立を許し、同条例を発布するに及び、国情に適切なるよう修正を請い、小松彰・益田孝等と相謀り、十一年五月新条例発布の後、設立許可を得て六月より開業した。大阪においても五代友《ごだいとも》厚《あつ》*・広瀬宰平《さいへい》*等大阪株式取引所を起し、八月十五日開業した。株式取引所もまた栄一の手によって世に成立ったのである。しかし株式取引所及び米商会所等の成立後、栄一はその重役たることを避けた。それは栄一の重厚篤実の性格から、他の商社等とは振合《ふりあい》の違う会社に立って自ら責任を負うことを難しとした責任感の熾強《しきょう》さによってであったろう事として、却ってはなはだ興味あることであった。

保険業も、我邦には開けていなかったのを、指導して成立せしめたのは栄一であった。第一国立銀行経営中、荷為替取組の不安を除かん為に、明治十年八月末、三万円の資を以て銀行自ら海上保険業を兼営したのがその初であった。その翌年、旧大名華族等の組合が巨額の遊金を第一銀行預金と為したるに際し、蜂須賀《はちすか》茂韶《もちあき》*等をして保険業の国家の為に有益にして、かつ正確に有利の事業たることを解知せしめ、ついに明治十一年十二月海上保険会社創立の公許可を得、蜂須賀を頭取に、伊達宗城等を取締役に、栄一は岩崎弥太郎と共に相談役となって、益田克徳《かつのり》＊を支配人に、十二年八月開業するに至った。保険の業は当時の邦人の未聞の事に属していた。それで十一年の事であったが、偶々《たまたま》大隈重信邸において栄一と岩崎弥太郎とが相会した時、談話は商工業進歩の上に及んだ。栄一は金融機関・陸海運輸機関・保険業・倉庫業の改善拡張等の必要を論じたが、特に《こと》海上保険の設立の急務であることを高調した。しかるに弥太郎は、足下の説は一理なきにあらざれども、海上保険の如きはなお早きに過ぎている、と言ったということであった。当時唯一の進歩的海運業者の弥太郎にしてなおかつ海上保険の尚早《しょうそう》を言った如きは、今日から言えば信じ難きほど可笑《おか》しいことであったが、然様《そう》いう時代であったのである。しかし愈《いよいよ》海上保険会社の創立に及んでは、流石《さすが》に弥太郎も栄一の勧誘を否《いな》み難く、創立加盟の一人となった。ただし岩崎でさえ尚早を唱えたくらいであったから、一般社会は保険を利用することを知らず、十六年には会社は政府の保護を受けたのであるが、後に至っては勿論大発達を遂げ、大功果を挙げて今日に至った。

機械紡績の発達もまた栄一の手によって成就された。幕末に薩州藩が英国の紡績機械を購入して、文久三年鹿児島城下磯村に紡績所を開き、また同藩は泉州堺に敷地を得て、二千錘《すい》の紡績機を英国より購《あがな》い、明治三年に業を開いた。後に至りて堺の紡績所は川崎紡績所の前身となった。その他東京鹿島万平*というもの府下滝野川村に紡績所を開いて民設紡績所の最初となったが、微々皆深く言うに足らなかった。政府は民業奨励開発の手段を取り、十一年より十四年に渉《わた》り、多く機械を輸入し、愛知・広島に工場を営《いとな》みて後に払下《はらいさ》げ、大阪・三重・静岡・岡山・栃木・山梨・長崎各府県の有志者に機械を払下げたから、各地に紡績所は設立さるるに至った。というものは、明治元年以後十三年間の綿類諸品一年平均輸入高は一千万円余の巨額で、輸入品総額の六割五分、その内綿糸は綿類諸品の四割六分を占めていたほどであったから、前に輸出品たる生糸を富岡製糸場にて改良発達せしめたるが如く、輸入品の大宗たる綿糸においても、国産を興して邦家に利せんとする考《かんがえ》を政府及び有志者が抱いていたからである。栄一はたまたま鹿児島藩紡績所を買収せんとした大倉喜八郎をしてこれを中止せしめ、別に完全なる紡績工場を創設せんとし、大倉喜八郎・益田孝・藤田伝三郎*等数名と共に発起人となり、松平・伊達等の華族、薩摩治兵衛*・柿沼谷蔵《たにぞう》*・杉村甚兵衛*等をも勧誘し、十四年十月、蒸汽力による紡績工場を大阪三軒屋《さんげんや》に選定し、十五年春起工、十六年初秋落成試業、藤田伝三郎を頭取に松本重太郎*等を取締役に、栄一等は相談役に、大阪紡績株式の名乗りを揚げて世に臨んだ。この時予《かね》て英国に留学中であった旧津和野藩士山辺丈夫《やまのべたけお》＊という者をして英国紡績工場に入りて実技を精習せしめ、十五年帰朝の後技師として業務を担当せしめた。これは即ち富岡製糸場において初は外人技師を用いたるところを、予謀して冒頭より邦人の手においてこれを成し遂げたのであった。かくて業務成績は良好で、資金増加、工場増設、隆然として大工業会社となった。

三重県の人伊藤伝七＊というもの、かねて紡績業を経営していたが、更に飛躍的拡張を念とし、人を介して栄一の指導を乞うた。栄一は工場を四日市に定めしめ、例の合本共力の主張により、十九年七月を以て三重紡績会社を創設した。そして大阪造幣局官吏であった工学士斎藤恒三＊を技師長に聘し、その部下の技師数名と共に欧米各国に視察研究を為さしめた。この会社もまた良好な成績を挙げた。当時の一挿話として、商売忌《い》み敵《がたき》の諺《ことわざ》の意味からであろう、大阪紡績会社の有力株主は、栄一が程遠からぬ三重紡績に関係せるを非難したのに対して、日本紡績業を発達せしめんには豈《あに》一、二の会社を以て満足すべき道理があろうや、更に多数の会社を起す必要さえある、其《そ》様《ん》な卑小な考は益無きことである、と云ったという。これは流石《さすが》に栄一で、公益を念として、私利を専《もっぱら》にせんとせず、心は大処高処に著けている平生が思われて面白い。しかも大阪紡績との感情の睽違《けいい》を避けて、自己の同社株式名義を尾高幸五郎*に変更したというに至っては、世の中は道理ばかりでは押せない、人情というものも大切なものであるということを諒解している栄一らしい所置として、これもまた面白い。

二十年五月に至って、朝吹《あさぶき》英二*・益田孝等の発起により、三井家を大株主《かぶぬし》として、鐘淵《かねがふち》紡績会社は成立った。しかるにこの会社は創立後、運命に恵まれないで、経営容易で無かったが、栄一は三井家の依頼によって、その株主となり、善謀良計、改善整理、同社の今日の盛運を幇助したこと尠《すくな》くなかったということである。

これは商工業経営技術の上の事であるが、元来紡績原料の棉花は、国産は少額で不良品であった。そこで栄一は二十年大阪紡績会社員河村利兵衛*を清国《しんこく》に遣り、江蘇省・浙江省等の棉産地を調査せしめ、二十一年復《ふたた》び同社員を西貢《サイゴン》・東蒲寨《カンボチヤ》・暹羅《シャム》等に派遣して、清国棉花・安南棉花等の輸入の途を開いた。明治十五年農商務省工務局所属愛知紡績所長心得岡田令高《のぶたか》*というものの発議によって、大日本綿糸紡績同業聯合会と称するものが出来、諸紡績会社は皆参加していた。栄一はその会員では無かったが、地位と経歴と名望とは、おのずからその指導者であった。で、印度棉花輸入の議を聯合会に謀《はか》り、聯合会の名によって官吏を印度に遣り、商工業視察に従事せしめんことを求めた。政府はこれを納《い》れて、外務書記官佐野常樹*を孟買《ボンベイ》に派遣した。大阪・三重両紡績も社員を遣って行を共にせしめた。その結果孟買ターター商会と契約が出来、印度棉が入るに及んで、紡績成績は大《おおい》に良好なるに至った。ところが当時印度航路は外国汽船会社の占有するところとなっていたので、運賃の高いのに邦人は皆苦んでいた。中にも最有力なるは英国ピーオー会社で、所謂壟断《ろうだん》の利を占めていた。栄一は二十五年にターター商会のアル・デー・ターター*の来遊し、二十六年に同商会のゼー・エヌ・ターター*の来訪するに際し、運賃低下が双方に必要なのを力説し、遂にゼー・エヌ・ターターと協力して別に新航路を開かんとするの議に同ぜしめた。そこで浅野総一郎*は勇を振《ふる》ってその任に当らんことを欲した。浅野の意気をば壮とはしたが、この競争は必勝を期せねばならず、我が力の彼を屈するに足る十二分の勝算を以て戦《たたかい》を開かねばならぬので、浅野の請《こい》を容れず、当時の吾が最大有力なる郵船会社の社長森岡昌純《まさずみ》*、鐘淵紡績会社の重役朝吹英二及びゼー・エヌ・ターター等と協議を為し、大阪紡績会社・三重紡績会社・鐘淵紡績会社・大阪内外綿会社・日本棉花会社を糾合《きゅうごう》し、また朝吹英二をして大阪において大日本綿糸紡績聯合会を開催して、各綿糸業者を同意せしめ、終《つい》に五大会社にて確定約束の五万俵の積荷、二万五千俵の自由積荷を聯合会の名を以て郵船会社と契約し、ターター商会においても積荷供給手配に相当の保証を為さしめ、その年十一月を以て我が船二、タータの船二で、神戸孟買間定期航海を開始した。海上王であったピーオー会社に対して戦は開かれた。我が陣容は堂々としていた、籌画《ちゅうかく》は周到であった。しかしピーオー会社も英国気質《かたぎ》の大会社で、流石《さすが》に後《あと》へは退《ひ》かなかった。なお幼稚であった郵船会社に対して、威圧的及び巧謀的に激闘を試みた。従来一梱《ひとこり》につき十七ルーピーであった運賃を八ルーピーに引下げて、積荷奪取の競争を敢てした。戦愈《いよいよ》烈しきに及んでは、驚くべし一ルーピー半まで引下げた。栄一は聯合会に説いてその誘惑に陥《おちい》るべからざるを強調し、断然一切の積荷を託せざる態度を維持せしめた。我が商業者も信義的に能く自ら守った。郵船会社も実に善く戦った。ピーオー会社は遂に屈せざるを得なくなって、競争は終熄《しゅうそく》し、我が外国航路の拡張の第一歩はこれを機縁として踏出さるるに至ったのであった。栄一の善謀と徳望とは勝利を得せしめたのである。

紡績業の発達するや、栄一は聯合会の名において、綿糸の輸出税、棉花の輸入税を廃止せんことを求めた。政府はその議を容れた。これより我が綿糸紡績業は愈進歩して、世界的となり、その業績は全世界に光被《こうひ》するに至った。紡績業者は栄一に対して感謝の念を永く懐《いだ》いているのである。

絹織物、製麻事業等もまた栄一の力によって発達した。特《こと》に北海道の亜麻業の如きは、従来我国に存せなかったものであったから、その発達は予期し難き傾向を有したものであったに関《かかわ》らず、栄一の指導と努力とを吝《おし》まなかった結果は、遂に観る可きものあるに至ったのである。

平野富二*を助け、梅浦精一*を推薦し、自己もまた員《かず》に加《くわわ》って石川島造船所を護立《もりた》て、造船業を発達せしめた如きも、栄一の事功記中から脱することの出来ぬものである。不幸にして技術方面を担任した平野は二十五年病歿したが、不撓《ふとう》の栄一は長く取締役会長に就任して、兼ねて鉄工の進歩を希図し、三十一年浦賀分工場を増設した時の式辞に、本分工場たる、これを欧米の各造船所に比すれば、実に小規模中の小なる者と自ら評したのは、謙辞では無くて全く然様《そう》信じたので、もとより成業を永遠に期していたのであり、そして今日に及んだのである。横浜船渠《せんきょ》会社・函館船渠会社の如きも関聯的にこれに力を致したものであった。

明治の初年はなお米納であったから、貢米輸送の便を図らねばならなかった。それで栄一在官中、廃藩に際して諸藩より引上げたる汽船を以て運輸会社を起し、それに通商司保護によって存在せる廻漕会社を併合し、郵便蒸汽船会社が設けられ、前島密が主任官とされた。別に土佐藩の汽船を引受けて、岩崎弥太郎は三菱汽船会社を起した。明治七年台湾征討に際し、三菱会社は軍事輸送を請負《うけお》い、政府より数艘の汽船を購入して附与せらるるの幸栄を得、郵便蒸汽船会社は経営困難の際、競争者の隆盛なるに遇いて、解散の已む無きに至った。かくてその後三菱社は厚く政府の保護を受け、米国汽船会社の船五艘を政府において買上げて下付《かふ》され、また郵便蒸汽船会社所有汽船十二艘の下付を受けた如き立場に在り、かつ航海助成金として年額二十五万円を支給さるる特典を得て繁栄したが、これによって三菱は米国太平洋汽船会社を駆逐し、また上海横浜間の航路を開きたる英国ピーオー会社に対抗して勝《かち》を得、清国招商局をも撃退して、日本沿岸より外国船を駆逐するの大功を立てた。しかし三菱会社の当時政府より受けた保護金は、船舶元価・修繕費・航海助成金・貸与金等を合して九百二十五万円の巨額に上《のぼ》り、かつその富力によって、鉱山を購《あがな》い、銀行を起し、海上保険を営《いとな》み、倉庫業を開き、一旦荷為替を取組みたる者は、その貨物は必ず三菱船舶に附託せざる可からずとし、また三菱船舶に附託せる貨物は必ず三菱海上保険を付せざるべからずとし、荷為替料・運賃・保険料・倉庫料、尽《ことごと》くその手中に収めた。また当時紙幣と銀貨の価値の差のはなはだしかったに際し、乗船賃は銀に限りて紙幣を拒《こば》み、正金銀輸送は保険料を併《あわ》せて外国船にては一万円に対して一円の運賃であるのを常としていたのに、その二十五倍を徴収した。しかし海上においてはほとんど三菱の船舶のみが信頼すべきものであったから、おのずからその専横に任せざるを得なかった。それで世論も囂々《ごうごう》として、海坊主と罵り、識者はその驕暴を正さんとするに至った。栄一は本より商工業は合本共力によるを可なりとし、個人専制が弊を生ずるを信じているものであった。で、十三年八月、弥太郎に招かれて向島の柏屋に相会した時、栄一と弥太郎とは互に事業を論じて、合本主義と個人主義との可否を説き果《はて》は双方共に激して栄一は遂に席を蹴って去るに至った事もあったという。その頃から岩崎・渋沢は交誼も疎《そ》に、岩崎の庇護者であった大隈まで漸く栄一に好感を抱かざるに至り、世評もまた悪く、十三年九月発行の『近時評論』には、某《なにがし》の新聞に曰く、第一銀行破産に瀕し、渋沢自殺を企てたり、などいう誣言《ぶげん》さえ見ゆるに至った。これは栄一の『続雨夜譚』に拠って推察すれば、三菱の専横を経済界に利ならずと考えてこれを控制せんが為に別に海運の業を創《はじ》めんとするの底意ある栄一を社会から叩き落さんとする三菱一派の所為の如く想われる。実に栄一は三井の益田孝の賛成を得て、伏木《ふしき》・新潟・伊勢の諸富豪を説き、十三年に東京風帆船会社を設け、北海道運輸会社・越中風帆船会社を併合し、その後農商務次官品川弥二郎、＊即ち長州系の一勇者の助《たすけ》を得て、三菱会社に対抗する共同運輸会社を設立したのであった。

共同運輸会社が起って三菱会社に対抗するに至ったのは、当時の藩閥事情、政党事情、思想事情、及び経済事情に絡《から》んで、紛雑せる内容を有していた。北海道開拓使は明治二年以後十三年までに国庫から一千四百九万円余を受けていたのである。その開拓使の官有物、即ち各種製作場・試験場・牧畜場・倉庫・船舶等の一切を、薩州の五代友厚、長州の中野梧一《ごいち》*の二人より成る大阪の関西貿易会社に、開拓使長官黒田清隆*は無利息三十ヶ年賦の三十万円を以て売却せんとしたのである。千四百万円からかかったものを年一万円ずつ三十年で払下《はらいさ》げようというのである。何様《どう》であろう、政府はこれを許可せんとしたのである。大隈参議は大《おおい》に争ってこれを非としたが容《い》れられなかった。そこで大隈は密《ひそか》に旨《し》を伝えて『横浜毎日新聞』・『郵便報知新聞』・『朝野新聞』・『嚶鳴《おうめい》雑誌』等に攻撃せしめた。三菱会社は大隈の為に資を投じてこれを助けた。世間はいよいよ大沸騰した。折から自由民権の説が一世を蓋《おお》うて、衆議院開設を政府に逼《せま》っていた時であった。で、伊藤博文・井上馨等は先ず憲法調査に従いてこれを慎重に制定せんと云い、廟堂は皆しかるべしとしているのに、大隈は明年総選挙を行い、明後年議会を召集すべしと主張した。そこで開拓使払下といい、議会開設といい、台閣に在りながら、大隈の為《す》ることは何だ、ということになり、議会は二十三年に開かるべき旨の詔勅は発せられ、開拓使払下は許されざることとなり、大隈は下野せしめられた。大隈は野に下るや、十五年四月を以て立憲改進党を組織し、十四年十一月板垣退助の組織した自由党と共に政府に対した。政府にはこの政党なる者を余り喜ばざる一派があった。品川弥二郎はその中でも一本気の人であった。長州の伊藤・山県・井上を三尊とした潔癖の人であった。大隈の特別の保護を得た三菱会社が、政府に反対の気勢を張る大隈を支持するのに、政府がなおその三菱を庇護すべき理由は無い、と十五年二月を以て政府は三菱に対する態度を一変し、命令書を発して厳正に干渉検束した。

三菱に対抗すべく共同運輸会社は起された。創立委員は益田孝・小室信夫《こむろのぶお》・渋沢喜作・堀基《もとい》*・藤井三吉*・原田金之祐《きんのすけ》*六人が選挙された。栄一は銀行に関係せるの故を以て、避けて裏面に居た。今まさに開始されんとする戦闘に参加することを怯《おそ》れた訳ではあるまいが、栄一は気分で将棋をさすような人では無かったので、この戦闘の落付くところを予想して終幕出場を撰んだのかも知れぬ。社長は官選で海軍少将伊藤雋吉《としよし》*、副社長遠《とお》武《たけ》秀行*、資本金は六百万円、内二百六十万円は政府持株《もちかぶ》だった。明治十六年十月以後は運輸会社の新造船が続々欧洲より廻航するに及び、各船は三菱会社の航路に割込んだ。

戦闘は激しくなった。船は船と戦った。廻船宿は廻船宿と戦った。自由党は三菱会社に箭《や》を向けた。改進党は運輸会社に箭を飛ばした。渋沢は岩崎と戦った。合本主義は個人主義と戦った。政府は政党と戦った。品川は大隈と戦った。運賃は運賃と戦った。神戸横浜間三等船賃五円五十銭であったものが、次第に減じて一円以下にまでなった。技術は技術と戦った。速力は速力と戦った。無理な速力戦になっては、乗客は危険に晒《さら》さるるまでになった。敵も味方も損失は非常な巨額になった。双方共にくたびれ武者になった。その戦《たたかい》は十六年十七年十八年と続いた。潮は変らぬ訳にはゆかなかった。損失が余り大きいので政府部内に異議が出て来た。品川は非難され出した。運輸会社と政府との関係も様子が変った。運輸会社の株式は額面の三分の二になった。三菱の方では十八年三月、弥太郎が病気で死んで終《しま》った。風も変らぬ訳には行かなかった。世論では戦《たたかい》そのものが非難され出した。両社共《とも》に疲れ共に傷つく、日本海運の前途をそれ如何にせんという論は、賢くもまた正しかった。十八年七月、政府からは、両社の資本を併《あわ》せ、新《あらた》に一大会社を起すより他《ほか》に良き道は無い、速《すみやか》に何分《なにぶん》の答申を為せ、という訓令は下された。両社異議なく合併に決し、同九月創立委員長森岡昌純、委員小室信夫・堀基・荘田《しょうだ》平五郎*・岡本兼三郎*は政府起稿の原案を審議し、設立許可を受け、翌十月一日から資本金一千一百万円の新会社は営業を開始した。それが即ち日本郵船会社であった。この戦の表面に出ては居ないから、栄一には負星《まけぼし》も勝星も附かない訳だが、前人が評して、実は戦は栄一が負であったが、岩崎も合本共力主義の内に溶解したのだから、主義においては岩崎が負であった、と云ったのは面白い評言である。

日本郵船会社はかくして年々に発達を遂げ、二十六年に至って、同社組織変更に際し、同社の中心なる岩崎弥之助*・川田小一郎*は栄一を訪《と》うて、三菱の荘田平五郎、三井の中上川《なかみがわ》彦次郎*、第十五銀行の園田孝吉*と共に取締役の任に就かんことを請うた。栄一は諾してその時から表面に出て任に就いたが、前に記した孟買航路ピーオー会社との競争は実にこの際にあったのである。そしてピーオー会社は運賃一梱一ルーピー半という苛《か》辣《らつ》な挑戦を敢て仕向けたるに対し、此方は始終十二ルーピーという平正なる規定を改めずに戦ったのは、如何にも論語と算盤《そろばん》とを一にし、商業と道徳とを離れさせぬことを信念としていた栄一の立派な態度であった。一ルーピー半と十二ルーピーと云えば、敵は八の力を以て我が一の力を粉砕せんとするに当っているのだが、それにも関《かかわ》らず綿糸聯合会が一毫も敵の犯《おか》すところとならなかったのは、聯合会も実に見上げたものであったが、これを結束して能くしからしめた栄一の徳力もまた偉なるもので、それで終《つい》にこの戦は輝ける我が勝利となったのである。初め栄一の孟買航路を開始せんとするや、ピーオー会社の香港《ホンコン》支店長ジョセフ、神戸支店シール、横浜支店リケットの三人は、栄一を訪《と》いて、その計画の無益なることを言いてこれを中止せしめんとし弁論はなはだ力《つと》めた。これは兵法に所謂《いわゆる》その謀《はかりごと》を伐《う》つもので、栄一を敵将と認めたことは明らかであった。栄一はジョセフ等の言を論破した。そして愈《いよいよ》戦の開始せらるるや、紡績界にのみ身を置かず、岩崎等の言に応じて、郵船会社にも身を置いて、表面に出でてピーオー会社と戦ったのである。戦は激しかった。ピーオー会社は英雄の戦を戦ったのである。しかし栄一は堂々たる王者の師の戦を戦ったのである。三菱と戦った時は栄一は敗戦したにせよ、ピーオーと戦ったこの時は、仁義の師、誰か能くこれを阻止せんや、という勢《いきおい》で勝利を博したのであった。この時まだ小さな海運業者に過ぎなかった浅野総一郎が身を挺して戦に出でんとしたのもその意気はなはだ壮であったが、栄一がこれを抑えたのもその智慮はなはだ遠いことであった。総一郎は栄一が早くから目をかけ手を仮《か》して遣ったところのまたこれ一驍将《ぎょうしょう》で、明治二十年四月資本二十万円を以て浅野回漕部を設けたものであったが、そのこの時に徒らに費されざりし英気は、後に漸く発して、膨大な東洋汽船会社を成すに至ったものである。

栄一が国家の真の発達隆昌《りゅうしょう》は即ち人民の真の発達隆昌に他《ほか》ならぬことを信じ、その身を民間に置いて、自ら先ず社会の良好健全なる一分子となり、兼ねて良友となり、良指導者となり、以て衆と偕《とも》に光明幸福の世界に生きんことを念としてより、心身を惜《おし》まずして長い歳月を勤め労し、その才、その徳、その力、その財、その地位、その人望、その情懐、その趣味、そのあらゆるものを社会に対して分与し提供して、八方に触接し応酬したから、社会もまた栄一に対しては良き個人、良き友、良き指導者として、八方からその求めんとする者を求めた。それで栄一の一生は、当時の社会の事業の何一ッとして栄一に関係の無いものは無いまでに関係を有するに至った。以上偶録したことの如きは、本《もと》よりその一鱗一毫を描《えが》いたに過ぎぬことで、もしそれ一々に筆を著《つ》けたらば、事業の目録だけでもその多きに堪えぬほどである。例えば栄一と鉄道とのことは未だ記さなかったが、東京鉄道会社、これの払下《はらいさげ》に関しては華族組合が栄一に長い心配をかけ、而してその結果が保険会社の成立に変じたという奇異なことになっている。北海道炭礦《たんこう》鉄道、これは栄一及び徳川義礼《よしあきら》＊・奈良原繁等外数名の発起に成っているのである。参宮鉄道、これも栄一等の発起に成っているのである。日本鉄道、これは栄一その株主であり、理事員であり、明治三十一年役員大紛議の際の如きは、善処の功労多しと云われている。その他、九州鉄道・筑豊鉄道・日光鉄道・両毛鉄道・水戸鉄道・京都・両山・磐城・北越・掛川・船越浜崎・西成・岩越・金城・京北・大社・南豊・総武・函樽・台湾諸鉄道の如き、深浅多少の差こそあれ、皆関係のあったものである。紡績の事は前に記したが、なおモスリン紡績にも関係あり、解散にはなったが、東華紡績も栄一等の発起であった。鉱山では足尾銅山の如き大鉱山も、一時衰微して、ほとんど廃滅に帰せんとした時、栄一が実に少許《しょうきょ》の金を山主の古河に融通した折から、あたかも好し良脈を発見して復活し、その後驚くべき大発達を遂げた好個の小説的奇話を遺しているのである。古河市兵衛は、第一銀行成立後、栄一に恐ろしい熱湯を呑ませて退《しりぞ》いた彼の小野組の旧番頭で、当時の紛紜処分の際より、互にその才幹を認め、爾後栄一の力を藉《か》り、また栄一の力ともなったものである。浅野総一郎も栄一の心服者で、その鉱山部に栄一の気息《いき》はかかって居り、磐城炭礦は栄一を戴いて取締役会長としているのであった。藤原炭礦・長門無煙炭礦、今如何なるかを知らないが、何れも渋沢・浅野の手のものであった。瓦斯事業はもとより明治以後の事で、その初を語れば人をして笑を発せしめる。事は明治四年二月、東京府知事由利公正《ゆりきみまさ》*が、新吉原に瓦斯灯を設置しようというので瓦斯機械を英国から購入し、同年八月これを東京会議所に交付したのに起る。で、新吉原金瓶大《きんぺいだい》黒楼主人《こくろう》松本金兵衛が礦油灯というのを新製し、西村勝郎*が現華灯を発明して、各瓦斯灯より優《すぐ》れていると主張した如き奇談を傍出したが、栄一は東京会議所瓦斯係の昔より、種々経緯を歴《へ》て、あるいは事務長となり、社長となり、終《つい》に東京瓦斯株式会社と発達させて、一時取締役会長となり、以て今日に及んだのである。電気灯は明治十九年七月東京電灯会社の創立委員となり、電話は私設の許さるるや否やもなお不確《ふたしか》なる時、明治二十年、栄一が理学士沢井廉*を米国に留学させてエジソンの弟子たらしめ、後に電話は官営事業たるに定まったので、沢井技師を政府に譲ったのであった。広島水力電気会社・東京水力電気・陸羽電気鉄道・群馬電気鉄道その他、皆栄一の発起である。王子製紙会社の前身に就いては前に記するところがあったが、これは実に栄一が大蔵省三等出仕であった時の規画に成るもので、下野するに及んで、同七年同社事務を担任し、種々困難を経て、同十二年より社運漸く開けた。この社は当時新聞用紙抄造《しょうぞう》に全力を尽したが、この結果が我邦文運の啓発に寄与するところあったことは非常のものである。明治文化を論じてこの社の事業を考察せぬが如きあらば、それは建築を論じてその基礎を論ぜぬ如きの大過失である。同十二年・同十七年、大川平三郎*の二度の外遊製紙界視察及び修技は著しく社業を進歩せしめ、爾後も常に先端的に進歩して、遂に社界に大功を立つるに至った。これに近き事業として、四日市製紙・東京印刷両社もまた栄一の気息《いき》のかかったものである。門司築港・若松築港両会社の如きも栄一はまたその相談に与《あずか》った。開墾事業は工業商業と異なり、固く自然の支配を被《こうむ》るものなれば、精悍にして而も遅鈍のところある人の、少くも三十年、即ち一世の歳月を費すので無ければ功を見難いものであると考えられる。三本木開墾会社、及び十勝開墾会社は栄一の関聯せる事業中で、余り良果を得ざるものと思われるが、あの三本木の広漠なる土地を棄て顧みざるに至らざるところに、栄一の性格が見えて面白い。石油業・セメント業等は浅野を透《とお》して力を致している。麦酒醸造においては、北海道開拓使の遺業を継承して、札幌麦酒製造を大倉・浅野と共にこれを発達せしめたが、すべてかくの如き新しき事業あるところ必ず栄一の影を認めぬことの無いのは、たまたま以てその新しい世に応酬することはなはだ力《つと》めていたことを証する。麦酒醸造は今日はなはだ大なる業となっているが、その未だ密林大樹を成さざる前には、栄一等の培養保育の手が働いたのであった。水産では洲崎養魚・青木漁猟・千葉県漁産・日本水産等に与《あずか》ったが、言うに足る結果は得なかった。煉瓦製造業は品川白煉瓦製造所・日本煉瓦製造両社に与った。白煉瓦製造は西村勝三に助力してその功を成さしめたるに過ぎざるが、日本煉瓦の製造はその原土産地大里郡上《じょう》敷免《しきめん》村が血洗島村遠からざるところである関係からか、大に同情を寄せ、不利の事情続出して経営困難なる十三年間の長日月を支《ささ》えて、諸井恒平《もろいつねへい》*をしてその功を成さしめた。製藍業は渋沢・尾高両家の世業であったから、印度藍《インヂゴ》靛の輸入が盛んで本邦製藍の圧倒せらるるを見るに及び、インヂゴ製造を企図し、尾高新五郎と共に前後十数年、資を投ずる数万円、研究労作はなはだ力《つと》めたるも、精密なる染料製造化学の知識技術の水準がなお低き世であったので、青木直治*を印度に遣る等、苦慮した甲斐も無く、その功を見ずして已んだ。製綱業は渡辺温《おん》*と共に横須賀綱具製造所を払下《はらいさ》げ、漸くにしてその大を致した。硝子《ガラス》製造は西村勝三の品川硝子会社、益田孝・浅野総一郎との磐城硝子会社、いずれにも心を苦め力を尽して経営し、設備と技術との完善を企図したれども、事業は失敗に帰し、会社は解散に終った。しかし後に栄一の義甥《ぎせい》田中栄八郎*が田中硝子工場を設くるに及び、これ等の経験は皆崇高なる犠牲となりて、成功の礎石となった。栄一の手を著けた事業とても、すらりと成功を遂げたのばかりでは無く、何れも皆蹉躓《さち》困頓《こんとん》を経た後、漸く好運に向うたのであったが、中にはインヂゴ製造・硝子製造の如く、社会への犠牲となったのを名誉として終ったのもあるのである。帽子製造の如きも瑣々たる小事業ではあるが、その初は英米人技師を雇えるに関《かかわ》らず、拙劣なる製品の商品となすに堪えざる者を得たるのみにて、七万円の損失を招き、一度は会社解散の已むを得ざるに至り、その後になってこれを継承した東京帽子会社が好成績を得るに及んだのである。農家の出であるところから、栄一は高峰譲吉*の人造肥料論に感じ、東京人造肥料会社を起したが、当時その肥料を試用せしめたところ、阿波・肥後等では窒素肥料を用いるべき土地に燐酸肥料を用いたり、また越中では粉末肥料を流れのある水田に施して流し去って了って、そしてかくの如き肥料は無効だと云われたような滑稽なことも有った。しかし肥料の撰択や使用方法が一般に解知されるに至るに至っては、有効なものが閑却される訳は無いから、会社はその意義をなし利益を得たのである。その他汽車製造業といい、熟皮業といい、倉庫業と云い、精糖業といい、ホテル業と云い、土木業といい、栄一の関係した事業は数うるに暇無いが、皆時勢に少し先立ち、または時勢に相応して為されたもので、その少し先立ちたるものは、初め艱《なや》みて後に通じ、相応したものは直ちに功を挙げ利を生じたのであり、否運に遇いて全く失敗したものも、後の益を為しているのを見て、つくづく栄一が時代の人であったことを感ずる。

単に商工業というのではなく、朝鮮京城仁川間の鉄道敷設《ふせつ》権を米人モールス*より引受けて、開通運転に至らしめたこと、京城釜山間鉄道敷設を為したことの如きは、当時に在って別頭の意義に跨《また》がっているものとして称すべきものである。もしそれ東京市養育院事業の如きは、栄一が東京会議所の員《かず》に備わりし明治初期よりの関係有りしとは云え、善謀深慮、能く上下の協力を得て、不幸者の救済、社会の良化に役立つ機関を確立したことは、たとい栄一が宗教的信念を有せずとも、却って実に称讃に値《あたい》することであった。

国民を儀礼交際を知るところの文明人として、外国の有徳有力有識の公私の人に接せしめ、以て内外の親和交歓を致す習慣の如きは、永く鎖国を事とした我邦にはほとんど無いことであった。そこで国家は他の国家と交際はしても、国民は他の国人と私的関係無き限りは相関せずの態度を取って、知らぬ顔で過し、公的には何等の善意をも友情をも示すこと無くて済ましていた。これは国民自ら国民の地位権能体面を重んぜぬことであり、はなはだ物足らぬことであった。栄一は徳川昭武に随って欧洲各国を歴遊し、各国民が他国民に対する情状を会得《えとく》した。それで米国前大統領グラント将軍が明治十二年*我邦に来遊せるに当って、これを機として、旧陋習を破り、新美風を起すべく運動し、東京市民の開催として上野公園に恐懼《きょうく》の至りながら、天皇陛下の御臨幸を仰ぎ奉り、グラントを請待《しょうたい》し、皇族・大臣・百官・知事等の臨席をも得て、武術演技等各種の催し物をなし、盛んなる会を開いた。当時の事とて、なお未だ外賓歓待の意義などを解釈し得ざる者も多く、攘夷の余焔、御臨幸御見合《おみあわせ》の議さえ強かった程であったから、式場の一切はただ聖徳を感謝し奉り、御臨幸を仰いだ、グラントをも招いたというに止《とど》まったが、グラント等の欣悦《きんえつ》したことは勿論であって、この時の挙あってより後、漸くに人民は人民としてのその意志感情を公《おおやけ》に表明するの風習が開けるに至った。しかもこの発起者栄一が十余年前の攘夷論者の栄一だったことを思うと、実に栄一は時代の解釈者、時代の指導者、時代の要求者、換言すればその人《ひと》即ち時代その者《もの》であったのである。上野御臨幸前、グラントを新富座《しんとみざ》に招請《しょうせい》し、また工部大学を借りて盛筵《せいえん》を開きし如きは、もとより自己等がパリにおいての経験その儘《まま》の翻訳であったが、二十六年に至りて喜賓会を設立したのは勿論、また後年帝国ホテルを設け、帝国劇場を設けたる如きも、その物本来の目的は目的として、別に対外交際の進歩の資を具備せんとするに在ったのである。

対内的にも栄一は人民側に立って人民を公的に押進めることに尽力した。憲法発布に際しての東京祝賀大会、日清平和還幸凱旋門建設、平安遷都記念祭、奠都《てんと》三十年祝賀会等以下、何程これ等の開催をしたことか、後には栄一無くとも、人民が自ら公的に動くの風を為すに至ったが、その初を言えば栄一の啓蒙運動によって起されたのであった。

かくの如くにして栄一はほとんど時代と一体であるようにして年月を送ったから、時代の何事かが有る毎に栄一に対してその要求するものの多かったことは想像に余るほどであった。何事も渋沢の関与し共力し同情するものは成立し遂行し得、その関渉無く、または拒斥し非難するところのものは不成立不成功に終るとされるような傾《かたむき》が不言不語の間に世に認めらるるに至った、それ程に渋沢の勢力は広大なるに至った。そこで反対的の意志感情を有《も》つものも自《おのず》から生ぜざる能わざるの勢《いきおい》であった。明治二十五年に栄一が暴客の狙撃《そげき》に遇った如きはその現われであった。栄一は圭角《けいかく》多き人でも無く、元来が温和善良であり、また自ら孔子の教《おしえ》によって身を修むるを念としていた人であったから、その様な運命に会うべき筈も無かったのであるが、触接方面の広いものは、如何に処事接物の妙を得たものでも、敵に会わずして一生を過すということは成らぬものである。東京市が漸次繁栄を増すにつけ、水道改良事業を遂行せねばならなくなった。予算費用六百五十万円というので、当時に在っては大事業であった。ところでその事業の中心たる大鉄管を得ねばならぬにつけて、これを外国から購入するを可とするか内国で鋳造するを可とするかが問題になった。栄一は愛国者ではあり、無論内国鋳造を可とする者であろうとは人々の予測したところであり、かつ大事業の指導者・共賛者として鋳鉄会社に栄一を得ることは何程の利益であるかわからぬから、会社発起人等は栄一の力を仮《か》らんと欲した。ところが栄一は瓦斯事業にも造船事業にも関係が有って、当時の我邦の鋳鉄界の能力をも技術をも経験をも知悉していて、従来類例無き多数の大鉄管を鋳造することはなお未だ危険なるを免《まぬか》れずと思考した。そこで、外国製品を厳査して購入した方が、確実にして違算無きを得るの道だとして、外国製品購買を可とした。しかも栄一は当時市参事会員であったから、市の鉄管を請負《うけお》う鋳鉄会社の発起者となるのは不適当の地に立っている、として鋳鉄会社の請《こい》には応じ無かった。これは鋳鉄会社に取っては苦痛極まる不利であった。論議は遂に感情的になった。外国製鉄管購買の利を説く者は、外人と結託して私利を営《いとな》まんとするの奸物だ、という風評が流布《るふ》さるるまでに至って、内国鋳造は遮《しゃ》に無《む》に主張された。二十五年十二月十一日、侯爵伊達宗城の病が篤《あつ》いと聞いてこれを訪わんとして、栄一は馬車に乗って兜橋を渡った。二人の兇漢は車を挟んで現われた。馬足は斬られた。馬は躓《つまず》いた。車窓のガラスは突破られた。新聞紙を見て居た栄一は、車が俄《にわか》に止《と》まったので、首を上げると、白刃《はくじん》は栄一の胸前《むなさき》に及んだ。しかし突かれはしなかった。御者《ぎょしゃ》八木安五郎は鞭を揮《ふる》って兇漢を打つと同時に、左手の手綱《たづな》を捌《さば》いて馬を励ました。馬は立上って走った。次の鞭は馬に加えられた。車は急駛《きゅうし》した。兇漢は及ばなかった。人力車に乗って馬車の後に随っていた巡査宮里仲太郎は車を飛下りて兇漢に取ってかかった。弥次馬は加勢し、兇漢は押えられた。栄一は駿河町越後屋即ち今の三越の楼上に休憩した後に家に帰ったのである。巡査が随行したのは、その前日婿《むこ》の穂《ほ》積《づみ》陳重《のぶしげ》*が不穏の風評ある上は護衛を付すべしと云ったので、家人が警察署に告げたため、あたかも好し栄一は危きを免《まぬか》れたのであった。それから当時の流言に、兇漢を使嗾《しそう》したのは、鋳鉄会社の発起人、海軍大佐上《あが》りの遠武秀行ということで、これより前《さき》栄一に鋳鉄会社設立の賛成を求めて退《しりぞ》けられ、よって色を作《な》して激論したのであった。そこで栄一は、其様《そん》な流言が有るのをその儘にして置いては、遠武は世の信用を失って実業界に立つ能わざるに至るの恐《おそれ》がある、と人を遣って遠武を招き、談笑自若、平日の如くにした。これは実に栄一の好いところであった。そこで流言も止《や》み、鉄管問題の論争も漸く激烈で無くなり、十二月二十四日京浜間の銀行同盟者は渋沢氏遭難無事の祝賀会を帝国ホテルに開き、正金銀行頭取園田孝吉総代として祝辞を述べた。栄一の方はこれで済んだが、鋳鉄会社の方は二十六年一月成立したが、栄一の予言の如く、種々蹉躓ありて、遂に刑事・民事の裁判の起さるるあり、散々なる不結果を以て一時東京市を混乱と不経済とに陥《おとしい》れて已んだ。

世間は漸々《ようよう》に栄一の実務の才、先見の明に感嘆し、毎《つね》にその確実にして、違算の少からんことを取る実業精神の正大熾盛なるに依頼した。苟《いやしく》も業を起し功を立てんと欲する者等は、その事業が渋沢氏の同意を得ると得ざるとで、成不成の分岐点が定《さだ》まりでもするように感ずるに至り、栄一の才徳声名に依傍し夤縁《いんえん》し、あるいはこれを利用せんとする者はなはだ多きの勢《いきおい》を致した。栄一はまた能くこれに応酬し、恒《つね》に誠実一味を以て一般に臨んだ。何時《いつ》となく実業界の大御所を以て呼ばるるに至った頃は、直接間接栄一の関係する事業は驚く可く多数なるに至った。三十三年五月九日、勲功に依り、華族に列し、男爵を授けられた。

明治二十七、八年日清戦役後、我邦は国運の一大飛躍を遂げた。三十七、八年日露戦役後、再び一大飛躍を遂げた。その飛躍の度毎《たびごと》に栄一もその大を加えた。いや国運の進歩によって栄一も進歩したのでは無い、栄一も国運を進歩せしめた有力なる一分子・一原動力となったのである。栄一が官を退《しりぞ》いた後は、もとより人爵を意としては居なかったのであるが、聖明上《かみ》に在り、その国家に対する誠意と勲功を認めたもうて、恩命を下《くだ》したまわったのであり、また大正九年に至り子爵に陞《のぼ》せられたのである。男爵より子爵に至るの間の事業功績は、愈《いよいよ》繁富にして広大であり、小冊一々これを記する能わざるところであるが、総《す》べてここまでに記し来りたるが如きことの大延長であり、大拡張であると解してしかるべきである。

勢力が一世に広被したのだから、経済界以外、実業以外、公共事業以外にも栄一の引出されて利用さるべき事情は自然に多く生じたのであるが、栄一が自ら拠って立つ処以外に出でなかったことは、一面には栄一が自ら守ることの貞固なのと、一面には謙虚の性質の美とを語っている。明治三十三年九月、伊藤博文が立憲政友会を組織するや、博文は予《かね》て栄一に信ぜられていると自認して居たので、栄一の入党を求めた。栄一が実業界の有力者を率いて入党すれば、党の一威力を増すのは明白なことであるが、実業者が政治界の一党に加盟することは、利益もあれど弊害もまた生じ易いことである。よって栄一は明治初期以来博文とは公私ともに相知れる間ではあったが、伊藤の快とせざるは知れきったことであるに関《かか》わらず、断乎として入党を拒絶した。為に一時感情の睽違《けいい》は免《まぬか》れなかったが、博文の聡明なのと栄一の貞固なのとは、双方の諒解を致して、却って各々その止《とど》まるところに止まるを可なりとして已んだ。次年五月、伊藤博文・山県有朋が相謀《あいはか》って、井上馨を推して政局に当らしめんとしたとき、井上はこれを諾して、栄一を得て大蔵大臣たらしめんとし、切に勧説するところが有った。井上は明治初期からの相知であり、かつその懇請があり、大臣の顕職に就くというのだったから、普通の人であったなら立つことを諾すべき場合であったが、栄一は操守堅確《けんかく》、何様《どう》してもこれを肯《がえ》んぜず、二十日、芳川顕正に、二十二日、伊藤・山県に書を贈って、辞意を明らかにし、為に井上も自ら内閣組織に当るを敢てせざるに至った。これは渋沢栄一の野心家でも慾《よく》深《ぶか》でも無かったことを語るばかりでなく、また智慮深遠で保身の術に長《た》けたことを語るのでも無く、一には明治六年の下野の時からの操守に殉《したが》えたもので、また一つには自信の無いところへは一歩でも動き出さない篤実の性質を語ったものであった。この時に立って台閣に列したとて、その閲歴・材能・勢力から言って世間は称讃こそすれ、誰が非難するものが有ったろう歟《か》。しかるに栄一が頭を出さなかったのは、自分が大蔵大臣になったとて、それが今日真に国家の利益になり得るか何様《どう》か、それよりこの儘民間に在って働いた方が幾分でも国家の為にもなり、身の為にもなると、真実に然様《そう》考えたからで有ったろう、と解釈して、栄一の立派なところを此処《ここ》に看取して宜いと思われる。井上が出なかったので、この時はなお世間には未知数であった桂太郎*が出て総理大臣となったのである。井上・渋沢が出たら、仮令《たとい》二人が公正に務を執っても、初は吉、後は不吉であったろうと思われる。

三十五年の五月十五日、夫人同伴、欧米商工業視察の途《と》に就き、米国にて大統領ルーズヴェルトに引見せられ、英国にて倫敦《ロンドン》商業会議所に特遇せられ、仏・伊諸国を経て、十月三十一日に帰朝した。往年滞欧の時より既に三十余年を経、旧時は徳川系の小吏、今は世界的の実業者として、視るところ履《ふ》むところに多少の感慨無き能わざるものが有ったろう。が、この数年は朝鮮半島鉄道敷設に尽瘁《じんすい》していた。それがやがて三十七、八年日露戦役に大《おおい》に役立ったのである。役終って三十八年米国太平洋鉄道会社社長ハリマン*、南満洲鉄道譲受の目的を以て渡来したのを、摂待《せったい》した。三十九年七月、南満洲鉄道会社設立委員を内閣より命ぜられ、十一月二十六日任を遂げたのは、ハリマンの意図の斥《しりぞ》けられた結果の延長であった。

明治四十二年六月、栄一は歳月怱忙《こつぼう》百般経営に心身を労して寧日《ねいじつ》無かりし間に、今は七十歳の老人たるに至った。そこで東京瓦斯会社の高松豊吉外二十名を招きて、取締役辞任の意を述べ、また関係六十一会社に対して任を解《と》き、今後は銀行業及び社会公共事業のみに専念せんとすることを発表した。八月、米国シャトル以下太平洋沿岸の八商業会議所の招きにより、我が実業界有力者三十名一団の長となり、これを率いて米国に至り、五十三都市を歴訪し、所謂《いわゆる》国民的外交を果し、十二月十七日帰朝した。老軀を提《ひっさ》げての外遊はなおこれに止《とど》まらなかった。

明治天皇を奉祀する神宮を都下に建設せんことを首唱し、大正元年八月九日、東京市公共団体を会して、神宮御造営奉賛会有志委員会を組織し、推されて委員長となり、数々《しばしば》会合協議を重ね、神宮を代々木御料地に、外苑を青山練兵場に造営あらんことを希望する覚書を作り、これを総理大臣・宮内大臣に提出した。これが後年代々木に神宮の成るに至った源《みなもと》であった。明治天皇は固《もと》より一世と共に深く崇敬し奉《たてまつ》ったところで、この事は全く仰慕の丹心を、人民代表として具象せんとしたのであった。大正三年同会を解散し、明治神宮奉賛会創立委員長となり、四年五月趣意書及び規約成り、六月伏見宮貞愛《さだなる》親王*を総裁に奉戴するを得た。栄一の存心忠厚なのはこれを見ても知るべきである。

栄一旧主徳川慶喜が皇室に対して忠忱《ちゅうしん》を懐《いだ》き、国家に対して誠実であったことは、今日誰も解知せぬものは無いが、それでも時運の不利に遇い、一時は朝敵の名をさえ受けて、謹慎屛居《へいきょ》せざるを得なかった。この事は栄一に取って長い間の悲苦であった。しかし栄一が明治政府に登用せられた後、野に下って自由の身となってから、事業用で東海道を経る時は、必ず静岡に伺候して、慰藉《いしゃ》の誠を致し、また機会を得ては要路の人伊藤博文等にその冤《えん》を被《こうむ》れることを釈明し、却って奉公の大精神を有せられて家を思うよりも国を思い皇を思うの至誠の大英断を以て、各種の誘惑を斥《しりぞ》け、小乗的の毀誉《きよ》を意とせず、彼の幕末の危局を、多くの支障無く次の時代に渡された真相を伝え、終《つい》に冤雪《すす》がれ罪除《のぞ》かるるを得て、明治三十四年には麝香間祗候《じゃこうのましこう》となり、その翌年には公爵を授けらるるに及んだ。別にまた栄一は慶喜の伝を編んで、禁裏守衛、将軍襲職、大政奉還等の前後の事情を明らかにして、その本心真相を世に伝えんことを欲し、長き年月を費《ついや》し、多くの人々の労苦を積んで、一部の大著述を為した。それが今存する『徳川慶喜公伝』である。伝は大正六年に成り、慶喜は同二年に薨じたが、伝成って後慶喜は永き生命を得た観がある。渋沢栄一は徳川慶喜によって世に出たのであるが、栄一が慶喜に対したのは、実に始あり終あるものであった。

栄一の慈善事業に力《つと》めたことははなはだ多岐に渉《わた》っている。就中《なかんずく》養育院事業は永い永い間栄一の力を尽したことであり、幾多変遷の後、安房に分院をさえ設くるまでに至り、やや完備して、高貴の御嘉賞をさえ被《こうむ》るに至った。これ等慈善事業に栄一の熱心であったのは、栄一の仁心に本づいたことは勿論であるが、その源泉を尋ぬると、栄一の母の性質の美にして、惻隠《そくいん》の情はなはだ深く、困窮病弱等の悲むべき人を憫《あわれ》む余りにその救済慰藉の施為《しい》が厚きに過ぎて、時にその夫の喜ばざるまでに及んだ程だったというのに因《よ》ったのである。母は明治七年に死したが、栄一はその後数十年を慈善事業に尽力して怠らなかったのである。母は栄一によって永く生きたのである。

栄一は昭和六年十一月十一日九十二歳を以て時代の人として意義ある生活を終った。

（昭和十四年五月）

人名解説

（山田俊治編）

- 周知の人物を除き、本文中の主な人名について解説を付して、初出頁を示した。
- 現代仮名遣いの五十音順によって配列した。

あ　行

会沢正志　正志斎。一七八二―一八六三。水戸の儒学者。『新論』（一八二五年）で尊皇攘夷を説き、晩年『時務策』（一八六二年）では開国を説く。　二六

青木直治　一八五八―?。越後出身。新潟学校百工化学科卒。染色業。一八九四年インド視察、翌年インド藍輸入販売の商会を設立。　二八一

赤松則良《のりなが》　一八四一―一九二〇。幕臣。遣米使節に随行、オランダ留学。維新後は兵部省出仕、海軍中将。　一五九

浅野総一郎　一八四八―一九三〇。越中出身。渋沢の助力で、官営深川セメント工場を獲得して浅野セメント会社を設立、海運業などに事業展開。　二六七

朝吹英二《あさぶき》　一八四九―一九一八。豊前出身。慶應義塾に学ぶ。三菱商会を経て貿易商会支配人。後に

鐘淵紡績会社専務。 二六六

荒木翠軒 一八二三—一八八七。大槻磐渓に師事して漢詩文をよくした。 一六八

有栖川宮《ありすがわのみや》 熾仁《たるひと》。一八三五—一八九五。尊皇攘夷派の親王。東征大総督。 一三〇

アル・デー・ターター ラタンジ・ダーダーバーイ・タタ。一八五六—一九二六。インド人。一八九二年来日、神戸に事務所を開設。 二六七

アンチセル トーマス・アンチセル。一八一七—一八九三。アメリカ人化学者。開拓使技師で来日、大蔵省紙幣寮に転じて印刷インクを改良。 一四

安藤就高《なりたか》 一八三〇—一八八六。大垣藩士。維新後は大蔵省租税寮などに出仕。 一六三

安藤信正 一八一九—一八七一。磐城平藩主、対馬守。老中。公武合体を進め、坂下門外の変で負傷。 三六

生島孫太郎 生没年未詳。外国奉行調役並として徳川昭武に随行。 一一七

池尻岳五郎 一八四四—一八六四。久留米藩士。天狗党に加わり、処刑される。 四五

池田茂政 一八三九—一八九九。備前岡山藩主。斉昭の九男。 八八

池田慶徳 一八三七—一八七七。因州鳥取藩主。斉昭の五男。 八八

井坂泉太郎 伊坂泉太郎。一八三五—一八九七。水戸藩士。徳川昭武の小姓頭取。井坂の帰国について、本文では一八六七年八月と、一八六八年四月の二説を記しているが、前者の可能性が高い。 一一七

伊勢四郎　青地四郎左衛門。一八四三－？。蔵前の札差。東京府会議員となる。　二三七

板倉勝静《かつきよ》（閣老）　一八二三－一八六九。備中松山藩主。老中。伊賀守。　七二

板倉勝資《かつすけ》　一七八九－一八四八。備中庭瀬藩主。　四三

市川三左衛門　弘美《ひろとみ》。一八一六－一八六九。水戸藩士。諸生党（保守派）で、戊辰戦争で処刑される。
八五

市郎右衛門（祖父）　→渋沢市郎右衛門（号敬林）

市郎右衛門（父）　→渋沢市郎右衛門（号晩香）

伊東玄伯　一八三三－一八九八。医師。一八六二年オランダ留学。　一三三

伊藤三四郎　一八四一－？。勘定役下役。静岡藩会計掛。後に静岡県出仕。　一五二

伊藤伝七　伝一郎。一八五二－一九二四。伊勢出身。三重紡績所を創設。経営困難になり、渋沢の支援で三重紡績会社を設立する。　二六五

伊藤雋吉《としよし》　一八四〇－一九二一。舞鶴藩出身。維新後は海軍操練所出仕。海軍少将で共同運輸社長。
二七三

伊奈忠次（備前守）　一五五〇－一六一〇。関東で新田開発、河川改修を行う。　一六七

井上馨《かおる》（聞多《もんた》）　一八三六－一九一五。長州藩士。維新後は政財界で活躍。　一〇八

井上勝　一八四三－一九一〇。長州藩士。長州藩から英国留学。帰国後に造幣頭兼鉱山正、その後鉄道建設に尽力する。　一八九

伊庭《いば》軍兵衛　一八一〇—一八五八。心形刀流の剣術家。江戸下谷に道場「練武館」を開く。　三

岩崎弥太郎　一八三五—一八八五。土佐出身。維新後、三菱商会を創立して海運業で三菱財閥の基礎を築く。　二六二

岩崎弥之助　一八五一—一九〇八。弥太郎の弟。兄の没後を継承して多角経営を推進、一八九三年三菱合資会社に改組して、兄の長男久弥に社長を譲る。　二七五

岩間金平　一八三八—一八九六。水戸藩士。維新後、徳川家の家扶。　五〇

岩松満次郎　新田俊純《としずみ》。一八二九—一八九四。上野国新田郡領主。桃井可堂の謀議を自訴する。　四四

巌谷修　一六。一八三四—一九〇五。近江水口出身。維新後は内閣書記官などを歴任。巌谷小波《さざなみ》は三男。　一八〇

上野景範《かげのり》　一八四五—一八八八。薩摩藩士。維新後は大蔵省から外務省に出仕。　一六三

内田正風《まさかぜ》　一八一五—一八九三。薩摩藩家老。京都留守居役。維新後は島津家の家令。　七四

梅浦精一　一八五二—一九一二。越後出身。渋沢の推挙で商法会議所から石川島造船所に入社して平野富二を助ける。　二六九

梅沢孫太郎　一八一七—一八八一。水戸藩士。一橋家家臣。徳川家目付。維新後は徳川宗家家令。　九三

梅村真一郎　一八四〇—一八六四。島原藩士。足利木像梟首事件に関与。　四五

栄　→渋沢栄

英布　?-前一九六。劉邦臣下の武将で、反逆を企てて討伐される。　一〇七

江藤新平　一八三四-一八七四。佐賀藩士。維新後は司法制度の確立に尽力、征韓論に敗れて参議辞職、佐賀の乱で処刑される。　二〇六

榎本亨造《こうぞう》　道章。一八三四-一八八二。旗本。一橋家目付。維新後は開拓使に出仕。　五三

榎本武揚《たけあき》　一八三六-一九〇八。一八六六年オランダ留学から帰国。戊辰戦争では函館五稜郭で抗戦、投降して明治政府で大臣を歴任する。　一三四

江幡貞七郎　広光。?-一八六四。水戸藩士。川村恵十郎により刺殺される。　八二

海老名《えびな》郡治　季昌《すえまさ》。一八四三-一九一四。戊辰戦争で会津藩家老。維新後は警察官、地方官吏。　一一七

大井六郎左衛門　生没年未詳。水戸藩士。徳川昭武の中奥番(警護役)。　一一七

大川平三郎　一八六〇-一九三六。川越藩出身。渋沢の義甥。アメリカ留学から帰国後、王子製紙勤務を経て製紙業で独立。九州製紙などを設立。　二七九

大川平兵衛　一八〇一-一八七一。神道無念流の剣術家。川越藩の剣道師範。　一七

大木喬任《たかとう》　民平。一八三二-一八九九。佐賀藩士。維新後は東京府知事、文部・司法の要職につく。文部卿として学制を施行。文部大臣、枢密院議長などを歴任。　一七〇

大口屋《おおぐちや》暁雨《ぎょうう》　治兵衛。生没年未詳。江戸中期の札差。十八大通の一人。一七二四年の株仲間結成に加わった通人。福地桜痴の脚本「侠客春雨傘」で知られる。　二三七

大久保一翁　一八一八-一八八八。旗本。勝海舟らと江戸開城に尽力。維新後は静岡藩権大参事、東

京府知事。 一四一

大久保利通《としみち》(一蔵) 一八三〇—一八七八。薩摩藩士。維新後は参議。暗殺される。 一三九

大倉喜八郎 一八三七—一九二八。越後出身。幕末の鉄砲商。維新後は大倉組商会を設立、貿易、建設などで政府の事業を請負う。 二六〇

太田玄齢 生没年未詳。「渋沢栄一伝稿本」では儒学者太田「錦城の子」とされる。 三三

大橋順蔵 号訥庵《とつあん》。一八一六—一八六二。儒学者。攘夷論を説く『闢邪小言』(一八五七年、思誠塾)などがある。坂下門外の変の嫌疑で捕縛され、出獄後亡くなる。 三七

大場主膳 一真斎。一八〇三—一八七一。水戸藩家老。二条城留守居役。 八八

大原重徳(三位) 一八〇一—一八七九。尊皇攘夷派の公卿。 九〇

小笠原長行(壱岐守) 一八二二—一八九一。備前唐津藩主の長男。幕府老中。 一〇八

岡田慎吾 真吾。一八三一—一八七二。宇都宮藩士。坂下門外の変の連累で中追放。 三八

岡田令高《のぶたか》 一八五一—一八九一。島根出身。大蔵省租税寮出仕、博覧会事務官で渡米。官営愛知紡績所長。 二六六

岡本花亭 一七六七—一八五〇。旗本。水野忠成に疎まれるも水野忠邦に用いられ、勘定奉行、近江守。漢詩人としても知られる。 五三

岡本兼三郎 一八四二—一八八五。土佐藩士。征韓論で大蔵省を下野。日本郵船理事となる。 二七四

荻野健太郎 生没年未詳。勘定役下役。商法会所頭。後に浜松県出仕。 一五二

小栗尚三　政寧《まさやす》。一八一六―一八九九。旗本。勘定奉行。維新後は徳川慶喜家家扶。　一四二

小栗忠順《ただまさ》(上野介)　一八二七―一八六八。旗本。外国奉行、勘定奉行を歴任。　一一六

尾崎俊蔵　和一郎。生没年未詳。唐津藩士。小笠原長行の側近。　一一七

小田井蔵太　一八三〇―一八九二。幕臣。函館奉行支配定役。彰義隊結成に参加する。　七三

尾高勝五郎　保孝。一八〇五―?。栄一の伯父。武蔵国手計《てばか》村の名主。　一六

尾高幸五郎　生没年未詳。栄一夫人の妹くにの夫。渋沢家執事。　二六六

尾高新五郎　惇忠《あつただ》、号藍香。一八三〇―一九〇一。栄一の従兄。戊辰戦争では、渋沢喜作と振武隊を結成。維新後は民部省に出仕。富岡製糸工場の初代場長。　一五

尾高長七郎　弘忠、号東寧。一八三八―一八六八。栄一の従兄。一八六四年一月殺傷事件で入牢、維新後出獄するも病で亡くなる。　一九

小田又蔵　一八〇四―一八七〇。幕臣。蕃書調所創設に尽力。一八六四年勘定吟味役。　七七

小野善右衛門　田和匀貞《としさだ》。一八二六―一九〇〇。小野組の番頭で為替方を統括する。　一八四

小野善助　一八三一―一八八七。京都の豪商。小野組を設立して明治政府の為替方に応じるが、一八七四年の官金抵当増額令で破綻。　一八二

折田要蔵　一八二五―一八九七。薩摩藩士。薩英戦争で砲台築造などの大砲方となる。　七三

か行

海江田信義《のぶよし》 一八三二—一九〇六。薩摩藩士。島津久光に従う。維新後は枢密顧問官など。七四

海保《かいほ》漁村《ぎょそん》 通称章之助。一七九八—一八六六。儒学者、考証学者。江戸下谷に私塾を開き、経書を講じる。三一

柿沼谷蔵《たにぞう》 一八五四—一九二〇。上野国出身。綿糸業柿沼家の養嗣子。二六四

覚王院 義観。一八二三—一八六九。上野東叡山真如院住職、輪王寺宮執当。三七

加治権三郎 生没年未詳。水戸藩士。徳川昭武の中奥番(警護役)。一一七

鹿島万平 一八二二—一八九一。江戸出身。木綿問屋。三井組に入り、生糸荷為替組合を組織、鹿島紡績所を創設する。二六四

柏木惣蔵 忠俊。一八二四—一八七八。韮山代官所手代。五三

勝安房《あわ》 →勝海舟

勝海舟(安房守) 麟太郎。一八二三—一八九九。幕臣。海軍伝習所出身。一八六〇年咸臨丸で遣米使節に参加、幕府海軍を育成する。江戸無血開城に尽力。一八八七年伯爵。六四

勝間田清左衛門 清次郎。生没年未詳。常平倉肝煎。一五三

桂《かつら》小五郎 木戸孝允。一八三三—一八七七。長州藩士。水戸藩士と丙辰丸の盟約を結ぶ。五〇

桂太郎 一八四八—一九一三。長州藩士。維新後ドイツ留学、山県有朋の下で陸軍軍制を改革。一九

〇一年組閣後、合計三度総理大臣となる。　二九〇

金井元治《もとじ》　一八三七—一九二四。渋沢と旧知で、後に大寄村長。　一六八

樺山資紀《かばやますけのり》　一八三七—一九二二。薩摩藩士。陸軍少佐で台湾出兵に臨み、日清戦争では海軍大将。
二三三

賀陽宮《かやのみや》　→中川宮

ガリバルジー　ジュゼッペ・ガリバルディ。一八〇七—一八八二。サルディーニア王国をして一八六一年のイタリア統一に貢献した軍人。　一三〇

狩谷棭斎《かりやえきさい》　一七七五—一八三五。江戸後期の考証学者。得能通生序『箋注倭名類聚抄』全十巻（一八八三年、印刷局）がある。　二三三

川勝広道（近江守）　一八三〇—一八八八。旗本。外国奉行。　一一六

川崎正蔵　一八三七—一九一二。鹿児島出身。海運で藩庁に仕え、維新後は造船業に転じて川崎造船所を設立。　二六一

川路《かわじ》太郎　寛堂。一八四五—一九二七。聖謨の孫。維新後は大蔵省出仕。詩人柳虹の父。　一三一

川路聖謨《としあきら》　一八〇一—一八六八。旗本。奈良奉行、大坂東町奉行を歴任。勘定奉行兼海防掛で日露和親条約を交渉する。左衛門尉。　五四

川田小一郎　一八三六—一八九六。土佐出身。三菱創業時の功労者。一八八九年以後は日本銀行総裁。
二七五

河津祐邦《すけくに》　一八二一―一八七三。旗本。横浜鎖港遣仏使節の副使。長崎奉行。一六二

川連《かわつら》**虎一郎**　一八四一―一八六四。関宿藩出身。坂下門外の変では連累を免れたが、水戸天狗党の挙兵を支援して斬殺される。四一

川村恵十郎　正平。一八三六―一八九八。甲州街道小仏関所番見習から一橋家家臣。維新後は内務省出仕。渋沢は一八六三年九月に渋沢喜作とともに川村に面会。五三

川村純義《すみよし》　一八三六―一九〇四。薩摩藩士。長崎海軍伝習所一期生。維新後は海軍卿。七四

河村利兵衛　川郡利兵衛。一八五一―一九三三。紀伊出身。渋沢の推挙で大阪紡績副支配人。中国、インド視察。内外綿会社の社運を挽回する。二六六

韓信　?―前一九六。劉邦の功臣だが、反逆を企てて処刑される。一〇七

神田《かんだ》**孝平**《こうへい》　一八三〇―一八九八。美濃出身。蕃書調所教授。維新後は議事官となり、「田租改革建議」を提出。後に元老院議官。二三二

きい　→渋沢きい

木内芳軒　一八二七―一八七二。漢詩人。信州佐久郡下県村に住む。『芳軒居士遺稿』(一八七八年、松崎半造)がある。三

菊池菊城《きくじょう》　一七八五―一八六四。遊歴の儒学者。本材精舎を開塾する。一七

菊池教中　一八二八―一八六二。江戸の木綿商。宇都宮の新田開発で藩士となる。三七

菊地平八郎　生没年未詳。水戸藩士。徳川昭武の小姓頭取。一一七

喜作　→渋沢喜作

岸田吟香《ぎんこう》　一八三三―一九〇五。美作出身。幕末に目薬「精錡水」販売。維新後『東京日日新聞』主筆。楽善堂を創業、日清文化交流に尽力。　二六一

北村彦次郎　一八二五―一八八八。茶町の町頭、質商。常平倉肝煎。『北村寿堂居士伝』(一八九八年、南荘乗海)がある。　一五二

吉川監物《きっかわけんもつ》　経幹《つねまさ》。一八二九―一八六七。周防岩国領主。　一〇八

喜《き》**連川**《つれがわ》**縄氏**(左馬頭)　一八四四―一八七四。下野喜連川藩主。斉昭の十一男。　九〇

木村宗三　生没年未詳。一橋家家臣。大番格砲兵差図役を解かれ留学。　二一七

清川八郎　一八三〇―一八六三。庄内藩出身。尊皇攘夷派の志士で各地を遊歴する。　四一

久坂玄瑞(義助)　一八四〇―一八六四。長州藩士。英国公使館焼き討ちに加わり、蛤御門の変に破れて鷹司邸内で自刃。　八三

日下部《くさかべ》**東作**　一八三八―一九二二。彦根藩士。明治の三筆とされる書家。　一八〇

楠本正隆《くすもとまさたか》　一八三八―一九〇二。肥前大村藩士。維新後は新潟県令、一八七七年東京府知事。後に衆議院議員。　二六一

国司《くにし》**親相**《ちかすけ》(信濃)　一八四二―一八六四。長州藩家老。蛤御門の変で敗走、第一次長州征伐で自刃。　八三

熊沢九右衛門　生没年未詳。『渋沢栄一伝記資料』に「熊沢九右衛門翁談話」がある。　一五二

グラント将軍　ユリシーズ・グラント。一八二二―一八八五。アメリカ南北戦争で北軍総司令官。第十八代大統領(共和党)。二八三

栗本鯤《こん》　鋤雲。一八二二―一八九七。幕臣。親仏派の外国奉行。安芸守。維新後は「郵便報知新聞」主筆。一二六

栗本貞次郎　一八三九―一八八一。鋤雲の養嗣子。横浜仏語伝習所で学び、一八六七年留学。維新後は岩倉使節団に随行。一三〇

黒川嘉兵衛　生没年未詳。浦賀奉行組頭から一橋家番頭兼用人。五三

黒田清隆　一八四〇―一九〇〇。薩摩藩士。維新後は開拓使長官。開拓使廃止となり、官営事業設備の払下げで辞職。一八八八年第二代首相。二七二

黒柳徳三郎　生没年未詳。勘定役下役。静岡藩会計掛、常平倉出役。後に陸軍兵学寮出仕。一五二

景山公　→徳川斉昭

元助　→渋沢市郎右衛門(号晩香)

郷純造《ごうじゅんぞう》　号五三居士。一八二五―一九一〇。美濃出身。幕臣。維新後は大蔵省に出仕。退官後に『随意荘雅集録』(一八八九年)を刊行。一九七

河野顕三　一八三八―一八六二。下野出身。坂下門外の変の襲撃犯。尾高長七郎編『春雲楼遺稿』(一八六三年、青淵蔵版)がある。三八

児島強介　一八三七―一八六二。坂下門外の変に関与して捕縛され、獄死。三七

五代友厚《ごだいともあつ》　一八三六―一八八五。薩摩藩士。薩摩藩から欧州に留学。維新後は会計官となるも退官。鉱山、製藍、活版所などの実業界に転じる。二六二

古高俊太郎《こたかしゅんたろう》　一八二九―一八六四。大津出身で枡屋喜右衛門を継ぐ。八〇

小堀数馬　勝太郎。生没年未詳。幕臣。京都の天領を管轄する京都郡代。二三七

小松彰　一八四二―一八八八。松本藩士。維新後は文部省に出仕、退官後に東京株式取引所頭取。二六一

小室信太夫《こむろ》　信夫《のぶお》。一八三九―一八九八。丹後縮緬商人から徳島藩士。維新後、上野岩鼻知県事。征韓論で下野、実業界に転じる。一六八

権藤真郷　古松簡二《ふるまつ》。一八三五―一八八二。久留米藩出身。天狗党に加わり、維新後、大楽源太郎隠匿で獄中死。四五

さ　行

才三郎　→渋沢市郎

斎藤恒三　一八五八―一九三七。長門萩出身。工部大学校卒。大阪造幣局技師。英米を視察して三重紡績四日市工場開設に寄与する。二六五

西丸帯刀《さいまるたてわき》　一八二二―一九一三。水戸藩郷士。五〇

阪谷希八郎(先生)　通称希八郎、号朗廬《ろうろ》。一八二二—一八八一。儒学者。興譲館館長。維新後は明六社に加盟する。四男芳郎(一八六三—一九四一)は、渋沢の娘婿。　九四

佐々木勇之助　一八五四—一九四三。小野組から第一国立銀行に入り、銀行伝習生としてシャンドに学ぶ。第一銀行第二代頭取。　二五七

薩摩治兵衛　一八三一—一九〇九。近江商人。木綿問屋「薩摩屋」を開業、輸入木綿で成功する。　二六四

佐藤継助　?—一八六四。盛岡藩士。天狗党の乱で処刑される。　四七

真田範之助　一八三四—一八六四。多摩出身。天狗党に参加できず新徴組に殺害される。　四七

佐野常樹浅見四郎。一八五三—一八九九。二本松少年隊士。常民の養嗣子。インド綿調査後、日本綿花株式会社社長に就任。　二六七

佐野常民《つねたみ》(大蔵卿)　一八二二—一九〇二。佐賀藩士。幕末にパリ万博に藩代表で派遣され、大隈重信の下でウィーン万博副総裁。日本赤十字社初代社長。　二五五

鮫島雲城　中井弘の変名、号桜洲。一八三九—一八九四。薩摩藩脱藩浪士。後に第五代京都府知事。『漫遊記程』(一八七八年)がある。　三

沢井廉　一八六五—一八九四。京都出身。東京大学卒。渡米してエジソンの助手となり、帰国後は東京電話交換局長。　二七九

沢宣嘉《さわのぶよし》　一八三五—一八七三。七卿の一人。生野の変で逃れ、維新後は外務卿。　五一

三条実美《さねとみ》(中納言)　一八三七—一八九一。幕末尊皇攘夷派の公卿。維新後は太政大臣など歴任。　五一

三条西季知《すえとも》(中納言)　一八一一—一八八〇。維新後は侍従。　五一

シーボルト　アレクサンダー・シーボルト。一八四六—一九一一。ドイツの外交官。P・シーボルトの長男。一八五九年、父の再来日に同行。　一一七

塩田三郎　一八四三—一八八九。幕臣。横浜鎖港遣仏使節に随行。維新後は外務省に出仕。　一五九

宍戸《ししど》**九郎兵衛**　真澂《まさもと》。一八〇四—一八六四。長州藩の重臣。蛤御門の変後、佐幕派に処刑される。　五〇

品川弥二郎　一八四三—一九〇〇。長州藩士。維新後渡欧、駐ドイツ代理公使。農商務大輔。共同運輸会社設立に寄与する。　二七一

芝崎確次郎　一八四七—一九三〇。大野村出身。後に渋沢の側近。　一五三

柴田剛中《たけなか》　一八二三—一八七七。旗本。文久遣欧使節、及び慶応元年の製鉄所建設準備などの責任者で渡仏。日向守。　一三三

渋沢市郎　須永才三郎。一八四八—一九一七。栄一の従弟で妹婿。中の家を相続した篤農家。　一七九

渋沢市郎右衛門(号敬林)　一七八四—一八六二。栄一の祖父。　一〇

渋沢市郎右衛門(号晩香)　一八一〇—一八七二。栄一の父。　八

渋沢栄　一八一一—一八七四。渋沢敬林の娘。栄一の母。　八

渋沢きい　一八一七—一八七八。宗休の次女。栄一の叔母。須永伝左衛門に嫁ぐ。於菟之輔、才三郎

の母。　一六

渋沢喜作　成一郎。一八三八―一九一二。栄一の伯父渋沢長兵衛の子。従兄。彰義隊、振武隊の組織者、その後函館に転戦する。維新後は大蔵省から実業界に転じる。　三

渋沢新三郎　一八二二―一八八四。誠室の子。栄一の従兄。　二

渋沢宗助（二代目）　号宗休。一七七三―一八三六。栄一の外祖父。　一〇

渋沢宗助（三代目）　号誠室。一七九五―一八七一。宗休の長男。栄一の伯父。　一六

渋沢千代　一八四一―一八八二。栄一の妻。　一九

渋沢文左衛門　長兵衛、号以静。一八〇一―一八八六。宗休の次男。栄一の伯父。喜作の父。　一六

渋沢平九郎　尾高平九郎。一八四七―一八六八。栄一の従弟。渋沢家の見立て養子。戊辰戦争で、尾高新五郎、渋沢喜作と振武隊で戦って越生で自刃。　一九

渋沢やへ　一八〇八―一八六八。宗休の長女。栄一の伯母。　一六

島田八郎左衛門　？―一八八三。京都出身。島田組を設立、明治政府の為替方で官金出納を扱うが、小野組とともに破綻。　一四

島津久光（大隅守）　一八一七―一八八七。公武合体で、朝議に武家が参加する参与会議を提唱。　七二

シャンド　アレクサンダー・シャンド。一八四四―一九三〇。イギリス人。幕末に来日、維新後は大蔵省で銀行簿記などを教える。後にロンドンのパース銀行支配人。　二五六

渋柿園《じゅうしえん》　→塚原蓼洲

ジュレー　レオン・デュリー。一八三三―一八九一。フランスの医師。維新後は開成学校、東京外国語学校で教える。　一一七

蕭何《しょうか》　？―前一九三。劉邦の功臣。前漢の宰相。出典『史記』。　七九

荘田《しょうだ》平五郎　一八四七―一九二二。豊後出身。慶應義塾教員から三菱商会に入社し、経営組織を改革、保険会社を創設。東京商工会などに参加する。　二七四

新三郎　→渋沢新三郎

杉浦靄山《あいざん》　譲、通称愛蔵。一八三五―一八七七。幕臣。横浜鎖港遣仏使節に随行。維新後は渋沢の推挙で民部省出仕。内務省地理局長。　二一八

杉浦蘐堂《けんどう》　七郎右衛門。一八〇二―一八七二。幕臣。甲府勤番士。　二一八

杉村甚兵衛　一八五三―一九二六。京都出身。洋織物商「丁字屋」を継ぐ。一八九六年東京モスリン紡績を開業。　二六四

調所《ずしょ》　調所広郷。一七七六―一八四九。薩摩藩家老。藩内産物の専売などで藩財政を再建、密貿易で引責自殺。　一〇七

鈴木源内　正信。？―一八六三。旗本。五条代官。　五一

鈴木恒太郎　一八三七―一八六七。幕臣。板倉勝静に上書。　一三六

鈴木豊次郎　？―一八六七。恒太郎の弟。兵庫開港勅許を奏請した原市之進の暗殺犯。　一三六

須永於菟之輔《おとのすけ》　伝蔵。一八四二―一九〇四。栄一の従弟。維新後は箱根で牧場経営。　七八

須永伝左衛門　宗次郎。一八一七―一八四八。栄一の叔父。一七九

スネール　ヘンリー・スネル。生没年未詳。武器商人。会津藩軍事顧問。一三四

周布《すふ》**政之助**　一八二三―一八六四。長州藩士。尊皇攘夷派の藩幹部。蛤御門の変後に切腹。五〇

誠室といった宗助　→渋沢宗助(三代目)

ゼー・エヌ・ターター　ジャムシェトジー・ナッセルワンジ・タタ。一八三九―一九〇四。インド人。ムンバイ設立の綿貿易会社から発展した民族資本家。一八九三年来日。二六七

曽子　曽参《そうしん》。前五〇五―?。孔子の弟子。出典『論語』学而篇。二四一

曹参《そうしん》　?―前一九〇。劉邦の功臣、蕭何に次いで丞相となる。一〇七

副島種臣《そえじまたねおみ》　一八二八―一九〇五。佐賀藩士。維新後は参議、外務卿となり、征韓論で下野。二〇八

園田孝吉　一八四八―一九二三。薩摩藩士。維新後外務省出仕、駐英国領事。帰国後、横浜正金銀行頭取、一八九八年第十五銀行頭取。二七五

蘇老泉　蘇洵《そじゅん》。一〇〇九―一〇六六。北宋の文人。蘇軾《そしょく》、蘇轍《そてつ》の父で、「名二子説」にそれぞれの名づけの理由を記す。七二

た行

大楽《だいらく》**源太郎**　一八三四―一八七一。長州藩士。維新後、大村益次郎暗殺事件への関与を疑われて斬殺される。四五

高崎五六　一八三六—一八九六。薩摩藩士。維新後は第十代東京府知事。　七四

高島四郎　茂徳《しげのり》。一八四六—一八七六。高島秋帆の養嗣子。維新後は熊本鎮台参謀長、神風連の乱で落命。　一五九

高杉晋作　号東行。一八三九—一八六七。長州藩士。奇兵隊を創設。第二次長州征伐後に病死。　一〇八

多賀谷《たがたに》勇　一八二九—一八六四。長州藩士。坂下門外の変で捕縛されるが特赦となる。　三七

高松豊吉　一八五二—一九三七。浅草出身。欧州留学で応用科学を学ぶ。東京帝国大学教授退職後、渋沢に請われて東京瓦斯会社に転じ、社長となる。　二九一

高松凌雲　一八三七—一九一六。筑後出身。適塾に学ぶ。一橋家の医師。維新後は貧民救済の同愛社を設立。　一一七

高峰譲吉　一八五四—一九二二。越中高岡出身。工部大学校卒。英国留学、帰国後に過リン酸肥料を研究、人造肥料会社を設立。渡米して強心剤や消化剤を創製する。　二八一

竹内練太郎　錬太郎、廉之助。字隆卿。一八三七—一八六八。下総小金出身。天狗党に参加、金原忠蔵名で参加した赤報隊で討死。　四七

武田耕雲斎(伊賀守)　一八〇三—一八六五。水戸藩家老。天狗党の首領に押され、敦賀で処刑される。　八五

竹中邦香《くにか》　一八三四—一八九六。加賀藩士。維新後は司法官を辞職して、活版印刷、活字鋳造の国文社社長。　二六〇

田尻稲次郎　一八五〇—一九二三。薩摩出身。イェール大学卒。帰国後は大蔵省に出仕する。　二六〇

立田正明(主水正《もんどのしょう》)　生没年未詳。勘定吟味役。　一四七

伊達宗紀《むねただ》　一七九二—一八八九。宇和島藩の第七代藩主。　一五五

伊達宗城《むねなり》(大蔵卿、正二位)　一八一八—一八九二。伊予宇和島藩の第八代藩主。朝議参与。維新後は民部卿、大蔵卿。　一一八

田中栄八郎　一八六三—一九四一。大川平三郎の実弟。一八九〇年田中硝子工場創設、後に東洋硝子となる。　二八一

田中愿蔵《げんぞう》　一八四四—一八六四。天狗党の別働隊として那珂湊で敗走、処刑される。　一〇五

田中光顕《みつあき》　一八四三—一九三九。土佐藩士。維新後は宮内大臣となる。　一六三

田辺太一　一八三一—一九一五。幕臣。維新後『幕末外交談』(一八九八年、冨山房)を著す。長女は三宅花圃。　二一七

谷鉄臣《たにてつおみ》　一八二二—一九〇五。彦根藩士。維新後は大蔵省に出仕、左院一等議官。　二一八

田沼意尊《おきたか》(玄蕃頭)　一八一九—一八七〇。遠江国相良藩主。若年寄。　八六

玉乃世履《たまのせいり》　一八二五—一八八六。岩国藩士。維新後は民部省判事から司法省に出仕。初代大審院長。　一六九

田丸稲之衛門《いなのえもん》　一八〇五—一八六五。水戸町奉行。天狗党挙兵の総帥として敦賀で処刑される。　七七

田安亀之助　→徳川家達

田安中納言　→徳川慶頼

千葉栄次郎　一八三三—一八六二。北辰一刀流の剣術家。千葉周作の次男。　三三

千葉道三郎　一八三五—一八七二。北辰一刀流の剣術家。千葉周作の三男。　三三

ヂブスケ　アルベール・シャルル・デュ・ブスケ。一八三七—一八八二。フランス人。幕府の軍事顧問団で来日、維新後は仏公使館、兵部省雇などになる。　一七〇

中納言　→徳川慶篤

千代　→渋沢千代

長七郎　→尾高長七郎

趙松雪《ちょうしょうせつ》　趙孟頫《ちょうもうふ》。一二五四—一三二二。中国元代の復古的な書画家。　三

長兵衛　→渋沢文左衛門

張良《ちょうりょう》　?—前一八六。劉邦の功臣。蕭何、韓信とともに漢統一の三傑。　七九

陳勝呉広《ちんしょうごこう》　?—前二〇八。陳勝と呉広の二人は中国秦末の農民反乱指導者。「陳勝呉広の乱」と並称され、秦滅亡の魁となる。出典『史記』。　四二

塚原昌義(但馬守)　一八三五—?。旗本。兵庫開港に備えて商社設立。維新後は武田昌次と改名して内務省に出仕。　一四七

塚原蓼洲《りゅうしゅう》　靖《しずむ》、号渋柿園《じゅうしえん》。一八四八—一九一七。小説家。　一六

塚本孫兵衛　生没年未詳。島田の川庄屋。　一五二

津田仙 一八三七―一九〇八。佐倉出身。一八六七年の遣米使節に従い、維新後はウィーン万博に随行。農業革新のための学農社を設立。 二六一

都筑《つづき》峯暉（駿河守） 生没年未詳。旗本。勘定奉行。後に一橋家家老。 七七

東条一堂 一七七八―一八五七。折衷学派の儒学者。皆川淇園門下。 四三

遠武《とおたけ》秀行 一八四二―一九〇四。薩摩藩士。維新後は兵部省出仕。横須賀造船所長。東京風帆船会社社長。 二七三

徳川昭武 一八五三―一九一〇。斉昭の十八男。 一一四

徳川篤敬《あつよし》 一八五五―一八九八。慶篤の長男。維新後に養父昭武より家督相続。 一一三

徳川家達 一八六三―一九四〇。徳川宗家第十六代当主。 一一〇

徳川家慶《いえよし》 一七九三―一八五三（在職一八三七―一八五三）。江戸幕府第十二代将軍。 七

徳川斉昭《なりあき》 号景山、諡号烈公。一八〇〇―一八六〇。水戸藩の第九代藩主。慶喜の実父。 一七

徳川義礼《よしあきら》 一八六三―一九〇八。慶勝の養嗣子。発起人となった北海道炭礦鉄道を一八八九年設立。 二七七

徳川慶篤《よしあつ》 一八三二―一八六八。斉昭の長男。水戸藩の第十代藩主。一八六三年の朝命で横浜鎖港を主張する。 八五

徳川慶勝《よしかつ》 一八二四―一八八三。尾張藩の第十四代藩主。慶喜の従兄。 一〇八

徳川慶頼《よしより》 一八二八―一八七六。田安家当主、家達の父。 一四一

得能淡雲《とくのう》　一八三五―一八六二。大洲藩士。坂下門外の変の嫌疑で投獄され、獄死。　三七

得能通生　良介。一八二五―一八八三。薩摩藩士。維新後は大蔵省に出仕。　一六三

戸田五介　生没年未詳。旗本。目付。　八七

外山正一《とやままさかず》　号、丶山《ちゅざん》。一八四八―一九〇〇。開成所教授方。維新後は東京大学教授。　一三一

な　行

中川宮　朝彦親王。一八二四―一八九一。公武合体派の皇族。一八六四年に賀陽宮《かやのみや》と改称、維新後は久邇宮《くにのみや》となる。　八〇

那珂梧楼《なかごろう》　通高。一八二八―一八七九。盛岡藩校教授。維新後は大蔵省、文部省に出仕。　三二一

中島信行　一八四六―一八九九。土佐藩士。維新後は大蔵省出仕、神奈川県令、元老院議官。自由党結成、衆議院議長。　一六三

中根長十郎　一七九四―一八六三。一橋家用人。攘夷派に暗殺される。　五七

長野慶次郎　桂次郎。一八四三―一九一七。幕臣。維新後は工部省に出仕。　一三四

中野梧一《ごいち》　一八四二―一八八三。幕臣。大蔵省に出仕、山口県令。藤田組に入り、贋札事件の嫌疑を受け、五代らと関西貿易会社を設立。　二七二

中野方蔵　一八三五―一八六二。佐賀藩士。坂下門外の変の嫌疑で投獄され、獄死。　三七

永原甚七郎　本姓赤座。生没年未詳。加賀藩士。加賀藩監軍として天狗党に対応。　八九

中原直助　猶介。一八三一—一八六八。薩摩の蘭学者。越後長岡城の戦いで戦死。七四

中上川《なかみがわ》彦次郎　一八五四—一九〇一。豊前出身。福沢諭吉の甥。慶應義塾に学び、外務省退官後、井上馨の要請で三井銀行理事に就任。二七五

永見貞之丞　生没年未詳。旗本。天狗党挙兵で幕府軍監(目付)、第二次長州征伐にも供奉する。八六

中村三平　生没年未詳。海保の塾生で尾高長七郎の凶行に立ち会う。四七

中村次郎八　生没年未詳。江戸町奉行吟味与力。五四

中村仏庵　一七五一—一八三四。幕府御畳方棟梁で書家。梵字に優れる。三

中村正直《まさなお》　号敬宇。一八三二—一八九一。幕府儒官。維新後は啓蒙思想家。一三一

中山忠光　一八四五—一八六四。侍従。天誅組の変で破れ、長州に逃れて暗殺される。五一

奈良原繁　一八三四—一九一八。薩摩藩士。長州藩追放に関わる。維新後は沖縄県知事など。七四

西岡邦之助　青木彦三郎の変名。一八二六—一八六四。足利の豪農。天狗党挙兵に参加。攘夷を主張して離脱後、古河藩兵に斬殺される。七七

西村勝郎　勝三。一八三七—一九〇七。佐野藩士。啓蒙思想家西村茂樹の弟。軍用靴から耐火煉瓦、硝子などの製造業に従う。現華灯は東京会議所瓦斯係が扱う。二七八

二条斉敬《なりゆき》(関白)　一八一六—一八七八。公武合体派の公卿。慶喜の従兄。九〇

韮塚《にらづか》直二郎　直次郎。一八二三—一八九八。尾高家使用人。韮塚家を継ぐ。一七一

仁孝《にんこう》天皇 一八〇〇—一八四六(在位一八一七—一八四六)。光格天皇第六皇子。 七

野崎彦左衛門 貞利。一八〇八—一八七八。小島藩用達の安部町の富豪。 一五二

乃美《のみ》織江 一八二三—一九〇六。長州藩留守居役。 八一

野村彝《つねの》之助《すけ》 一八二四—一八八八。水戸藩士。廃藩置県後、茨城県典事。 五〇

野呂整太郎 生没年未詳。野崎彦左衛門とともに常平倉の貨幣出納取締方。 一五二

は　行

ハイメル 生没年未詳。ドイツ人。一八五九年創業のリヨンの貿易会社ヘクト・リリエンタール商会の横浜支店長。 一六六

萩原四郎兵衛 鶴夫。一八一五—一八八六。茶商。常平倉肝煎。萩原元次郎『萩原鶴夫伝』(一九六八年、萩原鶴夫伝記刊行会)がある。 一五二

橋本左内 一八三四—一八五九。福井藩士。蘭学を学んで藩医、藩校明道館学監。将軍後継に一橋慶喜擁立を図り、安政の大獄で処刑される。 五七

バスチャン エドモンド・バスチャン。一八三九—一八八八。フランス人製図工。横須賀造船所建設で来日、維新後は富岡製糸場を設計。 一七一

蜂須《はちす》賀《か》茂韶《もちあき》 一八四六—一九一八。徳島藩主。維新後英国に留学。大蔵省関税局長、駐仏特命全権公使、東京府知事などを歴任。 二六二

服部潤次郎　生没年未詳。水戸藩士。徳川昭武の中奥番（警護役）。二一七

服部常純（長門守）　一八一五―一八七九。旗本、長崎奉行。七二

服部平八郎　文一。一八三一―？。勘定役下役。静岡藩会計掛。後に静岡県出仕。一五二

花房義質《はなぶさよしもと》　一八四二―一九一七。岡山藩士。適塾に学び、維新後は朝鮮公使、宮内次官、日本赤十字社社長。六四

早川久丈（能登守）　生没年未詳。旗本。奥右筆組頭、神奈川奉行。一四七

林研海　一八四四―一八八二。幕府御典医の長男。維新後は陸軍軍医総監。パリで客死。一三二

林忠五郎　？―一八六四。水戸藩士。川村恵十郎により刺殺される。八二

林信立　生没年未詳。出納正。一六三

原市之進　一八三〇―一八六七。水戸藩士から一橋家用人。藤田東湖の従弟で徳川家目付。鈴木豊次郎、鈴木恒太郎、依田雄太郎らに暗殺される。三七

原善三郎　一八二七―一八九九。武蔵国渡瀬村出身。横浜で生糸問屋を開業。第二国立銀行頭取、横浜商法会議所会頭などを歴任する。二五九

原田金之《きんの》**祐**《すけ》　一八五四―一九三四。近江出身。共同運輸支配人。二七三

ハリマン　エドワード・ヘンリー・ハリマン。一八四八―一九〇九。アメリカ人。株式仲買人から鉄道経営に当たるも、南満洲鉄道買収は失敗する。二九〇

范蠡《はんれい》　生没年未詳。中国春秋時代末の越王に仕え、「会稽の恥」をそそぐ。名臣と称される。

一九七

平岡温熙　生没年未詳。民部省監督司正。一六二

平岡円四郎　一八二二―一八六四。旗本岡本花亭の四男。一橋家用人。水戸攘夷派に暗殺される。五三

平岡準蔵　四郎。生没年未詳。幕府歩兵頭。静岡藩勘定頭。後に宇和島県令。一四二

平野次郎　国臣《くにおみ》。一八二八―一八六四。福岡藩士。生野の変で捕えられて京都六角獄舎で獄死。五一

平野富二　一八四六―一八九二。長崎出身。長崎製鉄所勤務。維新後、築地に平野活版製造所を設立、さらに石川島造船所を経営する。二六九

平山兵助　?―一八六二。水戸藩士。坂下門外の変の襲撃犯。三八

広沢兵助　真臣《さねおみ》。一八三四―一八七一。長州藩士。維新後は参議。暗殺される。一三九

広瀬宰平《さいへい》　一八二八―一九一四。近江出身。別子銅山支配人。維新政府の銅山接収を免れ、住友家総理代人となる。二六二

広田精一　一八四〇―一八六四。宇都宮藩士。大橋訥庵門下。蛤御門の変で自刃。四五

福岡孝悌《たかちか》　孝弟。一八三五―一九一九。土佐藩士。一八七二年に妾の廃止を江藤新平と建議。文部卿などを歴任。二一〇

福田滋之進　滋助、彦四郎。生没年未詳。栄一の外祖母ひさの実家の孫。維新後、柳林農社支配人。三九

福地源一郎　桜痴。一八四一―一九〇六。幕臣。幕府海外使節の通弁。維新後は渋沢を介して大蔵省

出仕。東京日日新聞社長。後半生は文筆を業とする。　一六五

福原美弥助《みやのすけ》　本名信冬《のぶふゆ》。乙之進と称す。一八三七—一八六四。長州藩士。英国公使館焼き討ちに加わる。　四五

福原元僴《もとたけ》**(越後)**　一八一五—一八六四。長州藩家老。蛤御門の変で敗走、第一次長州征伐で自刃。　八三

藤井三吉　能三。一八四六—一九二三。越中出身。一八八一年越中風帆船会社を設立。　二七三

藤田小四郎　一八四二—一八六五。東湖の四男。水戸藩士。筑波山で挙兵した天狗党の乱で捕えられて敦賀で処刑される。　七七

藤田伝三郎　一八四一—一九一二。長州奇兵隊隊士。西南戦争の軍需物資を供給、藤田組を設立。建設業から紡績業に進出する。　二六四

藤田東湖　一八〇六—一八五五。水戸の儒学者。尊皇攘夷思想を鼓舞する。『回天詩史』(一八四四年)などがある。　二六

藤房卿　万里小路《までのこうじ》藤房。一二九五—?。南北朝時代の後醍醐天皇の近臣。『太平記』巻十三「藤房卿遁世の事」で、建武政権の失政を諫言して出家する物語がある。　二五

伏見宮貞愛《さだなる》**親王**　一八五八—一九二三。京都出身。維新後に伏見宮家を継承。陸軍元帥。明治神宮造営局総裁。　二九二

藤森天山　弘庵。一七九九—一八六二。儒学者。江戸下谷に私塾を開く。『海防備論』を著す。　二三

ブラック　ジョン・レディ・ブラック。一八二六―一八八〇。イギリス人。幕末横浜で英字新聞を発行。一八七二年『日新真事誌』を創刊、居留地で自由な言論を展開する。二二

ブリュナー　ポール・ブリュナー。一八四〇―一九〇八。フランス人。ヘクト・リリエンタール商会の生糸検査人。富岡製糸場建設を指導。一六六

古河市兵衛　一八三二―一九〇三。京都出身。小野組糸店支配人。小野組破綻後に鉱山事業で財をなす。一八四

フロリヘラルド　フルーリ・エラール。一八三九―?。フランスの銀行家。日本の名誉総領事。二二八

不破亮三郎　生没年未詳。加賀藩士。九〇

平九郎　→渋沢平九郎

ボアソナード　ギュスターブ・ボアソナード。一八二五―一九一〇。フランス人法学者。お雇い外国人として日本国内法の整備に貢献した。一八六

彭越《ほうえつ》　?―前一九六。劉邦臣下の猛将で、反逆の疑いで処刑される。一〇七

保科俊太郎　?―一八八三。旗本。横浜仏語伝習所一期生。通弁を解かれて留学。維新後は陸軍大佐。一一七

堀田千代吉　一八四八―?。堀田の養嫡子。一七三

堀田鷲五郎　一八一七―?。左官。煉瓦接着の漆喰を工夫。一七二

穂積陳重《ほづみのぶしげ》　一八五六―一九二六。伊予出身。長女歌子の夫。ドイツ留学後、東京大学教授。法学者。
二八六

穂積亮之介　一八二四―?。水戸藩士、一橋家徒目付。七八

堀越角次郎　一八三九―一八九六。上野国出身。初代の養嗣子。舶来織物呉服商。二六一

堀基《もとい》　一八四四―一九一二。薩摩藩士。維新後は開拓使出仕。開拓使廃止後は実業界に転じ、北海道運輸会社設立。二七三

ま　行

前島密　一八三五―一九一九。越後豪農の次男から、幕臣前島家養子となる。維新後は民部省に出仕、郵便制度を確立。一五九

真木和泉　保臣《やすおみ》。一八一三―一八六四。久留米水天宮神官。蛤御門の変に破れて天王山で自刃。八三

昌木晴雄　一八二一―一八六四。結城の神職の次男で医者。天狗党の乱で処刑される。七七

益田右衛門介　親施《ちかのぶ》。一八三三―一八六四。長州藩家老。蛤御門の変で敗走、第一次長州征伐で自刃。
一〇八

益田克徳《かつのり》　一八五二―一九〇三。孝の弟。前島密に従って海上保険条例を作成。司法省退官後、東京海上保険支配人となる。二六三

益田孝　一八四八―一九三八。幕臣。横浜鎖港遣仏使節に随行。一八七三年井上馨、渋沢とともに官

を辞し、後に三井物産社長に就任。二六〇

松浦作十郎　生没年未詳。江戸町奉行与力から一橋家家臣。番頭助。五三

松方正義《まさよし》　一八三五―一九二四。薩摩藩士。維新後は大蔵省出仕、財政整理を断行して二度総理大臣になる。一七五

松島剛蔵　一八二五―一八六五。長州藩士。蛤御門の変後、佐幕派の藩庁に処刑される。五〇

松平容保（肥後守）　一八三六―一八九三。会津藩の第九代藩主。京都守護職。八〇

松平相模守　→池田慶徳

松平定敬《さだあき》**（越中守）**　一八四七―一九〇八。伊勢桑名藩主。京都所司代。一一〇

松平武聡（右近将監）　一八四二―一八八二。石見浜田藩主。斉昭の十男。九〇

松平忠和（主殿頭）　一八五一―一九一七。肥前島原藩主。斉昭の十六男。九〇

松平備前守　→池田茂政

松平正直《まさなお》　一八四四―一九一五。越前藩士。維新後は県知事、内務次官。六四

松平頼徳《よりのり》**（大炊頭）**　一八三一―一八六四。常陸宍戸藩主。徳川慶篤の命で水戸入城に失敗して切腹。八七

松田重助　一八三〇―一八六四。熊本藩士。池田屋事件で殺害される。八一

松本　松本錤太郎《きたろう》。生没年未詳。宇都宮藩士。藩医の長男。岡田慎吾とともに下獄、後に山陵修復を志し、蛤御門の変で御所を守備。三八

松本謙三郎　奎堂《けいどう》。一八三一―一八六三。三河刈谷藩士。天誅組の変で敗死。　五一

松本重太郎　一八四四―一九一三。丹後出身。洋反物商「丹重」で成功、第百三十銀行を設立する。
二六四

松本暢《ちょう》　?―一八八九。下野壬生藩典医石崎家を継ぐが、天狗党に関与して除籍。維新後は司法権大判事。　六四

間中隼太　真中忠直(一八三八―一九〇六)の幼名か。　七八

馬渡俊邁《としゆき》　?―一八七五。佐賀藩通詞。維新後は大蔵省造幣寮に出仕する。　一七七

三島中洲　一八三一―一九一九。漢学者。藍香尾高翁頌徳碑は深谷市鹿島神社にある。　一九

三島通庸《みちつね》　一八三五―一八八八。薩摩藩士。寺田屋騒動で謹慎。維新後は県令、警視総監など。　七四

水田謙次　貞恒。一八三一―一八六四。筑後富安村の庄屋。天狗党の乱で戦死。　四五

水野忠徳《ただのり》　号痴雲。一八一〇―一八六八。外国奉行として通商条約を交渉、公武合体に反対して隠居する。筑後守、下総守。　五七

三井次郎右衛門　高弘。一八四九―一九一九。高福の四男。三井南家第八代当主。　一八四

三井八郎右衛門　高福《たかよし》。一八〇八―一八八五。京都出身。三井家第八代当主。明治政府の為替方で官金出納を扱う。　一八二

箕作《みつくり》**奎吾**　一八五二―一八七一。蘭学者箕作秋坪《しゅうへい》の長男。開成所教授補。隅田川で溺死。　一三一

箕作大六　菊池大麓。一八五五―一九一七。秋坪の次男。維新後は数学者。東京および京都帝大総長、

文部大臣。　一三二

箕作貞一郎(麟祥《りんしょう》)　一八四六—一八九七。蘭学者箕作阮甫《げんぽ》の孫。幕臣。維新後は法学者。　一一七

皆川源吾　生没年未詳。水戸藩士。徳川昭武の中奥番(警護役)。　一一七

三野村利左衛門　一八二一—一八七七。三井組の番頭で、一八七四年の官金抵当増額令を乗切って三井財閥の基礎を築く。　一八四

三野村利助　一八四三—一九〇一。利左衛門の養嗣子。三井銀行監事より日本銀行理事に転じる。　二五八

宮崎五郎左衛門　総五。一八二八—一九〇九。弥勒町名主。常平倉肝煎。貴族院議員。　一五二

宮部鼎蔵《ていぞう》　一八二〇—一八六四。熊本藩士。池田屋事件で自刃。　八一

三輪端蔵《まさぞう》　生没年未詳。水戸藩士。徳川昭武の中奥番(警護役)。　一一七

椋木花《むくのきか》邨《そん》　八太郎。生没年未詳。津和野藩士。大橋訥庵門人。坂下門外の変に関わる。　三

向山《むこうやま》隼人正　名は一履《かずふみ》。一八二六—一八九七。旗本。外国奉行。維新後は漢詩人黄村。　一一七

陸奥宗光　一八四四—一八九七。紀州藩士。租税頭で地租改正を推進、西南戦争で下獄後は外交官となる。　一九〇

村田春海《はるみ》　平四郎。一七四六—一八一一。日本橋の干鰯問屋。十八大通の一人で、没落後は歌人、賀茂真淵門下の国学者で知られる。　二三七

毛利親信(内匠《たくみ》)　一八四九—一八八五。長州藩家老。　五〇

毛利元蕃《もとみつ》（淡路守） 一八一六—一八八四。周防徳山藩主。 一〇八

毛利慶親《よしちか》 一八一九—一八七一。長州藩主。養嫡子は定広（一八三九—一八九六）。 一〇八

モールス ジェームス・モールス。生没年未詳。アメリカ人。横浜のモールス商会社長。 二八二

桃井《もものい》可堂 通称儀八。一八〇三—一八六四。武蔵国中瀬村に私塾を開き、横浜居留地襲撃を企て獄死。 四一

桃井宣三 一八四〇—一八七七。可堂の次男。維新後は民部省出仕。 四四

森有礼《ありのり》 一八四七—一八八九。薩摩藩士。薩摩藩から英米に留学。維新後は外交官。明六社に参加、渋沢と商法講習所を設立する。初代文部大臣。 二五七

森岡昌純《まさずみ》 一八三四—一八九八。薩摩藩士。維新後は兵庫県令。共同運輸と郵便汽船三菱とが合併した日本郵船の初代社長となる。 二六七

森村市太郎 市左衛門。一八三九—一九一九。土佐藩の江戸の用達商。貿易商森村組で工芸雑貨を商う。後に日本陶器合名会社を設立。 二六一

諸井《もろい》恒平《つねへい》 一八六二—一九四一。本庄出身。渋沢の推挙で日本煉瓦製造入社、専務取締役。秩父セメント設立。 二八〇

や　行

安田善次郎　一八三八―一九二一。富山出身。日本橋に両替商を開業、維新後は第三国立銀行、安田銀行を創設。保険事業で成功する。　二六八

安場保和《やすばやすかず》　一八三五―一八九九。熊本藩士。維新後大蔵省に出仕、福岡県知事など歴任。　二一八

矢野二郎　一八四五―一九〇六。幕臣。横浜鎖港遣仏使節に随行。維新後は森有礼の推挙で外務省出仕、商法講習所開設に加わる。　二三七

やへ　↓渋沢やへ

矢部定謙《さだのり》　一七八九―一八四二。旗本。大坂西町奉行、勘定奉行、江戸南町奉行を歴任、鳥居耀蔵によって失脚する。駿河守。　五四

山尾庸三（少輔）　一八三七―一九一七。長州藩からイギリス留学。帰国後は工部省に出仕。　一八三

山県有朋（狂介）　一八三八―一九二二。奇兵隊軍監。維新後は陸軍創設。二度内閣を組織、元老となる。　一〇八

山口直勝（相模守）　一七七七―一八二五。旗本。　一五五

山国兵部　一七九三―一八六五。田丸稲之衛門の兄。水戸藩士。天狗党の乱で捕えられて敦賀で処刑される。　八七

山高信離《のぶつら》（石見守）　一八四二―一九〇七。旗本。維新後は帝国博物館館長。　一一七

山内《やまのうち》**文次郎**　一八四八―一九一二。幕臣。横浜仏語伝習所一期生。維新後は外交官。　一一七

山内六三郎　堤雲。一八三八―一九二三。幕臣。維新後は八幡製鉄所長官。　一一七

山辺丈夫《やまのべたけお》　一八五一—一九二〇。津和野出身。当主亀井茲明《これあき》に同行してイギリス留学、渋沢の依頼で紡績業を研究。東洋紡績社長。　二六五

由利公正《ゆりきみまさ》　一八二九—一九〇九。福井藩士。維新後、第四代東京府知事就任。　二七八

横川勇太郎　一八四八—一八七九。八王子千人同心の子。　四七

横山主税《ちから》　常守。一八四七—一八六八。会津藩士。戊辰戦争の時に白河城で戦死。　一一七

芳川顕正《あきまさ》　一八四二—一九二〇。徳島藩士。維新後は大蔵省出仕。東京府知事、文部大臣などを歴任する。　一七六

吉田清成《きよなり》（大蔵少輔）　一八四五—一八九一。薩摩藩から英米に留学。帰国後は大蔵省に出仕する。　一七七

吉田松陰（寅次郎）　一八三〇—一八五九。ペリーの旗艦ポーハタン号で密航を企てる。　一一五

吉田徳左衛門　徳右衛門。一八四一—?。勘定下役。静岡藩会計掛。　一五二

吉田稔麿《としまろ》　一八四一—一八六四。長州藩士。松下村塾生。池田屋事件で自刃。　八一

吉村甚兵衛　一八三六—一八八六。江戸の飛脚問屋主人。維新後、運輸業に転じて内国通運会社頭取。　二六一

吉村寅太郎　一八三七—一八六三。土佐藩庄屋。天誅組の変で敗死。　五一

依田雄太郎　一八四四—一八六七。幕臣、剣客。山岡鉄舟、高橋泥舟の門人。　一三六

米倉《よねくら》一平　一八三一—一九〇四。豊後出身。維新後、東京蛎殻町に第五国立銀行設立。米穀取引の米

商会社頭取。　二六一

ら　行

頼支峰　一八二三―一八八九。頼山陽の次男。儒学者。　六四

リシェンドル　チャールズ・ルジャンドル。一八三〇―一八九九。アメリカ軍人。清国厦門駐在の米国領事を辞職して外交顧問となる。　二三

劉玄徳　劉備。一六一―二二三。中国後漢から三国時代にかけての武将。蜀漢の皇帝。『三国志演義』に、凶馬とされた的盧が河を越え、劉備の運命を切り拓く逸話がある。　二三五

輪王寺宮公現親王　北白川宮能久《よしひさ》親王、法名公現《こうげん》。一八四七―一八九五。　三七

レオポルト　一八三五―一九〇九。ベルギー第二代国王。　一三四

レセップ　フェルディナン・ド・レセップス。一八〇五―一八九四。フランスの外交官。一八六九年スエズ運河を完成、パナマ運河建設には失敗する。　一三〇

烈公　→徳川斉昭

ロッシュ　レオン・ロッシュ。一八〇九―一九〇〇。一八六三年からフランスの駐日公使。支援した幕府の瓦解で離日。　一四

わ行

鷲津毅堂 一八二五―一八八二。漢詩人。永井荷風の外祖父。五〇

渡辺温《おん》 渡部温。一八三七―一八九八。幕臣。開成所、沼津兵学校で英語を教え、維新後大蔵省出仕。一八八七年東京製綱社長。翻訳『通俗伊蘇普物語』(一八七二年)がある。二八一

渡辺孝綱(甲斐守) 生没年未詳。旗本。書院番頭から一橋家家老。八二

渋沢栄一　略年譜

一八四〇（天保一一）年

2月13日（西暦3月16日）、現・埼玉県深谷市血洗島に、父市郎右衛門、母栄の三男として生まれる。幼名市三郎。家業は農業、養蚕、製藍であった。

一八四七（弘化四）年　8歳

従兄尾高新五郎（惇忠）に漢籍を学ぶ。

一八五四（安政元）年　15歳

家業に従事する。

一八五八（安政五）年　19歳

千代（尾高新五郎の妹）と結婚。

一八六一（文久元）年　22歳

江戸に出て、海保漁村に学び、剣客千葉道三郎の道場に通う。

一八六三(文久三)**年**　24歳
春、再び江戸へ出で海保塾及び千葉塾に入る。9月、一橋家用人平岡円四郎と出会う。10月、高崎城乗っ取り、横浜外国人居留地焼き討ちを計画するが、中止し京都に向かう。

一八六四(元治元)**年**　25歳
2月、一橋慶喜に仕える。6月、平岡円四郎暗殺される。7月、蛤御門の変。8月、四国連合艦隊が下関を砲撃。12月、天狗党投降。

一八六五(慶応元)**年**　26歳
3月、一橋家歩兵取立御用掛となる。8月、勘定組頭並となる。

一八六六(慶応二)**年**　27歳
9月、慶喜の徳川宗家相続により幕臣となる。

一八六七(慶応三)**年**　28歳
1月、徳川昭武に従って、パリ万博使節団の一員としてフランスへ出立。3月、パリ到着。10月、大政奉還。

一八六八(明治元)**年**　29歳
1月、幕府崩壊の報を受ける。9月、フランスより出国。11月、帰国。12月、静岡で慶喜に拝謁。静岡に住した。

一八六九(明治二)**年**　30歳

1月、静岡藩で商法会所を設立（9月、常平倉となる）。11月、東京に出る。明治政府の民部省租税正となる。

一八七〇（明治三）**年**　31歳

8月、大蔵少丞となる。閏10月、官営富岡製糸場事務主任となる。

一八七一（明治四）**年**　32歳

5月、大蔵権大丞となる。8月。大蔵大丞となる。

一八七二（明治五）**年**　33歳

2月、大蔵少輔事務取扱となる。

一八七三（明治六）**年**　34歳

5月、大蔵大輔井上馨辞任、渋沢も大蔵省を辞める。6月、第一国立銀行開業、総監役となる。

一八七四（明治七）**年**　35歳

1月、抄紙会社（現・王子製紙会社）の社務を委任される。東京府より共有金取締を嘱託される。

一八七五（明治八）**年**　36歳

8月、商法講習所（現・一橋大学）が創立される。第一国立銀行頭取となる。

一八七六(明治九)**年**　37歳

4月、東京会議所行務科頭取。

一八七七(明治一〇)**年**　38歳

2月、西南戦争始まる。7月、択善会(後に東京銀行集会所)創立。

一八七八(明治一一)**年**　39歳

3月、東京商法会議所創立、会頭となる。

一八七九(明治一二)**年**　40歳

7月、グラント将軍(元・第18代米国大統領)来日、東京接待委員長となる。

一八八〇(明治一三)**年**　41歳

1月、博愛社(現・日本赤十字社)創立、社員となる。

一八八二(明治一五)**年**　43歳

千代夫人死去。10月、日本銀行が開業する。

一八八三(明治一六)**年**　44歳

伊藤かねと再婚。

一八八四(明治一七)**年**　45歳

10月、日本鉄道会社理事委員(後に取締役)となる。

一八八五(明治一八)**年**　46歳

10月、日本郵船会社創立。東京瓦斯会社創立。11月、東京市養育院院長となる。

一八八七(明治二〇)**年**　48歳
10月、日本煉瓦製造会社創立。12月、帝国ホテル創立、発起人総代となる。

一八八八(明治二一)**年**　49歳
9月、東京女学館を開校、会計監督に就任する。

一八八九(明治二二)**年**　50歳
1月、東京石川島造船所創立、委員となる。2月、大日本帝国憲法公布。

一八九〇(明治二三)**年**　51歳
9月、貴族院議員となる。11月、第一回帝国議会開会。

一八九一(明治二四)**年**　52歳
2月、東京手形交換所の委員長となる。

一八九二(明治二五)**年**　53歳
6月、東京貯蓄銀行の取締役となる。

一八九六(明治二九)**年**　57歳
12月、日本勧業銀行設立委員となる。

一九〇〇(明治三三)**年**　61歳
3月、日本興業銀行設立委員となる。5月、男爵に叙せられる。

一九〇一(明治三四)**年**　62歳
4月、日本女子大学校開校、会計監督となる。
一九〇二(明治三五)**年**　63歳
5月、欧米視察に出る。6月、ルーズヴェルト大統領と会見。
一九〇七(明治四〇)**年**　68歳
2月、帝国劇場設立。
一九〇九(明治四二)**年**　70歳
8月、渡米実業団団長としてアメリカに渡る。9月、タフト大統領と会見。
一九一六(大正五)**年**　77歳
7月、第一銀行頭取等を辞め、実業界から引退。9月、渋沢栄一述・梶山彬編『論語と算盤』を刊行。
一九一八(大正七)**年**　79歳
1月、渋沢栄一著『徳川慶喜公伝』(竜門社)を刊行。
一九二〇(大正九)**年**　81歳
9月、子爵に叙せられる。
一九二一(大正一〇)**年**　82歳
10月、ワシントン会議視察をかねて渡米。

一九二三（大正一二）**年**　84歳
9月、関東大震災。大震災善後会創立、副会長となる。
一九二五（大正一四）**年**　86歳
10月、渋沢栄一口話・尾立維孝筆述『論語講義』を刊行。
一九二六（大正一五）**年**　87歳
8月、日本放送協会創立、顧問となる。
一九二七（昭和二）**年**　88歳
3月、日米親善人形歓迎会を主催。
一九二八（昭和三）**年**　89歳
7月、日本航空輸送会社の創立委員長となる。
一九三一（昭和六）**年**　92歳
11月11日永眠。

「渋沢栄一年譜」（公益財団法人　渋沢栄一記念財団）等を参照して作成した。

（岩波文庫編集部）

解　説——神話化に抗して

山田俊治

幸田露伴が同時代を生きた人物の史伝を書き、しかもそれが日本資本主義の父と評される渋沢栄一の評伝だったのには違和感をもって迎えられるかもしれない。渋沢が徳川慶喜の伝記を企画して、当代の文章家であった福地源一郎に書かせ、福地の死で頓挫した後を継いで、歴史学者の萩野《はぎの》由之《よしゆき》を編集主任として完成させたのには、慶喜の冤罪を雪《すす》ぐという明確な動機があった。それに対して露伴には渋沢を書く明確な動機はなかったろう。それでも書くに至ったのには、著者露伴を知り尽した一人の編集者の仲介があったのである。

そこでまず、渋沢の伝記が露伴に依頼された経緯を、娘婿の明石照男「渋沢栄一と幸田露伴」(「経済往来」一九五三年五月)の証言から見てみよう。渋沢没後一周年の一九三二(昭和七)年に、馬越恭平、郷誠之助、大橋新太郎が中心となった渋沢青淵翁記念会の事業として、銅像建設と伝記編纂が企画された。銅像は朝倉文夫が制作して、翌年日本銀行前の常盤橋公園に設置されたが、伝記編纂者には「数人の候補者」があり、白羽の矢が立ったのが露伴であった(その決定には、伝記資料編纂主任だった弟幸田成友との関係があったかもしれない)。といっても「露伴さんはなかなかむずかしい。幸い岩波書店の小林勇君が露伴先生に食い入つている」ので、小林に依頼することになったという。

その小林の『蝸牛庵訪問記——露伴先生の晩年』(一九五六年三月、岩波書店)には、依頼から執筆に至る過程が詳細に回想されている。岩波茂雄から仲介を依頼されたのは、小林が岩波書店に復帰した年の一九三四年であった。二年間のブランクを置いて渋沢青淵翁記念会の意向が固まったようである。「これは必ずしも先生の名誉になることでもない」と危惧する小林の依頼に対して、露伴は初め「この年になって金儲けのために筆をとったといわれては困る」と断ったという。ただ、小林の「親切」を認めてくれ、幸田文子からの勧めもあったので、関係者から正式に依頼するよう、小林は岩波に報告したとされる。そこで、渋沢の後継者の佐々木勇之助と博文館の大橋が使者に立って依頼すると、露伴は「催促しない、小林を通じて話をする」という条件で引受けることになったのである。

二年後の一九三六年九月二十三日の訪問記には、露伴が伝記に着手した様子が記されている。伝記の話が出ると、露伴は「渋沢を書いた今までの伝記をよんでみても、そんなものを分類などしているが、それほど沢山な事業に関係しているけれども、そんな仕事を一々書いてみたところで面白くないし、そうかといって、まとまったように書こうと思っても、なかなかそうはいかない」と語る。確かに、渋沢の還暦祝に阪谷芳郎を編纂委員長として出版された『青淵先生六十年史　一名近世実業発達史』全二巻（一九〇〇年二月、龍門社）は、渋沢の手掛けた事業を業種ごとに記述していたのである。小林は「先生の渋沢伝は相当進んでいるようにも思われる」という感触を書き残し、露伴は「人間渋沢を書くより他はないので、まあ随筆風にやることにしたよ」と語るのだった。

翌年には、依頼者を慮った小林が「それとなしに催促をする」が、「このころも先生は資料を調べてはいるが、執筆は進んでいないよう」であったと、書き悩む露伴の姿を伝えていた。それでも書く努力は持続させていたようで、一九三八年五月の訪問記は「今までもらっている資料も、若いころのはいいが、晩年のは渋沢が自分で話したことが主になっているから、人間六十をすぎるとよほど確のようでも、どうもひとりよがりになり勝ちのものさ」という露伴の言葉を記し、晩年の「人間渋沢」を描き出せる資料を求める様子を伝える。露伴は「弟の成友がやった資料もどうも年譜のようにならべたててあるばかりで面白くない」として「白石という人の出した二度目の伝記をもって来ておくれ」と、小林に依頼するのである。

この文献は、秘書を務めた白石喜太郎が『渋沢栄一翁』(一九三三年十二月、刀江書院)に次いで出版した『渋沢翁の面影』(一九三四年七月、四条書房)であったと推測できる。そこには、渋沢の亡くなるまでの晩年が詳細に回想、記述されていたのである。露伴は渋沢の後半生の活動を決して蔑ろにしたわけではなかった。「人間渋沢」を描き出す材料を探し求める努力の跡として、この挿話は見逃せないであろう。八月二十四日の訪問記は「四百枚くらいもうできているが、しめくくりができない」という露伴の言葉を伝えている。

翌一九三九年三月に漆山又四郎が原稿を浄書し始め、四月七日には「渋沢伝は五月十三日には是が非でも上梓しなくてはならぬというので先生も、もういやいやしているわけにいかなくなった。今日も午後行ってみると、二階では先生がしきりに鉛筆で書いていた。片方で漆山さんが小さな机にむかって先生の原稿を筆で清書している」という光景になった。翌日には「先生は渋沢伝の最後の部分を非常な勢で書いていた」と描かれ、十五日に「三百六十八枚まで原稿」が渡され、十七日には「渋沢栄一伝は完成浄書されていた。四百二十三枚であった」と記されるのである。

四月二十日、龍門社評議員の渡辺得男が小林に「先生が、若いころの渋沢の行動にどうしても解釈のつかないところがあるといやがっていた」箇所の変更を求めてきた。小林が仲介すると、露伴はあっさり「それではその部分は削ってしまおう」と答えるのである。翌日に謝礼が届けられ、露伴は去年渡辺の持ってきた歳暮の金を小林に渡そうとする。小林は「それを受取る筋がないからぼくが冷淡な顔をしたら、先生がひっこめた」という、親密な二人の関係を垣間見せるのだった。

五月二日に小林が製本見本を届けると、「先生は伝記は頼まれて書いたのだから、人のものだというような顔をして」、「渋沢記念会蔵版」ということも承知される。そして、記念会の非売品として菊判で五月十三日に出版され、翌六月には普及版が岩波書店から四六判で出版された。その五月十三日は、渋沢の生誕百年祭が飛鳥山の旧邸で開催される日なのであった。その席で、露伴は「渋沢翁に就いての所感」(「龍門雑誌」一九三九年六月)を講演した。宴席では、「渋沢敬三氏が、先生にむかって「伝記のことでは小林君が殊勲甲ですよ」といったので、ぼくは又むくれた。ぼくはなにも渋沢の恩顧を蒙った人間ではない」という矜持を小林は示すのである。

渋沢の伝記の基本文献となる『青淵先生六十年史』には、幼時より大蔵省退官までの事績を回顧した「雨夜譚《あまよがたり》」や「航西日記」が引用されていた。現在、岩波文庫(一九八四年十一月)になっている「雨夜譚」は、一八八七(明治二十)年に子弟や門生などに語った渋沢の経歴談である。『青淵先生六十年史』に附録として収録された「航西日記」は、杉浦譲と共著で一八七一(明治四)年に耐寒同社より出版されていた。また、巻末には長女穂積歌子の「はゝその落葉」という亡母追想記や「渋沢平九郎伝」も収録されている。「雨夜譚」や「航西日記」で渋沢の前半生を概括した上で、退官後に手掛けた事業を銀行業、商業会議所、商業学校、海運業、鉄道業、綿紡績業、保険業、鉱山業、瓦斯業、製紙印刷業、開拓植林業、麦酒醸造業、製藍業、煉瓦製造業、人造肥料業、ホテル業、取引所などの実業や、慈善、公益公共事業などに分類して、多数の資料を用いて渋沢の多様な業績を伝えていたのである。

一方、渋沢の口述では、米寿の記念事業として出版された小貫修一郎・高橋重治編著『青淵回顧録』上下巻(一九二七年八月、青淵回顧録刊行会)が備わる。「約十年間に於ける老子爵の談話筆記を骨子として編纂したもの」だが、文責は編者にあると断られている。前半生は「雨夜譚」と重なり、「航西日記」の主要な記事が引用されたりする。維新の元勲の印象に続けて、退官後は第一国立銀行、東京商業会議所、実業教育、東京市養育院、株式取引所、海運事業、人造肥料会社、暴漢に襲われた水道鉄管事件、瓦斯、洋紙製造、鉄道、煉瓦、セメント、北海道開拓、国会開設後の金融逼迫、還暦受爵、欧米漫遊、大患、帝国劇場、朝鮮の銀行事業、朝鮮鉄道、歴代内閣観、伊藤博文・井上馨・原敬・大隈重信・松方正義・益田孝・福地源一郎・佐々木勇之助などとの交遊、実業界引退、米国訪問、米国実業家の印象、欧州大戦と国際連盟、帝都復興、排日問題、田園都市創設など、米寿までが時代を追って回想されている。附録には、「青淵論叢」「諸名士の渋沢子爵観」を併載する。なお、附録を除いた改訂版が『渋沢栄一自叙伝』(一九三七年十二月、渋沢翁頌徳会)として出版されている。

この二書(『青淵先生六十年史』と『青淵回顧録』)の間に新聞記者による評伝が二冊ある。生駒粂造『渋沢栄一評伝』(一九〇九年一月、有楽社)は、「報知新聞」に連載された「現代名士評伝」に基づく一冊である。退官までは「雨夜譚」の挿話を利用し、退官後は「商界馳駆時代」として銀行、鉄道事業を中心に語り、慈善事業に触れて「性情と逸事」でまとめている。「商界馳駆時代」で特徴的なのは、岩崎家や古河市兵衛、浅野総一郎との関係に言及している点などである。もう一冊は、雑誌「雄弁」に「立志奮闘　渋沢栄一」と題して連載(一九二三年八月―二四年十二月)後に出版された、大瀧鞍馬『子爵渋沢栄一』(一九二五年七月、渋沢子爵伝記刊行会)である。これは、大瀧が『実業界大秘史三菱王国』(一九二四年九月、大日本雄弁会)や『三井王国』(一九二六年九月、大日本雄弁会)で試みたように、退官までを潤色した小説体の読み物になっていた。

そこでは「雨夜譚」の挿話が会話を伴った場面に描き直されていたが、中でも想像を膨らませて虚構化した場面がいくつかある。その一つが尾高長七郎捕縛物語であった。京都に向って出郷した長七郎らが、板橋の青楼で語った幕府批判を密告されて大捕物となる。捕縛されて伝馬牢に下ったが、その獄中で旧知の牢名主に巡り会い、京都の渋沢に手紙を送る手立てを得るという物語は、あたかも時代劇のようであった。その他にも、渋沢に諫言する嫁の千代の活躍が描かれ、馬上の慶喜に追い着いて戸外で進言、関東人撰御用で領主に報復、母栄の慈善行為、大沢源次郎を居合いで捕縛、ビランの食事会での異相など、随所に虚構的場面を挿入して英雄渋沢を物語り、渋沢喜作の彰義隊から振武軍結成物語も挿入されるのだった。

その後に出版された、童話作家長沼依山による『渋沢子爵 実業王となるまで』(一九三〇年十二月、荻原星文館)も、『子爵渋沢栄一』の物語を踏まえて会話場面を多用した伝記である。少年渋沢の小説読書を中傷する友人の訴えを、尾高新五郎が退ける場面から始まり、米寿を迎えるまでが物語られている。幕末の時代背景は『徳川慶喜公伝』(一九一八年一月、龍門社)などが参照され、長州征伐出陣で妻へ送った手紙の引用や、近藤勇や原市之進の最期、西郷と勝の江戸開城、函館戦争までの喜作の動静などが加えられていた。退官後の事績は『青淵回顧録』が多く利用されて、時系列に従った事業展開を記している。

附録に付された「渋沢翁の郷土を訪れて」では、渋沢を顕彰する小学生の作文が収録されるのである。

労農派の経済史学者で、後に『渋沢栄一伝記資料』全六十八巻(一九四四年、岩波書店／一九五五—六五年、渋沢栄一伝記資料刊行会／一九六五—七一年、竜門社)の編纂主任になる土屋喬雄の『渋沢栄一伝』(一九三一年一月、改造社)は、学問的な最初の渋沢の伝記といえ、序で「日本資本主義の最高指導者」と記す渋沢を描こうとした試みであった。前篇はこれまでも利用されてきた「雨夜譚」などで退官までの前半生を描くが、その中に気になる批評的な言辞が挟まれている。それは、高崎城に拠る横浜居留地襲撃計画の中止を説く長七郎に反論する渋沢を「後年常に周密の思慮と現実的な計画とを以て事に当つた渋沢栄一も、青年志士としては、極端な急進論を吐いた。時代の空気と青年の情熱とが、この空想的急進論を吐かしめたのである」とする把握である。そこには確かに渋沢の志士的な反論に対して違和感をもつとともに、それを時代の気分に解消して納得しようとする論者がいたといえる。

後篇は、西南戦争後の銀行景気に始まり、日露戦争後の恐慌までの経済史の流れに渋沢の事業が参照され、実業界引退までを展望した上で「渋沢栄一は所詮産業資本主義時代の英雄であつた」と結論されるのである。「所詮」という評言には否定的な意味合いが感じられるが、むしろ渋沢を帝国主義以前の日本資本主義の体現者として肯定的に見ていたといえるであろう。別篇には「日本資本主義の海外「発展」」の先導者と捉える「朝鮮に於ける渋沢栄一」、渋沢の多様な活躍を封建制から急速に資本主義化した社会の必然とする「日本資本主義の父渋沢栄一の政治経済思想」を収録している。こうして、日本の資本主義発達史上に渋沢が位置付けられたのである。

しかし、こうした対象化された歴史的存在という評価に飽き足りず、「人間渋沢」を取戻そうとする伝記もあった。それが、白石喜太郎『渋沢栄一翁』である（他に渡辺得男『渋沢子爵』（一九三二年十一月、民衆文庫）があるが、未確認）。渋沢没後に出版された本書では、千ページに亘って渋沢の全生涯が詳細にたどり直されている。退官までを「冬」、水道鉄管事件までを「春」、欧米旅行帰国までを「夏」と章分けして、特に実業界引退後は「初秋」「仲秋」「晩秋」に分けて、総ページ数の半分を費やしていた。その後半生を「次第に実業界の関係うすれ、代つて社会事業、労資協調、教育、国民外交、国際平和等に対する努力によつて、子爵の真面目を発揮した時代である。最も意義深い時代である」と評価するのが特徴であった。そこに、その時代に近侍した著者の思いが込められていたといえる。

著者の思いは、随所に「智も胆も気力もはち切れるやうな子爵」「其頭脳は特別製であり、好学的で進取的な子爵」「子爵程の礼譲ある懇篤な人」「子爵程事理明晰にして秩序を重んじ規則を尊ぶ人」などと、渋沢の人柄を称揚する言葉にも表れていた。現在の偉大な存在である渋沢がどのような人生をたどったかを検証することが目的で、渋沢を批評する視線は抑制されていたのである。それゆえ、文久三（一八六三）年の襲撃計画は「暴挙」と見なされ、その中止は「真に危機一髪であつた。若し断行せられたらんには、子爵はそれこそ一死国に報じたに違ひない。そして我実業界も極めて異つた有様を呈したに違ひない」と、未然に失敗を回避したことを祝するのであった。さらに私生活にも言及して「自分の富に就て考へること殆どなく、唯国の為世の為をのみ念とする」渋沢を描き出していたのである。

　和暦を記すに当って「仁孝天皇の御代の第二十四年」と書き出された露伴の『渋沢栄一伝』は、『青淵先生六十年史』一章三節冒頭の記述を踏襲したものであった。そうした基本文献や『渋沢栄一伝稿本』などの伝記資料を参照するばかりではなく、露伴は幕末維新史料や経済史文献も活用している。特に、他の伝記が触れない塚原蓼洲《りょうしゅう》（渋柿《じゅうし》園《えん》）『藍香翁《あいこうおう》』（一九〇九年三月、高橋波太郎）によって尾高新五郎の事績を重視しているのが特徴的である。水戸学に親炙した新五郎は、「時代の児として生れ」「時代に造り出された」渋沢を時代へと導き、その弟の長七郎や従兄の喜作との交友圏の主要な人物であった。少年時代に、家出した母を迎えに行く挿話でその人柄が示され、渋沢との信州への旅で記された『巡信記詩』には、「現世好化の意気」に燃える「英気に満ちた思想」が読み取られている。こうして、新五郎らとの交友から「天下の一志士たらん心に燃えていた」渋沢が描き出されるのである。

坂下門外の変に関わった長七郎が、西国から帰郷後にもたらした襲撃犯河野顕三の遺稿集を、渋沢は『春雲楼遺稿』(一八六三年、青淵蔵版)として出版していた。志士的慷慨家の行動はそれに留まらず、具体的な挙兵計画に進むのだが、露伴はそこに桃井可堂の事績を想起していた。新田氏の末裔を主将に沼田城を占拠して、横浜居留地を襲撃する桃井らの計画が露顕して頓挫した事件であった。露伴は、塚越停春『可堂先生事蹟』(増補再版一九三六年十二月、佐野金太郎)所収の「帰郷日録」を「儀八日記」と称して、新五郎らとの関連を探るのである。なぜ桃井との関連が探られたのかというと、渋沢、新五郎らが企てた高崎城に拠る横浜襲撃計画に、「桃井の麾下について事を挙げんとした」可能性を疑っていたからであった。

しかし、渋沢が語らなかったことでその可能性は否定されるが、同じ冬至に攘夷を決行する謀略の共通性に着目して、露伴は「聡明な新五郎、重厚な栄一が為しそうにも思われぬことである」という疑いを残すのである。露伴は、これまでのように「雨夜譚」の回想に基づいて渋沢の青年時代を描いてきた伝記を留保して、「人間渋沢」に迫ろうとしていたといえる。ただ渋沢の回顧談以外に資料がない以上、結局疑いに留まるほかはなかった。それでも、新五郎を渋沢に対置したように、同時代に露顕した桃井の事件を対照させることで、未発に終わった彼らの志士的行動が相対化されることになった。つまり、挙兵計画は渋沢らに固有の英雄的行為ではなく、時代がそうした行動を必然としたということである。

さらに、渋沢と喜作が平岡円四郎に接近して家臣になるための提言をしたことに対して、露伴は「これが文久三年即ち挙兵計画の年の事だったとすると、挙兵計画が実意ならばこの提言は疑わしいことであり、この提言が実意ならば挙兵計画は虚象であらねばならぬ」と、挙兵計画自体に疑問を呈するのである。この辺に、小林勇に「若いころの渋沢の行動にどうしても解釈のつかないところがある」と語った、小説家露伴の眼が光っていたといえる。ところが、露伴は容易に削除を受け入れたのである。塩谷賛『幸田露伴』(一九七七年五月、中公文庫)は、露伴からの直話として「小説家なら書きたいところだあね。しかし諱《い》みて記さずということがあるからよした」という言葉を残していた。依頼された仕事ゆえに、渋沢の神話化を促す依頼者の意向に配慮したということだろうが、これが小説家的想像力を抑制して「随筆風にやる」方法を選択した意味であったと考えられる。

挙兵計画の中止を説く長七郎に反論する渋沢についても、「明瞭に解釈しにくい」として、「謀短なる」長七郎と「理詰め」の渋沢という二人の性格を比較した上で、中止に落着した経緯を「不思議」と疑い、「暴挙中止に決定したのは天意」という解釈を示すのである。この「天意」とは、渋沢本人が回顧した過去に従うということであったろう。そこに、他動的に引き受けたために「随筆風にやる」ほかない露伴の困難があった。それでも、「奇蹟的」という評言を連ねて長七郎の「戸田ヶ原殺傷事件」を語る露伴が、「雨夜譚」と『藍香翁』との不整合を指摘したように、渋沢の語る過去を検証しつつ叙述を進めるのである。

露伴は天狗党の処分が渋沢に「実際教育」を施したと捉えて、暴挙が実現しなかったゆえに危機を回避した「空想」状態から「実際の世」に処すようになった渋沢を描き出していく。徳川慶喜が将軍となるに及んで幕臣となって不遇をかこつ渋沢に、徳川昭武随行の話がもたらされたのである。その幸運を露伴は「造物の脚本」という比喩を使って、一橋家に精勤した結果というより、個人を超えた力を強調するのである。この比喩は、帰国した渋沢が静岡藩から明治政府に出仕して蚕糸改良事業を尾高新五郎と手掛ける叙述にも、「造物の微妙なる脚本によって遭遇際会のあやつりの糸が牽かるる」と甦らせている。備前堀事件を訴えた新五郎が、民部省に採用されて富岡製糸工場の開設に尽力することになったのである。その経緯は他の伝記では触れることがないが、露伴は『藍香翁』に拠って描いていた。つまり、露伴は渋沢と同様に新五郎も「造物の微妙なる脚本」の下にあると見ていたのであった。

「雨夜譚」が在官中の事績を憚って多く記さないことを指摘した露伴は、回想の隙間を埋めるように、明治政府の重要課題だった紙幣整理や租税改正を詳説している。退官後の渋沢は「民間の諸事業の発達が国家の真の発達であり、その発達を図るためには身を挺して働きたい、という予ての意向と信念」を実現させる人生を歩み始める。自由競争原理による個人の商行為が、〈見えざる手〉に導かれて社会の富を増大させるという、経済的自由主義に基づく社会の実現に渋沢は尽力したといえる。そして、渋沢は生涯を賭けることになる第一国立銀行総監役に就任する。露伴は「時勢というものが支配している実際世界の事情の方がその必要ある人物を吸引してこれよりかれへと迎えた」と、その就任を捉えていた。こうして、資本主義形成期の時代の求めに敏感に反応した渋沢は、「純粋なる新形式・新風格の人」になったとされる。

その「新形式・新風格の人」とは、「封建時代の商人ではない、公共の福利を念とする商人」「公共の福利を念とする事業家」ということであった。経済的自由主義に基づいて国家の富強を図る新たな時代の事業家になったということである。まさに「栄一は実に時代の人であった」というわけである。このように渋沢を語るに当たり、露伴は時代を主体として語っていた。渋沢を「産業資本主義時代の英雄」として称揚するのではなく、露伴は時代の中で渋沢を理解しようとしていたのである。渋沢の関わった事業を概括して、露伴は「実に栄一は時代の解釈者、時代の指導者、時代の要求者、換言すればその人即ち時代その者であった」と結論している。このように、露伴は渋沢を時代という審級から相対化して、徹底的に神話化を回避しようとしていたのである。

回想が現在から過去を成形する可能性があるかぎり、回想に依拠した歴史叙述には危険がはらまれていたといえる。そこで、露伴の「随筆風にやる」方法は回想を対象化して、「人間渋沢」を取戻そうとしたのであった。それは、「雨夜譚」の挿話を脚色して偉人伝を作成するような通俗的な方法とは異なっていた。しかし、渋沢の神話化を促す依頼者の意向とは背馳するであろう。龍門社評議員の変更要求はそうした違和感の表明であったと考えられる。そのためか、改めて露伴の渋沢観を確認するように、生誕百年祭で露伴に講演が依頼されたのである。露伴は渋沢の薫陶を受けた聴衆を前にして「渋沢翁に就いての所感」と題して「心の大小」から語り出し、渋沢が「大智の人」で「道に依つて終始され、自然と仁徳を以て世に臨む」生涯を略述して、依頼者の意向に応えるのであった。

それに留まらず、さらにその年の十一月二十八日の龍門社会員総会では、「青淵先生の後半生」(『龍門雑誌』一九四〇年一月)を講演することになる。そこでは、『論語と算盤』(一九二七年二月、忠誠堂)の渋沢を『論語』によって論じようとした。まず、『論語』の中心概念「仁」を説明して、渋沢の人徳が「恭の徳」を保ち、「孔子の道」を宗教的に体現して「実際の社会」に当てはめたとする。さらに、渋沢の「合本主義」が「大勢の人、即ち衆に対して其利を得させようといふ主張」であって、「社会主義のやうなもの」という把握を示すのである。それは、利益追求に走った資本主義に是正を求めた、渋沢の労資協調会の活動を擁護するためであった。そして、多くの事業に関わることになった渋沢の後半生には「徳を恒にするところの恒徳」が備わっていたと見なされるのである。これは、露伴の『渋沢栄一伝』が実業界に転じて以後の叙述の比重が軽いという評価に応えて、精神面から補完する講演になっていたであろう。

【編集付記】

一　本書は、『露伴全集』第十七巻(二刷、一九七九年一月、岩波書店)に収載された「渋沢栄一伝」を底本とした。単行本は、『渋沢栄一伝』(一九三九年五月、渋沢青淵翁記念会)、『渋沢栄一伝』(同年六月、岩波書店)として刊行された。

一　原則として漢字は新字体に、仮名遣いは新仮名遣いに改めた。

一　明らかな誤記・誤植は訂した。

一　漢字語のうち、使用頻度の高い語を一定の枠内で平仮名に改めた。

一　本文中に、今日からすると不適切な表現があるが、原文の歴史性を考慮してそのままとした。

(岩波書店　文庫編集部)

渋沢栄一伝《しぶさわえいいちでん》

2020年11月13日　第1刷発行
2021年2月25日　第3刷発行

作　者　幸田露伴《こうだろはん》

発行者　岡本　厚

発行所　株式会社　岩波書店
〒101-8002 東京都千代田区一ツ橋2-5-5
案内 03-5210-4000　営業部 03-5210-4111
文庫編集部 03-5210-4051
https://www.iwanami.co.jp/

印刷・三秀舎　カバー・精興社　製本・中永製本

ISBN 978-4-00-360038-2　Printed in Japan

読書子に寄す

――岩波文庫発刊に際して――

岩波茂雄

真理は万人によって求められることを自ら欲し、芸術は万人によって愛されることを自ら望む。かつては民を愚昧ならしめるために学芸が最も狭き堂宇に閉鎖されたことがあった。今や知識と美とを特権階級の独占より奪い返すことはつねに進取的なる民衆の切実なる要求である。岩波文庫はこの要求に応じそれに励まされて生まれた。それは生命ある不朽の書を少数者の書斎と研究室とより解放して街頭にくまなく立たしめ民衆に伍せしめるであろう。近時大量生産予約出版の流行を見る。その広告宣伝の狂態はしばらくおくも、後代にのこすと誇称する全集がその編集に万全の用意をなしたるか。千古の典籍の翻訳企図に敬虔の態度を欠かざりしか。さらに分売を許さず読者を繋縛して数十冊を強うるがごとき、はたしてその揚言する学芸解放のゆえんなりや。吾人は天下の名士の声に和してこれを推挙するに躊躇するものである。このときにあたって、岩波書店は自己の責務のいよいよ重大なるを思い、従来の方針の徹底を期するため、すでに十数年以前より志して来た計画を慎重審議この際断然実行することにした。吾人は範をかのレクラム文庫にとり、古今東西にわたって文芸・哲学・社会科学・自然科学等種類のいかんを問わず、いやしくも万人の必読すべき真に古典的価値ある書をきわめて簡易なる形式において逐次刊行し、あらゆる人間に須要なる生活向上の資料、生活批判の原理を提供せんと欲する。この文庫は予約出版の方法を排したるがゆえに、読者は自己の欲する時に自己の欲する書物を各個に自由に選択することができる。携帯に便にして価格の低きを最主とするがゆえに、外観を顧みざるも内容に至っては厳選最も力を尽くし、従来の岩波出版物の特色をますます発揮せしめようとする。この計画たるや世間の一時の投機的なるものと異なり、永遠の事業として吾人は微力を傾倒し、あらゆる犠牲を忍んで今後永久に継続発展せしめ、もって文庫の使命を遺憾なく果たさしめることを期する。芸術を愛し知識を求むる士の自ら進んでこの挙に参加し、希望と忠言とを寄せられることは吾人の熱望するところである。その性質上経済的には最も困難多きこの事業にあえて当たらんとする吾人の志を諒として、その達成のため世の読書子とのうるわしき共同を期待する。

昭和二年七月

《日本文学(現代)》〔緑〕

- 怪談 牡丹燈籠　三遊亭円朝
- 真景累ヶ淵　三遊亭円朝
- 塩原多助一代記　三遊亭円朝
- 小説神髄　坪内逍遥
- 当世書生気質　坪内逍遥
- 役の行者　坪内逍遥
- 青年　森鷗外
- 阿部一族 他二篇　森鷗外
- 山椒大夫・高瀬舟 他四篇　森鷗外
- 渋江抽斎　森鷗外
- 妄想 他三篇　森鷗外
- 舞姫・うたかたの記 他三篇　森鷗外
- 鷗外随筆集　千葉俊二編
- 森鷗外 椋鳥通信 全三冊　池内紀編注
- 浮雲　二葉亭四迷 十川信介校注
- 今戸心中 他二篇　広津柳浪
- 野菊の墓 他四篇　伊藤左千夫
- 吾輩は猫である　夏目漱石
- 坊っちゃん　夏目漱石
- 草枕　夏目漱石
- 虞美人草　夏目漱石
- 三四郎　夏目漱石
- それから　夏目漱石
- 門　夏目漱石
- 彼岸過迄　夏目漱石
- 漱石文芸論集　磯田光一編
- 行人　夏目漱石
- こころ　夏目漱石
- 硝子戸の中　夏目漱石
- 道草　夏目漱石
- 明暗　夏目漱石
- 思い出す事など 他七篇　夏目漱石
- 文学評論 全二冊　夏目漱石
- 夢十夜 他二篇　夏目漱石
- 漱石文明論集　三好行雄編
- 倫敦塔・幻影の盾 他五篇　夏目漱石
- 漱石日記　平岡敏夫編
- 漱石書簡集　三好行雄編
- 漱石俳句集　坪内稔典編
- 漱石・子規往復書簡集　和田茂樹編
- 文学論 全二冊　夏目漱石
- 坑夫　夏目漱石
- 二百十日・野分　夏目漱石
- 漱石紀行文集　藤井淑禎編
- 五重塔　幸田露伴
- 運命 他一篇　幸田露伴
- 努力論　幸田露伴
- 幻談・観画談 他三篇　幸田露伴
- 天うつ浪 全二冊　幸田露伴
- 子規句集　高浜虚子選

病牀六尺	正岡子規
子規歌集	土屋文明編
墨汁一滴	正岡子規
仰臥漫録	正岡子規
歌よみに与ふる書	正岡子規
獺祭書屋俳話・芭蕉雑談	正岡子規
子規紀行文集	復本一郎編
金色夜叉 全二冊	尾崎紅葉
三人妻	尾崎紅葉
二人比丘尼 色懺悔	尾崎紅葉
不如帰	徳冨蘆花
謀叛論 他六篇 日記	徳冨健次郎 中野好夫編
武蔵野	国木田独歩
運命	国木田独歩
愛弟通信	国木田独歩
蒲団・一兵卒	田山花袋
田舎教師	田山花袋
藤村詩抄	島崎藤村自選
破戒	島崎藤村
春	島崎藤村
千曲川のスケッチ	島崎藤村
桜の実の熟する時	島崎藤村
新生 全二冊	島崎藤村
夜明け前 全四冊	島崎藤村
藤村随筆集	十川信介編
生ひ立ちの記 他一篇	島崎藤村
にごりえ・たけくらべ	樋口一葉
大つごもり・十三夜 他五篇	樋口一葉
修禅寺物語 正雪の二代目 他四篇	岡本綺堂
高野聖・眉かくしの霊	泉鏡花
歌行燈	泉鏡花
夜叉ケ池・天守物語	泉鏡花
草迷宮	泉鏡花
春昼・春昼後刻	泉鏡花
鏡花短篇集	川村二郎編
日本橋	泉鏡花
外科室・海城発電 他五篇	泉鏡花
湯島詣 他一篇	泉鏡花
鏡花随筆集	吉田昌志編
化鳥・三尺角 他六篇	泉鏡花
鏡花紀行文集	田中励儀編
回想 子規・漱石	高浜虚子
有明詩抄	蒲原有明
上田敏全訳詩集	山内義雄 矢野峰人編
赤彦歌集	斎藤茂吉 久保田不二子選
宣言	有島武郎
一房の葡萄 他四篇	有島武郎
ホイットマン詩集 草の葉	有島武郎選訳
寺田寅彦随筆集 全五冊	小宮豊隆編
柿の種	寺田寅彦
与謝野晶子歌集	与謝野晶子自選

与謝野晶子評論集　鹿野政直・香内信子編
私の生い立ち　与謝野晶子
入江のほとり 他一篇　正宗白鳥
つゆのあとさき　永井荷風
濹東綺譚　永井荷風
荷風随筆集 全二冊　野口冨士男編
おかめ笹　永井荷風
摘録 断腸亭日乗 全二冊　永井荷風・磯田光一編
すみだ川・新橋夜話 他一篇　永井荷風
夢の女　永井荷風
あめりか物語　永井荷風
江戸芸術論　永井荷風
下谷叢話　永井荷風
ふらんす物語　永井荷風
浮沈・踊子 他三篇　永井荷風
花火・来訪者 他十一篇　永井荷風
問はずがたり・吾妻橋 他十六篇　永井荷風

煤煙　森田草平
斎藤茂吉歌集　山口茂吉・柴生田稔・佐藤佐太郎編
桑の実　鈴木三重吉
小鳥の巣　鈴木三重吉
千鳥 他四篇　鈴木三重吉
鈴木三重吉童話集　勝尾金弥編
小僧の神様 他十篇　志賀直哉
万暦赤絵 他二十二篇　志賀直哉
暗夜行路 全二冊　志賀直哉
志賀直哉随筆集　高橋英夫編
高村光太郎詩集　高村光太郎
北原白秋歌集　高野公彦編
北原白秋詩集 全二冊　安藤元雄編
フレップ・トリップ　北原白秋
野上弥生子随筆集　竹西寛子編
野上弥生子短篇集　加賀乙彦編
お目出たき人・世間知らず　武者小路実篤

友情　武者小路実篤
釈迦　武者小路実篤
銀の匙　中勘助
鳥の物語　中勘助
犬 他一篇　中勘助
若山牧水歌集　伊藤一彦編
新編 みなかみ紀行　若山牧水・池内紀編
新編 啄木歌集　久保田正文編
時代閉塞の現状・食うべき詩 他十篇　石川啄木
蓼喰う虫　谷崎潤一郎・小出楢重画
春琴抄・盲目物語　谷崎潤一郎
吉野葛・蘆刈　谷崎潤一郎
卍(まんじ)　谷崎潤一郎
幼少時代　谷崎潤一郎
谷崎潤一郎随筆集　篠田一士編
多情仏心 全二冊　里見弴
道元禅師の話　里見弴

今年竹 全二冊	里見弴
萩原朔太郎詩集	三好達治選
郷愁の詩人 与謝蕪村	萩原朔太郎
猫町 他十七篇	萩原朔太郎 清岡卓行編
恩讐の彼方に・忠直卿行状記 他八篇	菊池寛
父帰る・藤十郎の恋 菊池寛戯曲集	石割透編
河明り 老妓抄 他一篇	岡本かの子
春泥・花冷え	久保田万太郎
大寺学校 ゆく年	久保田万太郎
室生犀星詩集	室生犀星自選
犀星王朝小品集	室生犀星
出家とその弟子	倉田百三
羅生門・鼻・芋粥・偸盗	芥川竜之介
地獄変・邪宗門・好色・藪の中 他七篇	芥川竜之介
河童 他二篇	芥川竜之介
歯車 他二篇	芥川竜之介
蜘蛛の糸・杜子春・トロッコ 他十七篇	芥川竜之介
芭蕉雑記・西方の人 他七篇	芥川竜之介
侏儒の言葉・文芸的な、余りに文芸的な	芥川竜之介
芥川竜之介俳句集	加藤郁乎編
芥川竜之介随筆集	石割透編
蜜柑・尾生の信 他十八篇	芥川竜之介
年末の一日・浅草公園 他十七篇	芥川竜之介
芥川竜之介紀行文集	山田俊治編
都会の憂鬱	佐藤春夫
海に生くる人々	葉山嘉樹
日輪・春は馬車に乗って 他八篇	横光利一
上海	横光利一
旅愁 全二冊	横光利一
宮沢賢治詩集	谷川徹三編
童話集 風の又三郎 他十八篇	宮沢賢治 谷川徹三編
童話集 銀河鉄道の夜 他十四篇	宮沢賢治 谷川徹三編
山椒魚・遥拝隊長 他七篇	井伏鱒二
川釣り	井伏鱒二
井伏鱒二全詩集	井伏鱒二
太陽のない街	徳永直
伊豆の踊子・温泉宿 他四篇	川端康成
雪国	川端康成
川端康成随筆集	川西政明編
詩を読む人のために	三好達治
梨の花	中野重治
夏目漱石 全二冊	小宮豊隆
社会百面相 全二冊	内田魯庵
新編 思い出す人々	内田魯庵 紅野敏郎編
檸檬《レモン》・冬の日 他九篇	梶井基次郎
蟹工船 一九二八・三・一五	小林多喜二
独房・党生活者	小林多喜二
風立ちぬ・美しい村	堀辰雄
富嶽百景・走れメロス 他八篇	太宰治
斜陽 他一篇	太宰治
人間失格・グッド・バイ 他一篇	太宰治

津軽　太宰治
お伽草紙・新釈諸国噺　太宰治
真空地帯　野間宏
日本唱歌集　堀内敬三・井上武士編
日本童謡集　与田準一編
森鷗外　石川淳
至福千年　石川淳
近代日本人の発想の諸形式 他四篇　伊藤整
小説の方法　伊藤整
小説の認識　伊藤整
中原中也詩集　大岡昇平編
ランボオ詩集　中原中也訳
小熊秀雄詩集　岩田宏編
風浪・蛙昇天 —木下順二戯曲選Ⅰ　木下順二
子午線の祀り 沖縄 他一篇 —木下順二戯曲選Ⅳ　木下順二
元禄忠臣蔵 全二冊　真山青果
玄朴と長英 他三篇　真山青果

随筆滝沢馬琴　真山青果
旧聞日本橋　長谷川時雨
新編 近代美人伝 全二冊　長谷川時雨・杉本苑子編
土屋文明歌集　土屋文明自選
古句を観る　柴田宵曲
俳諧随筆 蕉門の人々　柴田宵曲
評伝 正岡子規　柴田宵曲
新編 俳諧博物誌　柴田宵曲・小出昌洋編
随筆集 団扇の画　柴田宵曲・小出昌洋編
子規居士の周囲　柴田宵曲
小説集 夏の花　原民喜
原民喜全詩集
いちご姫・蝴蝶 他二篇　山田美妙・十川信介校訂
貝殻追放抄　水上滝太郎
銀座復興 他三篇　水上滝太郎
魔風恋風 全二冊　小杉天外
柳橋新誌　成島柳北・塩田良平校訂

島村抱月文芸評論集　島村抱月
立原道造詩集　杉浦明平編
立原道造・堀辰雄翻訳集 —林檎みのる頃・窓
野火／ハムレット日記　大岡昇平
中谷宇吉郎随筆集　樋口敬二編
雪　中谷宇吉郎
伊東静雄詩集　杉本秀太郎編
冥途・旅順入城式　内田百閒
東京日記 他六篇　内田百閒
佐藤佐太郎歌集　佐藤志満編
西脇順三郎詩集　那珂太郎編
草野心平詩集　入沢康夫編
金子光晴詩集　清岡卓行編
大手拓次詩集　原子朗編
評論集 滅亡について 他三十篇　武田泰淳・川西政明編
山岳紀行文集 日本アルプス　小島烏水・近藤信行編
雪中梅　末広鉄腸・小林智賀平校訂

宮柊二歌集	宮英子・高野公彦編
新編 東京繁昌記	木村荘八・尾崎秀樹編
山の絵本	尾崎喜八
新編 山と渓谷	田部重治・近藤信行編
日本児童文学名作集 全二冊	桑原三郎・千葉俊二編
山月記・李陵 他九篇	中島敦
眼中の人	小島政二郎
新選 山のパンセ	串田孫一自選
新美南吉童話集	千葉俊二編
岸田劉生随筆集	酒井忠康編
摘録 劉生日記	岸田劉生・酒井忠康編
量子力学と私	朝永振一郎・江沢洋編
書物	森銑三・柴田宵曲
自註鹿鳴集	会津八一
窪田空穂随筆集	大岡信編
わが文学体験	窪田空穂
窪田空穂歌集	大岡信編

暢気眼鏡 虫のいろいろ 他十三篇	尾崎一雄・高橋英夫編
明治文学回想集 全二冊	十川信介編
梵雲庵雑話	淡島寒月
奴隷 —小説・女工哀史1	細井和喜蔵
工場 —小説・女工哀史2	細井和喜蔵
森鷗外の系族	小金井喜美子
木下利玄全歌集	五島茂編
新編 学問の曲り角	河野与一・原二郎編
碧梧桐俳句集	栗田靖編
新編 春の海 —宮城道雄随筆集	千葉潤之介編
放浪記	林芙美子
山の旅 全二冊	近藤信行編
日本近代文学評論選 全二冊	千葉俊二・坪内祐三編
観劇偶評	三木竹二・渡辺保編
食道楽 全二冊	村井弦斎
酒道楽	村井弦斎
文楽の研究 全二冊	三宅周太郎

五足の靴	五人づれ
尾崎放哉句集	池内紀編
リルケ詩抄	茅野蕭々訳
ぷえるとりこ日記	有吉佐和子
江戸川乱歩短篇集	千葉俊二編
怪人二十面相・青銅の魔人	江戸川乱歩
少年探偵団・超人ニコラ	江戸川乱歩
江戸川乱歩作品集 全三冊	浜田雄介編
堕落論・日本文化私観 他二十二篇	坂口安吾
桜の森の満開の下・白痴 他十二篇	坂口安吾
風と光と二十の私と・いずこへ 他十六篇	坂口安吾
久生十蘭短篇選	川崎賢子編
墓地展望亭・ハムレット 他六篇	久生十蘭
六白金星・可能性の文学 他十一篇	織田作之助
夫婦善哉 正続 他十二篇	織田作之助
わが町・青春の逆説	織田作之助
歌の話・歌の円寂する時 他一篇	折口信夫

岩波文庫の最新刊

國方栄二訳
エピクテトス
人生談義（下）

本当の自由とは何か。いかにすれば幸福を得られるか。ローマ帝国に生きた奴隷出身の哲学者の言葉。下巻は『語録』後半、『要録』他を収録。（全二冊）
〔青六〇八-二〕　本体一二六〇円

ヴァルター・ベンヤミン著／今村仁司、三島憲一 他訳
パサージュ論（二）

資本主義をめぐるベンヤミンの歴史哲学は、ボードレールの「現代性」の探究に出会う。最大の断章項目「ボードレール」のほか、「蒐集家」「室内、痕跡」を収録。（全五冊）
〔赤四六三-四〕　本体一二〇〇円

ズヴェーヴォ作／堤康徳訳
ゼーノの意識（下）

ゼーノの当てどない意識の流れが、不可思議にも彼の人生を鮮やかに映し出していく。独白はカタストロフィの予感を漂わせて終わる。（全二冊）
〔赤N七〇六-二〕　本体九七〇円

……今月の重版再開……

田辺繁子訳
マヌの法典
本体一〇一〇円
〔青二六〇-一〕

鈴木成高・相原信作訳
ランケ
世界史概観
―近世史の諸時代―
本体八四〇円
〔青四一二-一〕

定価は表示価格に消費税が加算されます　2021.2

岩波文庫の最新刊

揖斐高編訳
江戸漢詩選（下）
社会の変化と共に大衆化が進み、ますます多様に広がる江戸漢詩の世界。無名の町人や女性の作者も登場してくる。下巻では後期から幕末を収録。（全二冊）
〔黄二八五-二〕 本体一二〇〇円

鈴木大拙著
禅の思想
禅の古典を縦横に引きながら、大拙が自身の禅思想の第一義を存分に説く。振り仮名と訓読を大幅に追加した。（解説＝横田南嶺、解題＝小川隆）
〔青三二三-七〕 本体九七〇円

スウィフト作／深町弘三訳
奴婢訓 他一篇
召使の奉公上の処世訓が皮肉たっぷりに説かれた「奴婢訓」。他にアイルランドの貧困処理について述べた激烈な「私案」を付す。奇作二篇の味わい深い名訳を改版。
〔赤二〇九-二〕 本体五二〇円

アレクサンドラ・ダヴィッド＝ネール、アプル・ユンテン著／富樫瓔子訳
ケサル王物語
―チベットの英雄叙事詩―
古来チベットの人々に親しまれてきた一大叙事詩。仏敵調伏のため神々の世界から人間界に転生したケサル王の英雄譚。（解説・訳注＝今枝由郎）
〔赤六二一-一〕 本体一一四〇円

……今月の重版再開……

川端康成作
山の音
本体八一〇円
〔緑八一-四〕

木下順二作
夕鶴・彦市ばなし 他二篇
―木下順二戯曲選Ⅱ―
本体七四〇円
〔緑一〇〇-二〕

定価は表示価格に消費税が加算されます 2021. 3